Dla mojego dziadka, Edwina Shorta:
ogrodnika, miłośnika wina,
w głębi serca poety.

Joanne
HARRIS

—

Jeżynowe wino

Przełożyła
Katarzyna Kasterka

Prószyński i S-ka

Tytuł oryginału
BLACKBERRY WINE

Projekt okładki i stron tytułowych
Mirosław Adamczyk

Redakcja
Dorota Malinowska

Redakcja techniczna
Małgorzata Kozub

Korekta
Michał Załuska

Łamanie
Ewa Wójcik

ISBN 83-7337-710-7

Wydawca
Prószyński i S-ka SA
02-651 Warszawa, ul. Garażowa 7

Druk i oprawa
Drukarnia Naukowo-Techniczna Spółka Akcyjna
03-828 Warszawa, ul. Mińska 65

1

Wino jest obdarzone mową. Przecież każdy o tym wie. Wystarczy rozejrzeć się wokół. Spytać wyroczni na rogu ulicy; nieproszonego gościa na przyjęciu weselnym; świętego szaleńca. Wino gada. Niczym brzuchomówca. Przemawia milionem głosów. Rozwiązuje języki, radośnie wyciąga z ciebie tajemnice, których nigdy nie zamierzałeś nikomu zdradzić, których istnienia nawet nie byłeś świadom. Wino krzyczy, peroruje bombastycznie, szepcze łagodnie i słodko. Opowiada o wielkich sprawach, cudownych planach, tragicznej miłości i straszliwej zdradzie. Zaśmiewa się do nieprzytomności. Cicho chichocze pod nosem. Szlocha w konfrontacji z własnym odbiciem. Przywraca do życia dawno minione gorące, letnie miesiące i wspomnienia, o których najlepiej byłoby zapomnieć. Każda butelka to delikatny aromat innych czasów, innych miejsc; każda – od najbardziej plebejskiego Liebfraumilch do arystokratycznego Veuve Clicquot rocznik 1945 – jest pokornym cudem. Magią dnia powszedniego, jak zwykł mawiać Joe. Transmutacją podstawowego, organicznego surowca w tkankę, z której utkane są marzenia. Alchemią dla laika.

Weźmy dla przykładu mnie. Fleurie, rocznik 1962. Jedyny ostaniec ze skrzynki wina butelkowanego i przeznaczonego do konsumpcji w roku urodzenia Jaya. „Zuchwałe, pełne treści wino, radosne i odrobinę zawadiackie, z pikantnym posmakiem czarnej porzeczki" – tak głosi moja naklejka. Nie najlepsze wino do długiego przechowywania, ale Jay się tym nie przejmuje. Trzyma mnie ze względów sentymentalnych. Na specjalną okazję – okrągłą rocznicę urodzin, czy może ślub. Jednakże do tej pory każde jego urodziny przemijały bez szczególnej fety; sprowadzały się do picia argentyńskiego wina i oglądania starych westernów w telewizji. Pięć lat temu Jay ustawił mnie na stole udekorowanym srebrnymi świecznikami, ale nic z tego nie wyszło. Mimo to on i dziewczyna, którą wówczas zaprosił, zostali już razem. Wraz z nią zjawiła się w domu cała armia butelek – Dom Pérignon, wódka Stolicznaja, Parfait Amour i Mouton-Cadet, belgijskie piwa w smukłoszyich butelkach, wermut Noilly Prat, a także Fraise des Bois. One też coś mówią – ale to głównie nonsensy, metaliczna paplanina, niczym skrzek głosów przypadkowych gości zebranych na tym samym przyjęciu. Stanowczo więc nie życzyliśmy sobie mieć z nimi cokolwiek do czynienia. Zostaliśmy wetknięci w odległy kąt piwniczki – my, troje ocalałych – za pobłyskujące rzędy nowych przybyszów, i pozostawaliśmy tam przez następnych pięć lat w zupełnym zapomnieniu. Château-Chalon 1958, Sancerre 1971 i ja. Château-Chalon, zirytowane relegacją, symuluje głuchotę i często w ogóle odmawia jakiejkolwiek rozmowy. „Łagodne wino o wyjątkowym statusie i szlachetności", cytuje w rzadkich momentach wylewności. Z lubością przypomina nam wówczas o swoim senioracie, o długowieczności win z Jury. Strasznie się nad tym rozwodzi, jak również nad swoim miodowym bukietem i unikalnym rodowodem. Sancerre natomiast już dawno temu skwaśniało i odzywa się jeszcze rzadziej – od czasu do czasu wzdycha jedynie ledwo słyszalnie nad swoją dawno utraconą młodością.

I nagle, na sześć tygodni przed początkiem tej historii, zjawili się nowi lokatorzy. Zupełnie obcy. „Specjały". Intruzi, którzy zapoczątkowali bieg wydarzeń, mimo że też wydawali się skazani na zapomnienie za rzędami błyszczących nowych butelek. Było ich sześć – z ręcznie wypisanymi nalepkami i korkami zalanymi woskiem. Każda butelka miała wokół szyjki sznureczek innego koloru: z winem malinowym – czerwony, z kwiatu czarnego bzu – zielony, z jeżyn – niebieski, z owoców róży – żółty, z damaszek zaś – czarny. Ostatnie z nich, szóste, ze sznureczkiem brązowego koloru, było winem, o jakim nawet ja nie słyszałam. Na nalepce widniały jedynie słowa, spłowiałe do barwy słabej herbaty: „Specjał, 1975". Niemniej wewnątrz każdej z tych butelek aż buzowało od sekretów – niczym w kipiącym pracą ulu. Nie sposób było się odizolować od ich szeptów, pogwizdów i śmiechów. Oczywiście udawaliśmy całkowitą obojętność wobec błazeństw tych odmieńców. Zalatywali amatorszczyzną. W żadnym z nich ani śladu winnego grona. Wobec nas była to lichota, więc odnosiliśmy się do nich z niechęcią. Jednak cechowała tych barbarzyńców jakaś niezmiernie pociągająca zuchwałość, szaleńcze rozdźwięczenie aromatów i obrazów, przyprawiające bardziej powściągliwe roczniki o prawdziwy zawrót głowy.

Oczywiście poniżej naszej godności byłoby wdawanie się z nimi w rozmowę. Chociaż, och, jakże ja pragnęłam takiej rozmowy. Pewnie mój plebejski posmak czarnej porzeczki sprawiał, że czułam z nimi swoiste pokrewieństwo.

W piwnicy bardzo wyraźnie słychać, co się dzieje na górze, w domu. Dla nas każde wydarzenie wiązało się z przybywaniem bądź ubywaniem współlokatorów: dwanaście belgijskich piw w piątkową noc i dużo śmiechu w holu; w uprzedni wieczór pojedyncza butelka kalifornijskiego czerwonego, tak młodego, że niemal wydzielającego zapach taniny; a w zeszłym tygodniu – w dniu urodzin Jaya – mała butelka Moët, szczupła i delikatna, najbardziej obnażająca samotność z dostępnych pojemności oraz odległy nostalgiczny odgłos tętentu końskich kopyt i wystrzałów. Owego dnia Jay Mackintosh skończył trzydzieści siedem lat. Niby wcale się nie zmienił, jednak w swoich własnych oczach – oczach koloru indygo o odcieniu Pinot Noir – nabrał dziwacznego wyglądu nieco zamroczonego człowieka, który zatracił poczucie kierunku w życiu. Pięć lat temu Kerry uważała to za pociągające. Teraz jednak już straciła dawny apetyt. Uznała, że w pasywności Jaya, podszytej uporem, jest coś denerwująco zniechęcającego. Dokładnie czternaście lat temu Jay napisał powieść pod tytułem „Wakacje z Ziemniaczanym Joe". Zapewne wiecie, o czym mówię, bo ta książka zdobyła Nagrodę Goncourtów we Francji i została przetłumaczona na 20 języków. Jej publikację uświetniły trzy skrzynki doskonałego Veuve Clicquot, rocznik 1975 – wówczas zresztą zbyt młodego, by rozwinąć w pełni swój niezwykły bukiet, ale Jay ma to do siebie, że zawsze pogania życie, jakby było niewyczerpane, jak gdyby to, co tkwiło w jego wnętrzu, miało trwać wiecznie. Po każdym sukcesie – kolejny sukces. Celebracjom miało nie być końca.

W owych czasach nie istniała piwniczka z winami. Jay trzymał nas na półce kominka, tuż nad maszyną do pisania – „na szczęście", jak zwykł mawiać. Gdy skończył książkę, otworzył moją ostatnią towarzyszkę z 1962 roku – wysączył wino bardzo powoli, po czym jeszcze długo obracał pusty kieliszek w dłoniach. Wreszcie podszedł do kominka. Stał chwilę bez ruchu, ale po chwili szeroko się usmiechnął i powrócił, dość niepewnym krokiem, do krzesła przy biurku.

– Następnym razem, moja najdroższa – obiecał. – Zrobimy to następnym razem.

Bo widzicie, on przemawia do mnie tak, jak pewnego dnia ja przemówię do niego. Jestem jego najstarszym przyjacielem. Rozumiemy się doskonale. Przeznaczenie Jaya jest splecione z moim przeznaczeniem.

Ale, oczywiście, nie było już następnego razu. Przez jakiś czas wywiady telewizyjne, artykuły w gazetach i entuzjastyczne recenzje w magazynach goniły się nawzajem, jednak stosunkowo szybko zastąpiła je głucha cisza. W Hollywood zrealizowano filmową adaptację powieści Jaya z Coreyem Feldmanem w roli głównej i z akcją przeniesioną w realia amerykańskiego Środkowego Zachodu. Od tamtej chwili upłynęło dziewięć lat. Jay napisał kilkadziesiąt stron powieści zatytułowanej „Niezłomny Cortez", a ponadto sprzedał do Playboya osiem krótkich opowiadań, które w jakiś czas później wydawnictwo Penguin wydało w formie książkowej. Świat literacki czekał na nową powieść Jaya Mackintosha: początkowo z entuzjazmem, potem z pełnym niepokoju zaciekawieniem, a w końcu ze śmiertelną obojętnością.

Oczywiście, Jay pisał nadal. Do tej pory opublikował siedem powieści o tytułach takich jak: „Gen Ye-zus", „Psy-Choza z Marsa" czy „Randka z A'Gonią" – wszystkie pod pseudonimem Jonathan Winesap. Dobrze się sprzedawały, więc utrzymywały Jaya we względnym komforcie przez ostatnie czternaście lat. Jay kupił komputer – laptopa Toshiby – którym balansował na kolanach niczym kupnymi, mrożonymi obiadami, odgrzewanymi w te wieczory – coraz częstsze ostatnimi czasy – gdy Kerry pracowała do późnej nocy. Ponadto pisał recenzje, artykuły do czasopism i gazet oraz krótkie opowiadania. Uczył kreatywnego składania zdań pisarzy in spe oraz prowadził seminaria na uniwersytecie. Zaczął utrzymywać, że w tym nawale zajęć nie ma już czasu na własną twórczość, śmiejąc się przy tym bez przekonania z samego siebie: pisarza, który nie pisze. Ilekroć mówił coś podobnego, Kerry spoglądała na niego z zaciśniętymi ustami. Poznajcie Kerry O'Neill, urodzoną jako Katherine Marsden, lat dwadzieścia osiem, o krótko ostrzyżonych blond włosach i zadziwiająco zielonych oczach, które – na co Jay nigdy do tej pory nie wpadł – zawdzięczały swój niezwykły kolor soczewkom kontaktowym. Robiła karierę w telewizji, jako prowadząca nocny talk-show „Forum!", w którym osobistości kategorii B i popularni literaci dyskutowali nad bieżącymi problemami społecznymi przy akompaniamencie awangardowego jazzu. Pięć lat temu Kerry prawdopodobnie uśmiechnęłaby się, słysząc, jak Jay wypowiada podobne słowa. Ale pięć lat temu nie było jeszcze „Forum!", Kerry redagowała kolumnę z ofertami wakacyjnymi w gazecie „Independent" i pisała książkę zatytułowaną „Czekolada – feministyczne spojrzenie na życie". Świat wydawał się pełen najwspanialszych możliwości. Książka ukazała się drukiem dwa lata później, wzbudzając falę żywego zainteresowania wszelkich możliwych mediów. Kerry była fotogeniczna i niekontrowersyjna – stanowiła wymarzony produkt rynkowy. W rezultacie pojawiła się w kilku lekkich programach publicystycznych i została sfotografowana dla „Marie-Claire", „Tatlera" i „Me!". Postarała się jednak, by ten sukces nie uderzył jej do głowy. Obecnie miała dom w Chelsea, *pied-à-terre* w Nowym Jorku i rozważała możliwość poddania się zabiegowi odsysania tłuszczu z bioder. Dojrzała i wydoroślała. Ciągle parła naprzód.

Natomiast niczego podobnego nie dałoby się powiedzieć o Jayu. Pięć lat temu zdawał się uosobieniem chimerycznego, pełnego temperamentu artysty, wypijającego pół butelki Smirnoffa dziennie – wcieleniem przeklętego, nieszczęsnego bohatera romantycznego. Wyzwalał w Kerry macierzyńskie instynkty. Zamierzała go zbawić, chciała być jego natchnieniem, by w zamian stworzył cudowną powieść, powieść-iluminację objaśniającą sens ludzkiej egzystencji – właśnie dzięki niej.

Jednak nic podobnego się nie zdarzyło. Na życie zarabiały tandetne powieści science fiction – tanie wydania w miękkich okładkach epatujących przemocą i jaskrawymi kolorami. Jay nigdy już nie napisał niczego o takiej dojrzałości, przewrotnej mądrości, jak jego pierwsza powieść; prawdę powiedziawszy, nawet nie próbował. Często zamykał się w świecie posępnych rozmyślań i o jakimkolwiek temperamencie nie było już mowy. Nigdy nie działał pod wpływem impulsu. Nigdy nie okazywał gniewu, nie tracił nad sobą panowania. Jego wypowiedzi nie cechowała ani nad wyraz błyskotliwa inteligencja, ani intrygująca szorstkość. I nawet nadmierne picie alkoholu – jedyny wybryk, który się jeszcze ostał z przeszłości – wydawało się teraz śmieszne w jego wydaniu; przypominał w tym człowieka obsesyjnie upierającego się przy noszeniu groteskowo niemodnych ubrań z okresu swej młodości. Większość czasu spędzał na grach komputerowych i oglądaniu starych filmów na wideo – zamknięty w zaklętym kręgu okresu swego dorastania niczym stara płyta gramofonowa zacinająca się wciąż na tym samym rowku. Kerry coraz częściej myślała, że chyba popełniła błąd. Jay nie miał ochoty dorosnąć. Nie chciał, by go ocaliła.

Puste butelki głosiły jednak inną historię. Jay wmawiał sobie, że pije z tego samego powodu, dla którego się zajmuje drugorzędną literaturą. Nie po to, by zapomnieć, ale by pamiętać, odblokować przeszłość i odnaleźć siebie samego na nowo – niczym doskonale uformowaną pestkę w gorzko-kwaśnym miąższu owocu. Otwierał każdą butelkę, rozpoczynał każde opowiadanie przeświadczony w cichości ducha, że oto właśnie teraz wreszcie zaczerpnie ów magiczny haust, dzięki któremu się odrodzi. Ale magia, podobnie jak wino, wymaga określonych warunków. Inaczej traci swą moc. Coś takiego na pewno powiedziałby mu Joe. W niesprzyjających okolicznościach chemia nie zadziała. Bukiet ulegnie zniszczeniu.

Kiedyś sądziłam, że wszystko rozpocznie się ode mnie. To byłoby niezwykle poetyckie. Bo przecież jego i mnie łączy specjalna więź. Jednak tę historię zapoczątkował zupełnie inny rocznik. W gruncie rzeczy nie mam nic przeciwko temu. Lepiej być ostatnim trunkiem Jaya niż pierwszym. Szczerze mówiąc, nawet nie jestem jedną z głównych postaci tej opowieści, ale byłam tutaj, zanim zjawiły się „Specjały", i będę jeszcze po tym, jak już wszystkie zostaną wypite. Jestem cierpliwa i mogę poczekać. Poza tym dojrzałe Fleurie wymaga wysubtelnionego smaku, a ja nie jestem pewna, czy podniebienie Jaya jest już na to gotowe.

2

Londyn, wiosna 1999

Był marzec. Łagodny i ciepły: czuliśmy to nawet w piwnicy. Jay pracował na górze – pracował na swój własny sposób, z butelką pod ręką, przy włączonym, mocno ściszonym telewizorze. Kerry poszła na przyjęcie – promocję młodych literatek w wieku poniżej 25. roku życia – w domu więc panowała cisza. Jay używał maszyny do pisania, gdy siadał do tego, co nazywał „prawdziwą" pracą, a laptopa do pisania powieści science fiction, tak więc zawsze na podstawie dochodzących odgłosów lub ich braku wiadomo było, czym się zajmuje. Zanim w końcu zszedł na dół, minęła dziesiąta. Najpierw włączył radio i nastawił na stację nadającą stare przeboje, a potem usłyszeliśmy, jak kręci się po kuchni: słyszeliśmy jego kroki, niespokojny stukot na terakotowej podłodze. Obok lodówki stał barek. Jay zajrzał do środka, zawahał się, zamknął drzwiczki. Dźwięk otwierania lodówki. Tam, jak zresztą i wszędzie wokół, dominował gust Kerry. Sok z perzu, kuskus, młody szpinak, mnóstwo jogurtów. A tymczasem tym, na co Jay miał największą ochotę, była potężna porcja jajek smażonych na bekonie z keczupem i cebulą oraz kubek bardzo mocnej herbaty. To pragnienie, jak sądził, miało coś wspólnego z Joem i z Pog Hill Lane. Zwykłe skojarzenie, nic więcej, jedno z tych, które zazwyczaj nachodziły go w chwilach, gdy usiłował napisać coś sensownego. To uczucie jednak szybko przeminęło. Jak zjawa. Wiedział, że tak naprawdę wcale nie był głodny. Zapalił więc papierosa – zakazany luksus zarezerwowany jedynie na te chwile, kiedy Kerry była poza domem. Zaciągnął się zachłannie, głęboko. Ze skrzeczących głośników radia popłynął chropawo głos Steve'a Harley'a śpiewający „Make me smile". Jeszcze jedna piosenka z tego odległego, nieustannie prześladującego go lata roku 1975. Zaczął podśpiewywać – jego głos odbił się od ścian kuchni samotnym echem.

Tuż za nami w ciemnościach piwnicy „Specjały" się ożywiły. Może za sprawą muzyki, a może powietrze tego łagodnego wiosennego wieczoru zdało im się nagle naładowane nowymi możliwościami – w każdym razie zaczęły gwałtownie musować aktywnością, kipieć z podniecenia, obijać się o siebie z grzechotem, podskakiwać w mroku, marzyć o rozmowie, wyrywać się na zewnątrz, by uwolnić drzemiące w ich wnętrzu esencje. Być może to właśnie ściągnęło go na dół – jego kroki zadudniły głucho na niemalowanych schodach z surowego drewna. Jay zawsze lubił piwniczkę – była chłodna i pełna tajemnic. Często schodził na dół jedynie po to, by dotknąć butelek, przejechać palcami po ścianach puchatych od kurzu. A ja lubiłam, gdy przychodził. Niczym czuły barometr doskonale wyczuwam jego emocjonalną temperaturę, kiedy jest obok mnie. Do pewnego stopnia potrafię nawet czytać w jego myślach. Bo, jak już mówiłam, łączy nas szczególna więź.

W piwnicy było ciemno – jedyne źródło mdłego światła stanowiła słaba żarówka u sufitu. Rzędy butelek: większość z nich bez żadnego charakteru, wybrana głównie przez Kerry – leżała na półkach mocowanych do ścian; reszta – stała w skrzynkach, na kamiennej podłodze. Przechodząc obok, Jay nieznacznie dotykał butelek, przysuwał do nich twarz tak blisko, jakby przez szkło chciał uchwycić aromat tych uwięzionych letnich miesięcy. Dwa czy trzy razy wyciągnął jedną z butelek i przed odłożeniem z powrotem, chwilę obracał w dłoniach. Poruszał się bez celu, bez określonego kierunku, rozkoszując się panującą w piwnicy wilgocią i ciszą. Nawet odgłosy londyńskiego ruchu ulicznego były tu stłumione i nagle ogarnęła go pokusa, by się położyć wprost na gładkiej, chłodnej posadzce i zasnąć – być może już na zawsze. Nikt by go nie szukał w tym miejscu. Tyle że jak na złość czuł się nadzwyczaj rozbudzony, niezwykle rześki, odniósł dziwne wrażenie, że cisza niespodziewanie orzeźwiła mu umysł. Pomimo spokoju i bezruchu, atmosfera w piwniczce zdawała się naelektryzowana, jak gdyby zaraz coś się miało wydarzyć.

„Specjały" tkwiły w kartonowym pudle na samym końcu, pod ścianą. Nad nimi leżała połamana drabina. Jay przesunął ją na bok i z wysiłkiem przeciągnął karton po kamiennych płytach podłogi. Na chybił trafił wyjął butelkę i skierował w stronę światła, by odcyfrować napis na nalepce. Płyn był atramentowo-czerwonego koloru, z grubą warstwą osadu na dnie. Przez moment Jayowi zdawało się, że ujrzał coś jeszcze we wnętrzu, jakiś szczególny kształt, ale w końcu doszedł do wniosku, że to jedynie osad. Ponad jego głową, w kuchni, stacja nostalgicznych przebojów wciąż nadawała utwory z 1975 roku – tym razem nie z okresu lata, a Bożego Narodzenia. „Bohemian Rhapsody" wybrzmiewała cichutko, ale słyszalnie, i Jayem niespodziewanie wstrząsnął dreszcz.

Powróciwszy na górę, zlustrował butelkę z uwagą i ciekawością – sześć tygodni temu, gdy przywiózł to wino, praktycznie nawet nie rzucił na nie okiem. Ujrzał woskową plombę wokół szyjki, brązowy sznureczek i ręcznie wypisaną naklejkę – „Specjał 1975". Bród z piwnicy Joego wżarł się w szkło. Jay zaczął się zastanawiać, czemu w ogóle przytargał te butelki, czemu ocalił je z rumowiska. Pewnie pod wpływem wspomnień, chociaż właściwie jego uczucia względem Joego wciąż były zbyt mieszane, by mówić o takim luksusie. Gniew, zagubienie, tęsknota owionęły go nagle gorąco-lodowatymi falami. *Staruszku. Jaka szkoda, że cię tu nie ma.*

Wewnątrz butelki coś podskoczyło i zapląsało. W odpowiedzi pozostałe „Specjały" w piwnicy zadźwięczały i ruszyły w tan.

Niekiedy wszystko zależy od przypadku. Po latach wyczekiwania – na odpowiednią koniunkcję planet, przypadkowe spotkanie, moment nagłego natchnienia – sprzyjające warunki pojawiają się samoistnie, przychodzą skrycie, bez fanfar, bez ostrzeżenia. Jay sądzi, że to przeznaczenie. Joe nazywał to magią. Czasami wszystko jest wynikiem zwyczajnej chemii, czegoś nieokreślonego w powietrzu; jedno banalne wydarzenie wprawia w ruch ciała, które od dawna tkwiły w stanie inercji. Jeden gest pociąga za sobą nagłe, nieodwracalne zmiany.

Alchemia dla laika, jak mawiał Joe. Magia dnia powszedniego. Jay Mackintosh sięgnął po nóż, by usunąć pokrywający szyjkę wosk.

3

Wosk dobrze przetrwał te wszystkie lata. Gdy Jay usunął go nożem, korek pod spodem okazał się nienaruszony. Przez chwilę aromat był tak cierpki, że – by go znieść – Jay zacisnął powieki i czekał, aż uwolnione esencje zaczną naginać go do swej woli. Poczuł zapach ziemi, lekko kwaśny, przywodzący na myśl woń kanału w środku lata, szatkownicę do jarzyn i radosny posmak świeżo wykopanych ziemniaków. Przez moment wielka siła złudzenia sprawiła, że znowu znalazł się w tym zmiecionym z powierzchni ziemi miejscu, tuż obok Joego wspartego na łopacie, nieopodal radia wciśniętego w rozwidlenie gałęzi, grającego „Send in the Clowns" i „I'm Not in Love". Zawładnęło nim niespodziewane, obezwładniające podniecenie.

Wlał odrobinę wina do kieliszka, starając się w swym rozemocjonowaniu nie uronić ani kropli. Napój miał dymno-różową barwę, niczym sok z papai, i zdawał się wspinać po ściankach kieliszka w gorączkowym oczekiwaniu, jakby w jego wnętrzu kryło się coś żyjącego, nie mogącego się już doczekać, by wypróbować swą magię na jego ciele. Jay spojrzał na płyn z nieufnością podszytą tęsknotą. Jakaś jego cząstka nieskończenie pragnęła skosztować tego wina – od wielu lat czekała na podobną okazję – a mimo to Jay się wahał z jakichś bliżej niesprecyzowanych względów. Napój wewnątrz kieliszka był ponuro ciemny i upstrzony płatkami jakiejś brunatnej materii, podobnej do rdzy. Jay wyobraził sobie nagle, że kosztuje wina, krztusi się, po czym wije w agonii na terakotowej podłodze. Unosząc kieliszek do ust, zatrzymał się w pół gestu.

Ponownie przyjrzał się płynowi. Ruch, który zdawał się dostrzegać jeszcze chwilę temu – zanikł. Poczuł lekko słodkawy aromat, przypominający lekarstwo – może syrop na kaszel. Znów zaczął się zastanawiać, czemu właściwie przywiózł te butelki. Przecież tak naprawdę nic takiego jak magia nie istniało. To była tylko jedna z wielu bzdur, w które Joe kazał mu wierzyć; jeden z wielu trików starego oszusta. A tymczasem w jego umyśle tkwiło uporczywe przekonanie, że w tym winie coś jednak się kryje. Coś naprawdę specjalnego.

Był tak pogrążony we własnych myślach, że nie usłyszał kroków Kerry wchodzącej do kuchni.

– O, a więc nie pracujesz. – Jej głos był wyrazisty, z lekko irlandzkim akcentem, produkowanym jedynio w takich ilościach, by nikt jej nie posądził o uprzywilejowane pochodzenie. – Wiesz, jeżeli zamierzałeś się urżnąć, to przynajmniej mogłeś pójść ze mną na tę imprezę. Byłaby to dla ciebie cudowna okazja poznania kilku nowych ludzi.

Położyła szczególny akcent na słowo „cudowna", przeciągając akcentowaną sylabę o trzykrotność jej naturalnego trwania. Jay spojrzał na nią, wciąż trzymając w dłoni kieliszek z winem. Po chwili zaś odezwał się szyderczym tonem:

– Och, oczywiście. Ja zawsze spotykam samych cudownych ludzi. Bo przecież wszyscy ludzie z kręgów literackich są doprawdy cudowni. A już wpadam w ekstazę, gdy jedna z twoich cudownych nieopierzonych dzierlatek podchodzi do mnie w czasie któregoś z tych cudownych przyjęć i mówi: „Hej, czy to nie ty przypadkiem byłeś tym Jayem Jakimśtam – facetem, który napisał tę cudowną książkę?".

Kerry przeszła na drugą stronę kuchni, stukając chłodno obcasami z przezroczystego plastiku o terakotowe kafle, po czym nalała sobie kieliszek wódki.

– Zachowujesz się już nie tylko nietowarzysko, ale i dziecinnie. Gdybyś się w końcu postarał i napisał coś poważnego, zamiast marnować swój talent na tandetne...

– Cudowne – Jay uśmiechnął się szeroko i wzniósł kieliszek w jej stronę. W piwnicy pozostałe „Specjały" zadźwięczały zadzierzyście, jakby w oczekiwaniu na ważne wydarzenia. Kerry zamarła w bezruchu.

– Słyszałeś coś?

Jay pokręcił przecząco głową, nie przestając się uśmiechać. Podeszła bliżej, spojrzała na kieliszek w jego dłoni, a potem na butelkę stojącą na stole.

– Co ty właściwie pijesz? – głos miała teraz równie ostry i klarowny, jak przypominające lodowe sople obcasy jej butów. – Jakiś nowy koktajl? Śmierdzi obrzydliwie.

– To wino zrobione przez Joego. Jedno z tych sześciu. – Obrócił butelkę, by się przyjrzeć naklejce. – Czerwona tubera 1975. Wspaniały rocznik.

Za nami i wokół nas „Specjały" zamusowały frenetycznie. Słyszeliśmy, jak się śmiały, podśpiewywały, nawoływały radośnie, pląsały w zachwycie. Ich śmiech był zaraźliwy, buńczuczny – niczym wezwanie do broni. Château-Chalon powściągliwie wyraziło dezaprobatę, ale w tej karnawałowej, rozhukanej atmosferze jego pomruk nabrał odcienia zawiści. Ja zaś niespodziewanie odkryłam, że poddałam się temu szaleństwu, grzechotałam w swojej skrzynce niczym najpospolitsza butelka mleka, w ekstatycznym wyczekiwaniu, przepełniona dziwną pewnością, że zaraz się wydarzy coś zupełnie wyjątkowego.

– Fuj! Boże jedyny! Nie pij tego paskudztwa. Na pewno jest już zepsute. – Kerry zaśmiała się sztucznie. – Poza tym, to obrzydliwe. Jak nekrofilia czy coś w tym stylu. Zupełnie nie rozumiem, czemu w ogóle przywlokłeś do domu te butelki – biorąc pod uwagę okoliczności.

– Ja, moja kochana, zamierzam wypić to wino, a nie pieprzyć się z nim.

– Co?

– Nic.

– Proszę, kochanie. Wylej to. W tym świństwie

zapewne pływają wszelkie najohydniejsze bakterie. Albo nawet jeszcze coś gorszego. Borygu, czy coś w tym stylu. Przecież wiesz, jaki był ten staruszek. – Po chwili jej głos nabrał przymilnego tonu. – Naleję ci w zamian kieliszek wódeczki, OK?

– Kerry, przestań gadać, jakbyś była moją matką.

– To przestań się zachowywać jak dziecko. Czemu, na Boga jedynego, nie możesz wreszcie dorosnąć?

A więc powrócili do niekończącego się refrenu.

– To wino zrobił Joe. Należało do niego – stwierdził z uporem w głosie. – Nie oczekuję od ciebie, że to zrozumiesz.

Westchnęła głośno i odwróciła się plecami.

– Och, jak chcesz. Ostatecznie i tak zawsze robisz, co ci się podoba. Przez te wszystkie lata tak się zafiksowałeś na tego starego durnia, jakby był twoim ojcem czy kimś takim, a nie jedynie sprośnym starym capem lecącym na młodocianych chłopców. W porządku, zachowaj się jak odpowiedzialna, dojrzała osoba i struj się tym paskudztwem. Jeżeli umrzesz, być może ku pamięci wznowią „Ziemniaczanego Joe", a ja sprzedam swoją historię magazynowi „TLS"...

Jay jej nie słuchał. Podniósł kieliszek do ust. Ponownie uderzył go mocny, ostry zapach – przytłumiony, cydrowy aromat domu Joego, gdzie zazwyczaj tliły się kadzidełka, a w skrzynkach na kuchennym oknie dojrzewały pomidory. Przez moment zdawało się Jayowi, że słyszy jakiś niezwykły odgłos, niczym dźwięczny, gwałtowny brzęk tłuczonego szkła – jakby kryształowy kandelabr runął nagle na zastawiony stół. Pociągnął długi łyk.

– Twoje zdrowie.

Wino smakowało równie obrzydliwie jak za jego chłopięcych czasów. W tej miksturze nie było ani pół winnego grona – stanowiła ona jedynie słodkawy ferment smaków i woni, z przebijającym lekkim odorem odpadków. Zapach przywodził na myśl kanał w środku lata i zapuszczone stoki nasypu kolejowego. Smak był cierpki, drażniący – przypominający dym i smród palonej gumy, ale jednocześnie wzbudzał dziwne emocje, mile łechcąc gardło i pamięć, wyciągając na powierzchnię wspomnienia, które wydawały się stracone już na zawsze. Zacisnął pięści, gdy opadły go te zagubione niegdyś obrazy, i nagle poczuł się nadzwyczaj lekko.

– Na pewno dobrze się czujesz? – To był głos Kerry, dziwnie rezonujący, jakby dochodził go we śnie. Zdawała się być zirytowana, chociaż w jej tonie pobrzmiewał również wyraźny niepokój. – Jay, mówiłam ci, żebyś tego nie pił. Czy jesteś pewien, że wszystko z tobą w porządku?

Z trudem przełknął napój.

– Oczywiście. Prawdę mówiąc, to wino ma całkiem przyjemny smak. Jest zuchwałe. Cierpkie. Wyzywające. Cudownie dojrzałe. Nieco jak ty, Kes.

Urwał, krztusząc się, ale i wybuchając śmiechem. Kerry spojrzała na niego bez odrobiny rozbawienia.

– Wolałabym, żebyś mnie tak nie nazywał. To nie jest moje imię.

– Podobnie jak Kerry – zauważył złośliwie.

– W porządku, jeżeli zamierzasz zachowywać się grubiańsko, to idę do łóżka. A ty rozkoszuj się swoim winem. Może przynajmniej ono cię podnieci.

Jej słowa stanowiły oczywiste wyzwanie, ale Jay pozostawił je bez komentarza. Odwrócił się plecami do drzwi i czekał, żeby wreszcie sobie poszła. Wiedział, że zachowuje się egoistycznie. Wiedział świetnie. Ale to wino coś w nim pobudziło, coś niezwykłego, co chciał zbadać głębiej. Pociągnął kolejny łyk i odkrył, że jego podniebienie przyzwyczaja się do dziwnych aromatów. Teraz wyczuwał przejrzałe owoce, spalone na twardy, sczerniały cukier; dobiegł go zapach dobywający się z szatkownicy do jarzyn i głos Joego podśpiewującego w takt muzyki płynącej z radia gdzieś na samym końcu działki. Niecierpliwie wysączył kieliszek do dna, smakując na języku pikantną środkową nutę bukietu, czując, jak jego serce bije z nową energią, wali tak, jakby właśnie przebiegł spory dystans. Pod schodami pięć pozostałych butelek zadźwięczało i zatrzęsło się w wylewnej radości. Umysł Jaya był oczyszczony, a żołądek już się uspokoił. Przez chwilę usiłował zdefiniować uczucie, które nagle go ogarnęło, i w końcu zrozumiał, że to prawdziwa radość.

4

Pog Hill, lato 1975

Ziemniaczany Joe. Równie dobre imię, jak każde inne. Przedstawił się jako Joe Cox, uśmiechając się przy tym lekko, jak gdyby chciał sprowokować niedowierzanie, choć już nawet w tamtych dniach jego prawdziwe nazwisko mogło brzmieć zupełnie inaczej, zmieniać się wraz z porami roku czy miejscem zamieszkania.

– My obaj moglibyśmy być kuzynami – powiedział tego pierwszego dnia, gdy się poznali, a Jay mu się przyglądał z zafascynowaniem, siedząc na niewysokim murku. Szatkownica do jarzyn furczała i łomotała, wyrzucając kawałki słodko-kwaśnych owoców i warzyw do wiadra stojącego u stóp Joego.

– Koksa i Mackintosh. Oba jabłka, hę? Po mojemu, to niemal czyni z nas rodzinę. – Mówił z jakimś egzotycznym, nieznanym akcentem i zdezorientowany Jay wlepiał w niego wzrok, nie do końca rozumiejąc słowa.

– A więc nie miałeś pojęcia, że się nazywasz jak jabłko, hę? I to jedno z tych lepsiejszych – amerykańskie, czerwone. Smakowite. Sam mam młode drzewko, tam ot – mówiąc to, energicznie szarpnął głową do tyłu, w stronę domu. – Ale nie przyjęło się najlepiej. Po mojemu trzeba mu grubo więcej czasu, by się zadomowiło i poczuło jak u siebie.

Jay wlepiał w niego wzrok pełen nieufnego cynizmu dwunastolatka, wyczulony na najlżejszy odcień kpiny czy szyderstwa.

– Mówi pan tak, jakby drzewa miały uczucia.

– No bo i mają. A pewnie. Jak i wszystko inne, co rośnie.

Chłopiec z zafascynowaniem przyglądał się wirującym ostrzom szatkownicy do jarzyn. Lejkowata w kształcie maszyna wyła i wibrowała w rękach Joego, wyrzucając z siebie kawałki białego, różowego, niebieskawego i żółtego miąższu.

– Co pan robi?

– A na co to wygląda?

Stary mężczyzna skinął głową w stronę kartonowego pudła stojącego tuż przy murku, na którym siedział Jay.

– Bądź tak miły i podaj no te bulwy, dobrze?

– Bulwy?

Lekki zniecierpliwiony gest w kierunku pudła:

– Czerwone tubery.

Jay rzucił okiem w dół. Zeskok nie był trudny, do ziemi miał około metra, ale ogród stanowił zamkniętą przestrzeń – z wyjątkiem wąskiego spłachetka niezagospodarowanego gruntu i linii kolejowej za jego plecami – a miejskie wychowanie nauczyło go nieufności wobec obcych. Joe uśmiechnął się szeroko.

– Ja nie gryzę, chłopcze – powiedział łagodnym głosem.

Zezłoszczony, Jay wskoczył do ogrodu.

„Tubery" były podłużne, czerwone i lekko spiczaste z jednego końca. Parę zostało rozciętych, prawdopodobnie w czasie, gdy Joe je wykopywał. Ukazywały różowy miąższ, któremu promienie słońca nadawały tropikalnego wyglądu. Chłopiec zachwiał się lekko pod ciężarem pudła.

– Ostrożnie – krzyknął Joe. – Nie upuść ich. Łatwo się siniaczą.

– Przecież to tylko kartofle.

– Ano kartofle – odparł Joe, nie odrywając wzroku od szatkownicy.

– Wydawało mi się, że nazwał je pan jak jabłka, czy coś w tym stylu.

– Bulwy. Kartofle. Pyry. Ziemniaki. Tubery. *Poms de tair.*

– Dla mnie nie wyglądają jakoś szczególnie niezwykle.

Joe potrząsnął głową, po czym zaczął wtłaczać bulwy do szatkownicy. Wydzielały słodkawy zapach, przypominający woń papai.

– Przywiozłem je z Ameryki Południowej, zaraz po wojnie – oznajmił. – Sam wyhodowałem z nasion tu, w moim ogrodzie. Pięć lat zajęło mi przygotowanie gleby, coby była jak należy. Jeżeli chcesz kartofle do pieczenia, to hodujesz odmianę King Edward. Jeśli na sałatki – to Charlotty lub Jerseye. A gdy lubisz frytki – to najlepsze dla ciebie będą Maris Pipery. Zaś te... – sięgnął dłonią po jedną z bulw, pocierając miłośnie poczerniałą poduszeczką kciuka różowawą skórkę – ...one są starsze niż Nowy Jork, tak stare, że nie mają właściwej, angielskiej nazwy. Ja sam nadałem im imię „tubery". Ich nasiona są cenniejsze od sproszkowanego złota. To nie są „jedynie kartofle", chłopcze. To drogocenne bryłki zagubionego czasu, kiedy ludzie wciąż jeszcze wierzyli w magię, a połowa świata była tylko białą plamą na mapie. Z czegoś takiego nie robi się frytek. – Ponownie potrząsnął głową, a pod gęstymi, siwymi brwiami jego oczy śmiały się serdecznie i radośnie.

Jay przyglądał mu się podejrzliwie, niepewny, czy ten człowiek jest obłąkany, czy najzwyczajniej w świecie się z niego naigrawa.

– W takim razie co pan z nich robi? – zapytał w końcu.

Joe wrzucił ostatnią bulwę do szatkownicy i uśmiechnął się szeroko.

– Wino, chłopcze. Wino.

To było lato 1975 roku. Jay miał prawie trzynaście lat, wąskie oczy, zacięte usta i twarz przypominającą mocno zaciśniętą pięść, skrywającą coś zbyt tajemnego, by nadawało się do ujawnienia. Do niedawna Jay należał do rezydentów szkoły Moorlands w Leeds, ale teraz rozciągało się przed nim osiem dziwacznych, pustych wakacyjnych tygodni – aż do początku następnego semestru. A tymczasem Jay już od razu znienawidził to miejsce – jego ponurą, przymgloną linię horyzontu; niebiesko-czarne wzgórza, po których pełzały żółte ładowarki; slumsy, szeregowce należące do kopalni oraz ludzi – mieszkańców Północy o ostrych rysach i płaskim, obcym akcencie. Matka zapewniała go, że wszystko będzie w porządku, że spodoba mu się w Kirby Monckton, że zmiana dobrze mu zrobi. A w tym czasie wszystko się jakoś ułoży. Ale Jay wiedział swoje. Rozwód rodziców rozwarł się nagłą przepaścią pod jego stopami, więc ich nienawidził, nienawidził tego miejsca, do którego go wysłali, nienawidził błyszczącego, pięcioprzerzutkowego roweru doskonałej marki Raleigh dostarczonego tego ranka z okazji jego urodzin – łapówki równie godnej wzgardy, jak towarzysząca jej notatka – „Z najlepszymi życzeniami od Mamy i Taty" – tak fałszywie normalna, jakby świat dookoła nie rozpadał się cicho i niepostrzeżenie w proch. Jego wściekłość była mrożąco zimna, niczym tafla szkła czy lodu, odcinająca go od reszty świata, tłumiąca wszelkie odgłosy, sprawiająca, że ludzie wydawali się jedynie chodzącymi drzewami. Ta wściekłość tkwiła głęboko w jego wnętrzu, kotłowała się, kipiała, z desperacją czekała na jakieś wydarzenie, które dałoby jej ujście.

Nigdy w zasadzie nie byli zżytą rodziną. Aż do tego lata Jay widział swoich dziadków może pięć czy sześć razy, z okazji świąt Bożego Narodzenia albo urodzin. Okazywali mu wówczas sumiennie pełne rezerwy uczucie. Babka była drobna i elegancka, niczym porcelana, którą kochała i którą ozdabiała każdy skrawek powierzchni w swoim domu. Dziadek przypominał wojskowego i bez licencji strzelał do przepiórek na pobliskich wrzosowiskach. Oboje pogardzali związkami zawodowymi, ubolewali nad wzrostem znaczenia klasy robotniczej, pojawieniem się muzyki rockowej, noszeniem przez mężczyzn długich włosów i nad dopuszczeniem kobiet do studiów w Oxfordzie. Jay szybko się zorientował, że jeżeli będzie mył ręce przed każdym posiłkiem i udawał, że słucha wszystkiego, co się do niego mówi, w nagrodę otrzyma nieograniczoną wolność. I właśnie dzięki temu spotkał Joego.

Kirby Monckton to niewielkie miasteczko na Północy, podobne do tysięcy innych. Typowo górnicza osada już wówczas podupadała żałośnie, bowiem dwie z czterech kopalni splajtowały, natomiast pozostałe ledwo wiązały koniec z końcem. Gdy zamykano kopalnie, budowane wokół nich miasteczka obumierały także – straszyły rzędami tanich, kopalnianych szeregowców chylących się ku ruinie, w połowie opustoszałych, z oknami zabitymi deskami oraz ogródkami zarośniętymi chwastami i zasypanymi górami nikomu niepotrzebnych rupieci. Centrum wyglądało nieco lepiej: rząd sklepów, kilka pubów, minimarket, komisariat z zakratowanym oknem. Z jednej strony rzeka, tory kolejowe i stary kanał; z drugiej – pasmo wzgórz ciągnące się aż do podnóża Gór Penińskich. Tam właśnie znajdowało się Górne Kirby, miejsce gdzie mieszkali dziadkowie Jaya.

Gdy się spoglądało w stronę wzgórz, ponad polami i lasami, niemal można było sobie wyobrazić, że w tej okolicy nigdy nie istniały żadne kopalnie. To było oblicze Kirby Monckton, które każdy mógłby zaakceptować i gdzie szeregowce nosiły miano eleganckich domków w rustykalnym stylu. Z najwyższego wzniesienia rozciągał się widok na całe miasteczko oddalone o kilka mil – mazak żółtawego dymu przecinający poszarpany horyzont z pylonami linii energetycznych, maszerującymi przez uprawne pola w kierunku łupkowoszarej blizny odkrywkowej kopalni. Z tej odległości dolina wyglądała nieskończenie pięknie, zasłonięta pasmem wzgórz. W Górnym Kirby domy były o wiele większe, bogaciej zdobione: szeregowce z epoki wiktoriańskiej zbudowane z pokrytego szlachetną patyną kamienia, z witrażowymi oknami i stylizowanymi na gotyk odrzwiami oraz wielkimi, zacisznymi ogrodami obsadzonymi drzewami owocowymi *en espalier* i z gładkimi, zadbanymi trawnikami.

Jednak Jay pozostawał nieczuły na te uroki. Dla jego przywykłych do londyńskiego krajobrazu oczu, Górne Kirby wyglądało na niebezpieczne miejsce, balansujące niepewnie na skalistej krawędzi wrzosowiska. Przestrzenie – odległości pomiędzy budynkami – przyprawiały go o zawrót głowy. Pokryte meandrami blizn Dolne Monckton i Nether Edge wydawały się zupełnie opustoszałe z powodu spowijającego je dymu – niczym zabudowania ogarnięte wirem wojny. Jay tęsknił do londyńskich kin i teatrów, sklepów płytowych, galerii i muzeów. Brakowało mu natłoku ludzi, dobrze znanego londyńskiego akcentu, odgłosu ruchu ulicznego i swojskich zapachów. Teraz przejeżdżał na swoim rowerze wiele mil obcymi drogami, nienawidząc wszystkiego, co napotykał na swej drodze.

Dziadkowie nie wtrącali się do jego spraw. Pochwalali spędzanie czasu na wolnym powietrzu i nigdy nie zauważali, że każdego popołudnia wracał do domu drżący, wyczerpany własnym ponurym gniewem. Zawsze był uprzejmy, jak każdy dobrze wychowany chłopiec. Wysłuchiwał ich słów inteligentnie i z doskonale pozorowaną uwagą. Zachowywał się kulturalnie, z wystudiowaną pogodą ducha. Stanowił uosobienie modelowego ucznia z komiksu dla grzecznych chłopców, i z cierpkim dreszczem rozkoszował się swą mistyfikacją.

Joe mieszkał na Pog Hill Lane, w jednym z chylących się ku upadkowi szeregowców, którego okna wychodziły na linię kolejową. Jay już dwukrotnie odwiedzał to miejsce, zostawiając rower w pobliskich krzakach i wspinając się na nasyp, by dojść do kładki ponad torami. W dali widać było pola ciągnące się aż do rzeki, a poza nimi kopalnię odkrywkową – odgłos pracy jej maszynerii wiatr niósł buczącym, dalekim echem. Przez kilka mil stary kanał biegł niemal równolegle do linii kolejowej, gdzie stojące powietrze aż zieleniło się od wielkich much i parowało zapachem popiołu oraz bujnej roślinności. Pomiędzy kanałem a linią kolejową wiła się wąska ścieżka, zacieniona konarami drzew. Dla ludzi z miasteczka Nether Edge było kompletnie wyludnionym obszarem. I właśnie dlatego ten rejon tak bardzo pociągał Jaya.

W kiosku na stacji kupował paczkę papierosów oraz egzemplarz „Eagle" i pedałował w kierunku kanału. Potem chował rower bezpiecznie w zaroślach i wędrował ścieżką nad kanałem, przeciskając się pomiędzy gałęziami wierzbówki posyłającymi w przestrzeń chmury białych nasion. Gdy dochodził do starej śluzy, siadał na kamieniach i zapalał papierosa, obserwując trakcję kolejową, od czasu do czasu licząc ilość wagonów z węglem czy strojąc ohydne miny, gdy mijał go pociąg pasażerski, ze stukotem i trzaskiem podążający ku swemu upragnionemu, wzbudzającemu zazdrość przeznaczeniu. Niekiedy Jay wrzucał kamienie do zapchanego kanału i kilka razy przeszedł się aż do rzeki, gdzie budował tamy z błota i śmieci wyrzuconych na brzeg: zużytych opon, gałęzi drzew, podkładów kolejowych, a nawet pewnego razu całego materaca o sprężynach wyzierających przez sparciałe bebechy. Właśnie od tego wszystko się zaczęło; w pewnym sensie to miejsce zaczęło wywierać na niego przemożny wpływ. Niewykluczone, że dlatego, iż można je było uznać za miejsce sekretne – pulsujące przeszłością, a jednocześnie zakazane. Jay zaczął je penetrować: natknął się na tajemnicze betonowo-metalowe cylindry – które później zidentyfikował jako zadaszone wyloty kopalnianych szybów – wydające dziwne, rezonujące dźwięki, gdy podchodziło się w ich pobliże. Poza tym odkrył zatopiony kopalniany szyb, porzuconą ciężarówkę do przewozu węgla, a także szczątki rzecznej barki. Było to zapuszczone, być może nawet niebezpieczne miejsce, nasączone jakimś wielkim smutkiem, przyciągające go w sposób, którego nie umiałby wyjaśnić ani przezwyciężyć. Jego rodziców ogarnęłoby przerażenie, gdyby ujrzeli go w owym miejscu, i to również przyczyniało się do atrakcyjności tej okolicy. Jay badał więc wszelkie przyległe do niej obszary; oto popielisko pełne potłuczonej zastawy stołowej; w pobliżu zaś stos egzotycznych, porzuconych skarbów: mnóstwo komiksów i czasopism jeszcze nie zniszczonych przez deszcz; sterta złomu; korpus samochodu – starego forda galaxy, z którego – niczym nowoczesna, niezwykła antena – wyrastał pęd młodego czarnego bzu; stary kineskop telewizyjny. Pewnego razu Joe powiedział mu, że życie w pobliżu nasypu kolejowego przypomina życie w pobliżu plaży – każdego dnia można znaleźć coś wyrzuconego przez fale przypływu bądź mijającego czasu. Z początku Jay nienawidził tego miejsca. Zupełnie nie rozumiał, czemu w ogóle tam chodzi. Wyruszał z domu z zamiarem udania się w całkiem inną stronę, po czym nagle znów znajdował się w Nether Edge, pomiędzy kanałem a linią kolejową, gdzie odgłos pracującej, odległej maszynerii dźwięczał w jego uszach, a białawe niebo ciepłego lata napierało na głowę niczym rozprażona czapka. Samotne, zapuszczone miejsce. Ale za to należące do niego. Do niego – przez to całe długie, dziwaczne lato. A przynajmniej tak mu się wówczas wydawało.

5

Londyn, wiosna 1999

Następnego dnia obudził się późno. Kerry już nie było, ale zostawiła notatkę, z której dezaprobata wyzierała równie wyraźnie, jak gdyby była oryginalnym znakiem wodnym. Przeczytał ją bezmyślnie, nie wykazując większego zainteresowania, jednocześnie usiłując sobie przypomnieć, co się wydarzyło poprzedniego wieczoru.

J. – Nie zapomnij o dzisiejszym przyjęciu w „Spy's" – to ważne, żebyś się zjawił! Włóż garnitur od Armaniego – K.

Głowa pękała mu z bólu. Zaparzył sobie mocnej kawy i popijając gorący napój, słuchał radia. Nie pamiętał zbyt wiele; większość jego życia zdawała się teraz właśnie taka: zamazane dni, bez żadnego definiującego je wyróżnika, niczym odcinki telenoweli, którą oglądał z przyzwyczajenia, mimo że nie interesowała go żadna z przedstawionych tam postaci. Każdy dzień rozciągał się przed nim równie nieskończenie, jak wyludniona autostrada biegnąca przez pustynię. Tego popołudnia miał wykład dla wieczorowej grupy amatorów pisarstwa i już zastanawiał się, czy przypadkiem nie odpuścić sobie tych zajęć. Nie przejmował się nimi zbytnio – opuszczał je już wcześniej. Teraz niemalże tego się po nim spodziewano. Artystyczny temperament. Uśmiechnął się przelotnie na myśl o podobnej ironii losu.

Butelka wina wyprodukowanego przez Joego stała tam, gdzie ją zostawił poprzedniego wieczoru – na środku stołu. Zdziwił się, gdy spostrzegł, że jest zaledwie w połowie opróżniona. Tak niewielka wypita ilość wydawała się zupełnie nieadekwatna do straszliwego kaca, który nękał go tego ranka oraz do natłoku kłębiących się myśli, które pozwoliły mu zasnąć dopiero, gdy świt rozlał się po niebie różową poświatą. Zapach dobiegający z opróżnionego kieliszka był słaby, lecz wciąż wyczuwalny – słodkawy opar przywodzący na myśl jakiś medykament. Kojąca woń. Jay ponownie napełnił kieliszek.

– Na pohybel – wymamrotał pod nosem.

Teraz napój był już tylko trochę nieprzyjemny; niemal całkowicie pozbawiony smaku. Jakieś wspomnienia zamajaczyły mu w głowie, były jednak zbyt zamglone, by zdołał je ująć w określone kształty.

Nagle i niespodziewanie coś zachrzęściło u drzwi, odwrócił się więc gwałtownie, z niejasnym poczuciem winy, jak ktoś przyłapany na gorącym uczynku. Okazało się jednak, że to tylko poczta, wepchnięta przez skrzynkę na listy, leniwie rozsypująca się już po wycieraczce. Promień słońca wpadający przez szybę wejściowych drzwi oświetlił niespodziewanie kopertę leżącą na wierzchu, jakby to jej właśnie należała się specjalna uwaga. Najprawdopodobniej tylko makulatura, pomyślał. Obecnie rzadko otrzymywał coś ponad bezwartościowe reklamy. A jednak, za sprawą gry światła, koperta na górze sterty zdawała się błyszczeć, nadając nowego, szczególnego znaczenia wybitemu w jej poprzek słowu: WOLNOŚĆ. Jakby nagle londyński poranek uchylił przed nim drzwi prowadzące do całkiem innego świata, pełnego wspaniałych możliwości. Pochylił się, by podnieść połyskliwy prostokąt.

W pierwszej chwili pomyślał, że to jednak rzeczywiście komercyjne śmieci. Broszura wyprodukowana tanim sumptem, zatytułowana WAKACJE Z DALA OD ZGIEŁKU. ZAKOSZTUJ WOLNOŚCI, pełna nieostrych fotografii wiejskich domów i *gîtes*, pomiędzy które upchnięto krótkie, zwięzło teksty. „Urocza chata jedynie pięć mil od Avignonu... Duża zagroda, kompletnie przebudowana, otoczona przynależnymi do niej gruntami... Szesnastowieczna stodoła, przerobiona na dom mieszkalny, w samym sercu Dordogne...”. Wszystkie zdjęcia wyglądały tak samo: wiejskie domy pod niebem błękitnym jak z kreskówek Disneya, kobiety w chustkach i białych czepkach na głowach oraz mężczyźni w beretach, przeganiający stada kóz w stronę nienaturalnie zielonych wzgórz. Jay rzucił broszurę na stół z dziwnym ukłuciem zawodu, poczuciem, że został oszukany przez los, że coś nieznanego, acz nadzwyczaj istotnego ominęło go w życiu. I właśnie wtedy jego wzrok padł na tę fotografię. Broszura upadła w taki sposób, że otwarła się na samym środku, ukazując zdjęcie domu, umieszczone na obu centralnych stronach, niczym rozkładówka. Ten widok zdał się Jayowi dziwnie znajomy. Wielki, solidny dom, z różowawymi, wyblakłymi ścianami, pokryty czerwoną dachówką. Napis pod fotografią głosił: „Château Foudouin, Lot-et-Garonne”. Powyżej zaś, czerwonymi neonowymi literami wybito: NA SPRZEDAŻ.

Ujrzenie podobnego domu w tej broszurze było tak niespodziewanym doznaniem, że aż zadrżało mu serce. To znak, przyznał w duchu. Jeżeli zobaczył taki dom właśnie teraz, dokładnie w tym momencie, nie mogło to być absolutnie nic innego. Nic innego, jak szczególny znak.

Przez długi czas wpatrywał się w zdjęcie. Po uważnym przestudiowaniu szczegółów stwierdził, że ten dom nie wygląda identycznie jak *château* Joego. Kontury budynku były nieco inne, dach bardziej spadzisty, a okna węższe i głębiej osadzone w kamieniu. Poza tym ów dom nie znajdował się w Bordeaux, ale w sąsiednim departamencie, kilka mil od Agen, nad niewielkim dopływem Garonny – Tannes. Jednak dostatecznie blisko wymarzonego miejsca Joego. W zasadzie bardzo blisko. Nie mógł więc być to tylko czysty przypadek.

W mroku piwnicy „Specjały" popadły w tajemnicze, pulsujące wyczekiwaniem milczenie. Nie wydawały z siebie żadnego szeptu, najlżejszego brzęku czy syku.

Jay z napięciem wpatrywał się w fotografię. Tuż nad nią neonowy znak świecił nieustępliwie, nęcąco.

NA SPRZEDAŻ.

Jay sięgnął po butelkę i ponownie napełnił kieliszek.

6

Pog Hill, lipiec 1975

Tego lata większość życia Jaya toczyła się w ukryciu, jakby prowadził podjazdową wojnę. W deszczowe dni siadał w swoim pokoju i czytywał pisma w rodzaju „Dandy" czy „Eagle" oraz słuchał radia, które mocno ściszał, udając że się uczy. Pisywał także trzymające w niezwykłym napięciu opowiadania o tak pasjonujących tytułach jak: „Kanibalistyczni wojownicy z Zakazanego Miasta" czy „Człowiek, który ścigał błyskawicę".

W owym czasie nigdy nie brakowało mu pieniędzy. Co niedzielę dostawał dwadzieścia pensów za mycie zielonego austina należącego do dziadka i tyle samo za skoszenie trawnika. Krótkim, nieregularnym listom od rodziców zawsze towarzyszyły przekazy pocztowe i Jay wydawał tę nieoczekiwaną fortunę w radosnym, uskrzydlającym poczuciu buntu przeciwko dorosłym. Kupował komiksy, balonową gumę do żucia i – gdy tylko mógł – papierosy; pociągało go wszystko, co mogłoby wzbudzić potępienie rodziców. Trzymał swoje skarby nad kanałem, w puszce po herbatnikach, przed dziadkami zaś utrzymywał, że składa pieniądze w banku. W zasadzie to nawet nie było kłamstwo. Obluzowany, sporych rozmiarów kamień przy ruinach starej śluzy, delikatnie wyciągany, ujawniał powierzchnię może piętnastu cali kwadratowych, na której idealnie mieściła się jego puszka. Kawałek torfu, wycięty nożem z nabrzeża kanału, doskonale ukrywał wejście do skrytki. Przez pierwsze dwa tygodnie wakacji Jay zjawiał się tu niemal co dzień, rozkładał w niedbałej pozie na płaskich kamieniach zrujnowanego pomostu, palił papierosy, czytał, pisał swoje opowiadania lub rozkręcał na cały regulator radio, tak że głośne dźwięki rozpierały jasne, pełne sadzy powietrze. Gdy teraz wspominał owo lato, zawsze w głowie dźwięczały mu rozmaite piosenki: „Eighteen with a Bullet" Pete'a Wingfielda czy „D.I.V.O.R.C.E" Tammy Winette. Często wtórował utworom płynącym z odbiornika bądź grał na niewidzialnej gitarze, strojąc wymyślne miny do wyimaginowanej publiczności. Dopiero dużo później zdał sobie sprawę, jak bardzo był wówczas nieostrożny. Znajdował się tak blisko kanału, że Zeth i jego banda mogli z łatwością go usłyszeć i napaść niespodziewanie w czasie tych pierwszych dwóch tygodni. Mogli go znaleźć drzemiącego na brzegu czy osaczyć w popielisku – co gorsza, mogli go nakryć nad otwartym pudełkiem ze skarbami. Jay nigdy wcześniej nie myślał, że na jego terytorium mogą się pojawić jacyś inni chłopcy. Ba, nawet nie przyszło mu do głowy, że to może już być terytorium kogoś zupełnie innego – silniejszego i brutalniejszego, starszego i obeznanego w twardych regułach gry. Jay do tej pory nigdy nie uczestniczył w żadnej bójce. W szkole Moorlands nie pochwalano podobnych gminnych obyczajów. Jego kilkoro londyńskich znajomych zachowywało się zawsze dystyngowanie i z rezerwą – dziewczynki spinały włosy w końskie ogony i uczęszczały na lekcje baletu, natomiast chłopcy o idealnym uzębieniu nosili mundurki kadetów. Jay zawsze czuł, że jakoś nie przystaje do tego towarzystwa. Jego matka była aktorką, której kariera utknęła w martwym punkcie po tym, jak zaczęła występować w sit-comie zatytułowanym „Ach! Mamuśka!", opowiadającym o wdowcu wychowującym trójkę nastoletnich dzieci. Matka Jaya grała rolę wściubiającej we wszystko nos właścicielki domu, niejakiej pani Dykes. Większość nastoletniego życia Jaya zohydzili mu obcy ludzie zatrzymujący ich z matką na ulicy i wykrzykujący jej sztandarową kwestię: „Ach, mam nadzieję, że nie przeszkadzam?".

Ojciec Jaya, Chlebowy Baron, zbił fortunę na bardzo popularnym niskokalorycznym pieczywie. Nigdy jednak nie zarobił na tyle dużo, by tym zrekompensować brak odpowiedniego rodowodu, więc ukrywał własną niepewność za fasadą rubasznej, owianej dymem cygar wesołości. On też kompromitował Jaya – samogłoskami prosto z East Endu i krzykliwymi garniturami. Jay sądził, że sam przynależy do innego gatunku, uważał się za twardszego, bliższego soli narodu. Nie mógł bardziej się mylić.

Było ich trzech. Wyższych i starszych od niego – mieli może po czternaście, a może po piętnaście lat. Szli ścieżką nad kanałem, osobliwym, kołyszącym krokiem; paradowali z wypiętą piersią i dumą podwórzowego koguta, dając w ten sposób do zrozumienia światu, że już dawno temu zawłaszczyli to terytorium. Instynktownie Jay pochwycił swoje radio i przykucnął za drzewem, w cieniu, wzburzony manierą pewnych siebie posiadaczy, z jaką obcy wtoczyli się na pomost. Któryś z nich usiłował wydłubać coś z wody kijem, drugi potarł zapałkę o spodnie, by przypalić papierosa. Jay obserwował ich ostrożnie zza pnia, czując wyraźne mrowienie w krzyżu. W swoich dżinsach, butach do kostek zapinanych na suwak i obciętych T-shirtach wyglądali bardzo groźnie, jak członkowie niebezpiecznego klanu. Należeli do tego samego, szczególnego szczepu, do którego Jay nigdy nie miał prawa wstępu. Jeden z nich – wysoki, pałąkowaty – niósł wiatrówkę przerzuconą niedbale przez zgięcie łokcia. Miał szeroką, gniewną twarz upstrzoną ropnym trądzikiem na brodzie, z oczami przywodzącymi na myśl dwa łożyska kulkowe. Inny – na wpół odwrócony plecami – stał tak, że Jay wyraźnie widział jego tłusty brzuch wyłażący spod przyciętego T-shirtu i szeroką gumę majtek ponad opadającymi dżinsami. Majtki miały wzorek z małych samolocików i z jakichś względów to bardzo rozbawiło Jaya.

Zaczął chichotać – z początku cichutko, w zwiniętą pięść – by jednak w końcu wybuchnąć niepohamowaną salwą śmiechu.

Samoloty obróciły się gwałtownie, z zaskoczenia rozdziawiając usta. Przez moment obaj mierzyli się wzrokiem. Potem obcy pochwycił gwałtownie Jaya za przód koszuli.

– Cóżeż ty, kurwa mać, robisz tutej, eh?

Dwaj pozostali przyglądali się tej scenie z pełnym wrogości zaciekawieniem. Trzeci chłopak – pająkowaty wyrostek z wymyślnymi baczkami – postąpił krok naprzód i dźgnął Jaya boleśnie w pierś kłykciem wskazującego palca.

– Żeś był o cóś pytany, knypie.

Ich język brzmiał zupełnie obco, niemalże niezrozumiale – do Jaya docierał jedynie groteskowy bulgot samogłosek, więc znów poczuł rozbawienie, i z ledwością powstrzymywał się, by ponownie nie wybuchnąć śmiechem.

– Widno mi, żeś nie tylko kiep, ale i niemota, eh? – zdenerwowały się Baczki.

– Przepraszam – wykrztusił wreszcie z siebie Jay, usiłując się uwolnić z uchwytu. – Ale zjawiliście się tak niespodziewanie. Nie miałem zamiaru was przestraszyć.

Wszyscy trzej wlepili w niego wzrok z jeszcze większą intensywnością. Ich oczy były tak samo pozbawione koloru, jak tutejsze niebo o przedziwnym bezbarwnym odcieniu szarości. Najwyższy z nich pogłaskał wymownie lufę swej wiatrówki. Jego twarz wyrażała zaciekawienie i niemal rozbawienie. Jay zauważył, że ten chłopak ma na wierzchu dłoni wytatuowane litery – każda z nich tkwiła tuż nad kłykciami palców. Układały się w imię, czy może ksywkę: ZETH. Jay od razu się zorientował, że nie była to profesjonalna robota. Wyrostek zrobił to sam, za pomocą cyrkla i atramentu. Wyobraźnia podsunęła Jayowi nagle przed oczy widok tego chłopaka w chwili, gdy się tatuował – z upartym grymasem satysfakcji na twarzy, pewnego słonecznego popołudnia, w czasie lekcji angielskiego czy matematyki, na oczach nauczyciela udającego, że nic nie widzi, mimo że Zeth nie czynił żadnych wysiłków, by się kryć ze swoją pracą. Tak jednak było nauczycielowi wygodniej. I pewnie też bezpieczniej.

– Przestraszyć? Nas? – łożyska kulkowe w głowie Zetha wywróciły się do góry w fałszywym geście rozbawienia.

Baczki zachichotały kpiąco.

– Kiepa masz, koleś? – Zeth nadal mówił lekko rozbawionym tonem, jednak Samoloty wciąż nie wypuszczały z garści koszuli Jaya.

– Papierosa? – Zaczął nerwowo szukać po kieszeniach, niezdarnie grzebać gdzie się da, chcąc jak najszybciej uciec z tego miejsca. W końcu wyciągnął paczkę playersów. – Jasne. Poczęstuj się.

Zeth wyjął dwa papierosy, po czym podał paczkę Baczkom, a jeszcze potem Samolotom.

– Wiecie co, zatrzymajcie je sobie – rzucił Jay, czując lekki zawrót głowy.

– Ognia masz?

Pogmerał w kieszeni dżinsów i wyjął zapałki.

– Je też sobie weźcie.

Zapalając papierosa, Samoloty przymrużyły oko i posłały w stronę Jaya fałszywie przypochlebne, a jednocześnie taksujące spojrzenie. Pozostali dwaj podeszli bliżej.

– A szmal masz, i w ogóle? – spytał Zeth uprzejmym tonem. Samoloty zaczęły sprawnie przeszukiwać kieszenie Jaya.

Teraz już było za późno, żeby się wyrwać. Minutę wcześniej mógł jeszcze zadziałać z zaskoczenia, dać nura pomiędzy nich, wbiec na pomost, a potem na tory kolejowe. Ale teraz było już za późno. Zdążyli wyczuć jego strach. Niecierpliwe dłonie przeszukiwały kieszenie Jaya delikatnymi, zachłannymi ruchami palców. Guma do żucia, kilka cukierków, parę drobnych monet – cała zawartość jego kieszeni wytoczyła się prosto w ich nastawione garści.

– Hej, zostawcie mnie w spokoju, dobra! Te rzeczy są moje!

Ale głos mu drżał. Próbował wmówić sobie, że to nieistotne, że spokojnie może im pozwolić, by sobie zatrzymali to wszystko – większość z rzeczy, które znaleźli, była przecież zupełnie bezwartościowa – a mimo to nie przestawało go nękać nienawistne, tępe poczucie bezradności i palącego wstydu.

I wtedy Zeth podniósł z ziemi radio.

– Niezgorsze – oznajmił.

Jay zupełnie zapomniał o radiu; gdy leżało w wysokiej trawie, w cieniu drzew, było niemal zupełnie niezauważalne. Błysk światła, przypadkowy refleks chromu, czy po prostu pech sprawił, że Zeth jednak je dojrzał, schylił się i uniósł w górę.

– To moje radio – wymamrotał Jay niemal niedosłyszalnie. Wydawało mu się, że ma w ustach ostre igły. Zeth spojrzał na niego i uśmiechnął się szeroko.

– Moje – wyszeptał Jay.

– To się wie, koleś – odparł Zeth przyjaznym głosem i odsunął od siebie odbiornik na długość ramienia.

Ich oczy się spotkały ponad radiem. Jay wyciągnął dłoń, w niemal błagalnym geście. Zeth odsunął od niego radio, chociaż tylko nieznacznie, a zaraz potem podrzucił je i kopnął błyskawicznie z niezwykłą energią, tak że zatoczyło szeroki, połyskliwy łuk ponad ich głowami. Przez moment zaiskrzyło w górze, niczym miniaturowy statek kosmiczny, a potem huknęło o kant kamiennego pomostu i roztrzaskało się na sto chromowych oraz plastikowych kawałków.

– Gooool! – zawyły Baczki, po czym zaczęły podrygiwać i skakać po szczątkach odbiornika. Samoloty zachichotały pod perlącym się od potu nosem. Natomiast Zeth patrzył na Jaya z tym samym zaciekawionym wyrazem twarzy, trzymając jedną rękę na lufie swojej wiatrówki. Jego wzrok był zimny i w pewnym sensie współczujący, jakby Zeth chciał powiedzieć: „No i co teraz, koleś? Co teraz? No i co?".

Jay poczuł, że oczy zaczynają go palić żywym ogniem, jakby zbierały się w nich nie łzy, ale krople roztopionego ołowiu. Bardzo walczył ze sobą, by się nie rozpłakać. Spojrzał na szczątki odbiornika błyskające na kamieniach i próbował wmówić sobie, że nie warto się tym przejmować. To było przecież tylko stare radio, nic na tyle wartościowego, by oberwać za to cięgi, jednak wściekłość kipiąca w jego wnętrzu pozostawała głucha na głos rozsądku. Zrobił krok w kierunku śluzy, a potem gwałtownie się obrócił, odruchowo, bez zastanowienia, i zamachnął pięścią tak silnie, jak tylko mógł, w stronę cierpliwej, rozbawionej twarzy Zetha. Samoloty i Baczki natychmiast rzuciły się na niego, boksując i kopiąc, ale dopiero po tym, jak Jay wymierzył solidnego kopniaka w brzuch Zetha, i tym razem – w odróżnieniu od swojej pierwszej bokserskiej próby – wymierzył bardzo celnie. Zeth gwałtownie, ze świstem wypuścił powietrze, wrzasnął i zaczął się zwijać po ziemi. Samoloty próbowały ponownie pochwycić Jaya, ale on był teraz oślizły od potu, więc bez trudu wywinął się napastnikowi i dał nura pod jego ramieniem. Ślizgając się na szczątkach radia, skierował się w stronę ścieżki, sprawnym unikiem ominął Baczki, zjechał na stopach po nabrzeżu kanału, przeciął wąską ścieżkę i wpadł na kładkę ponad torami. Ktoś wykrzykiwał coś za jego plecami, ale odległość i bełkotliwy lokalny dialekt sprawiły, że nie zrozumiał słów, choć nie miał wątpliwości, że wyrażały groźbę. Gdy dopadł szczytu nasypu, cmoknął zwiniętą dłoń w wymownym geście, przeznaczonym dla majaczących w oddali postaci, wygrzebał rower z krzaków i pół minuty później pedałował w stronę Monckton. Z nosa leciała mu krew, a dłonie miał starte od grzebania w zaroślach, ale od wewnątrz rozpierało go poczucie triumfu. Nawet bezpowrotnie zniszczone radio zostało chwilowo zapomniane. Być może właśnie owo nieposkromione, magiczne uczucie przyciągnęło go tego dnia do domu Joego. W jakiś czas potem Jay wmówił sobie, że był to jedynie najzwyklejszy przypadek, że wówczas myślał jedynie o tym, by pędzić przed siebie wraz z wiatrem, ale jeszcze później zrozumiał, że jednak mógł być to rodzaj szalonego przeznaczenia, jakiś szczególny zew. Miał też nieodparte wrażenie, że gdzieś w jego wnętrzu dźwięczał głos o niezwykłej przejrzystości i tonie, zaś zaledwie chwilę później ujrzał nazwę ulicy – POG HILL LANE – oświetloną czerwonawymi promieniami zachodzącego słońca, jakby w specjalny sposób naznaczoną, by przyciągnąć jego uwagę. I wtedy, zamiast minąć jej wlot, jak to wielokrotnie wcześniej czynił, zatrzymał się i wjechał w zaułek, by już po chwili wbijać wzrok ponad niewysokim murkiem w starszego mężczyznę szatkującego swe niezwykłe ziemniaki, które zamierzał przerobić na wino.

7

Londyn, marzec 1999

Agent najwyraźniej wyczuł jego entuzjazm. Oznajmił, że na ten dom złożono już ofertę. A ponieważ opiewała na sumę tylko odrobinę niższą od ceny wyjściowej, sporządzono nawet wstępną umowę. Jeżeli jednak Jayowi bardzo zależy na kupnie domu we Francji, może wybrać z szerokiego wachlarza innych posiadłości. Ta wiadomość – prawdziwa czy nie – sprawiła, że ogarnęło go nagłe szaleństwo. To musi być właśnie ten dom, nalegał. Ten i tylko ten. Teraz, natychmiast. Zapłaci gotówką.

Agent dyskretnie przeprowadził rozmowę telefoniczną. A po chwili jeszcze jedną. Szybko, gwałtownie wyrzucał w słuchawkę francuskie słowa. Gdy czekali na odpowiedź, ktoś przyniósł kawę i włoskie ciasto z cukierni po przeciwnej stronie ulicy. Jay zaproponował nową cenę, nieco wyższą od proponowanej przez właściciela. Usłyszał, jak głos po drugiej stronie słuchawki podniósł się o co najmniej pół oktawy. Wzniósł toast filiżanką *café-latte*. Kupowanie domu okazało się tak niebywale proste. Kilka godzin czekania, chwila papierkowej roboty i posiadłość już należała do niego. Przeczytał ponownie krótką notatkę umieszczoną pod fotografią i próbował przełożyć słowa na kamień i zaprawę murarską. Château Foudouin. Na zdjęciu wyglądał zupełnie nierealnie, niczym pocztówka z zamierzchłej przeszłości. Jay usiłował wyobrazić sobie, że wychodzi przed jego drzwi, dotyka różowego kamienia, spogląda ponad winnicą w stronę jeziora. Czuł się jak we śnie. Marzenie Joego, ich wspólne marzenie nareszcie urzeczywistnione. To musiało być szczególne zrządzenie losu. Po prostu musiało.

Gdy tak pożerał swój nowy dom wzrokiem, dotykał fotografii, wciąż składał i rozkładał cienki arkusz wyjęty z broszury – poczuł się, jakby znów miał czternaście lat. Teraz chciał wszystkim pokazać swój cudowny nabytek. Chciał już się tam znaleźć, w tej właśnie chwili, fizycznie objąć ten dom w posiadanie, nie bacząc na fakt, że papierkowe formalności nie zostały jeszcze całkowicie dopełnione. Ale resztę może zrobić za niego bank, jego księgowy i prawnicy. On już wykonał najważniejszy krok.

Jeszcze tylko parę telefonów i wszystko będzie załatwione. A potem lot do Paryża. Pociąg do Marsylii. W ten sposób już jutro może się znaleźć na miejscu.

8

Pog Hill, lipiec 1975

Joe mieszkał w ponurym, zniszczonym szeregowcu podobnym do większości domów stojących wzdłuż linii kolejowej. Ich fronty wychodziły bezpośrednio na ulicę, a drzwi wejściowe od chodnika oddzielały jedynie niskie murki. Z tyłu znajdowały się małe podwóreczka zawieszone praniem, zagracone budami skleconymi domowym sposobem, z klatkami dla królików, kurnikami i gołębnikami. Te podwórka wychodziły na tory kolejowe – wysoki nasyp rozryty w środku, by stworzyć trakt dla pociągów. Tutaj też droga wspinała się na most, a z ogrodu Joego można było dostrzec czerwone kolejowe światło sygnalizacyjne, przywodzące na myśl szczególną latarnię morską. Widać także było Nether Edge oraz rozmyte kontury szarych zboczy hałd szlaki. Z owych domów stojących niepewnie wzdłuż wąskiej, stromej uliczki, rozciągał się widok na całe terytorium Jaya. W pobliskim ogrodzie ktoś podśpiewywał – sądząc po słodko drżącym głosie, jakaś starsza pani. Ktoś inny jeszcze bił młotkiem w drewno i te proste, swojskie dźwięki podziałały na Jaya niezwykle kojąco.

– Napijesz się czegoś? – Joe kiwnął niewymuszenie głową w stronę domu. – Wyglądasz, na kogoś, kto nie odmówi szklaneczki.

Jay rzucił okiem w stronę budynku, uświadamiając sobie nagle, że ma podarte dżinsy a pod nosem i na górnej wardze – zakrzepłą krew. Paliło go pragnienie.

– OK.

Wewnątrz panował przyjemny chłód. Jay podążył za starszym mężczyzną do kuchni – dużego, niemal pustego pomieszczenia o podłodze z czysto wyszorowanych desek, gdzie stał wielki sosnowy stół, poznaczony bliznami wielu cięć rozmaitych noży. W oknie nie wisiały żadne zasłonki, ale cały parapet był zastawiony roślinami o długich, smukłych łodygach, tworzących gęsty parawan zieleni, nie dopuszczający do środka gorących promieni słońca. Rośliny wydzielały przyjemny, lekko ziemisty zapach, który przenikał całe pomieszczenie.

– Te tu, to moje pomidory – oznajmił Joe, otwierając spiżarkę, i wówczas Jay spostrzegł, że pomiędzy ciepłymi liśćmi rzeczywiście rosną owoce – malutkie i żółte; wielkie, niekształtne i czerwone; a także pasiaste, pomarańczowo-zielone, przypominające marmurkowe kule do gry. Wzdłuż ścian na podłodze, w doniczkach, stało jeszcze więcej roślin. Niektóre pięły się po ościeżnicy. Po jednej stronie kuchni znajdowało się wiele drewnianych skrzynek z warzywami i owocami, ułożonymi luźno, by się nie poobijały.

– Fajne rośliny – powiedział Jay, chociaż naprawdę wcale tak nie myślał.

Joe rzucił mu rozbawione spojrzenie.

– Jeśli chcesz, by rosły, musisz je zagadywać. I łaskotać – dodał wskazując na długą tyczkę opartą o pustą ścianę. Na końcu miała uwiązany króliczy ogon. – Popatrz no, to mój kij do łaskotek. Bo pomidory... o, one są bardzo łaskotliwe.

Jay spojrzał na niego z niewzruszonym wyrazem twarzy.

– Wygląda na to, żeś wpadł w tarapaty – powiedział Joe, otwierając drzwi po drugiej stronie kuchni. Za nimi była duża spiżarka. – Trza ci było walczyć, hę?

Jay oględnie powiedział mu, co się stało. Gdy zaczął opowiadać, jak Zeth zniszczył radio, jego głos stał się piskliwy, zabrzmiał dziecinnie, niemal płaczliwie. Urwał gwałtownie, a twarz oblał mu rumieniec wściekłości.

Ale Joe zachowywał się tak, jakby niczego nie zauważył. Sięgnął do spiżarki i wyjął butelkę z ciemnoczerwonym płynem oraz dwie szklanki.

– Wlej trochę w siebie – zarządził Joe, napełniając płynem szklanki. Napój pachniał owocowo, ale całkiem obco; lekko zalatywał drożdżami, jak piwo, ale wydzielał też jakąś przewrotną słodycz. Jay podejrzliwie spojrzał na szklankę.

– Czy to wino? – spytał niepewnie.

Joe skinął głową.

– Z ostrężyn – wyjaśnił, popijając z wyraźnym upodobaniem.

– Chyba nie powinienem... – zaczął Jay, ale Joe pchnął w jego stronę szklankę w niecierpliwym geście.

– Spróbuj, chłopcze – nakazał. – Doda ci ducha.

Spróbował.

Joe klepał go po plecach tak długo, aż przestał się krztusić, uprzednio jednak wyjął z dłoni chłopca szklankę, by cenny płyn nie wylał się.

– Co za ohydztwo! – zdołał wydusić z siebie Jay pomiędzy napadami kaszlu.

To coś zupełnie nie smakowało jak wino, które zdarzało mu się pijać do tej pory. A smak wina nie był dla niego niczym nowym – rodzice od dawna częstowali go winem do obiadu, i Jay nawet rozsmakował się w niektórych co słodszych niemieckich gatunkach. Tym razem doświadczył zupełnie nowych doznań. Wino Joego smakowało ziemiście, trochę jak bagienna woda z domieszką owoców skwaśniałych ze starości. Tanina oblepiła mu język. Paliło go w gardle. Oczy nabiegły łzami.

Joe wyglądał na nieco urażonego, ale po chwili wybuchnął śmiechem.

– Kapkę za mocne, hę?

Jay pokiwał głową, wciąż lekko pokasłując.

– Oczywista, powinienem wiedzieć – rzucił Joe pogodnie, odwracając się w stronę spiżarki. – Znaczy się, do tego trza się przyzwyczaić. Ale ono ma duszę – dodał rozmarzonym głosem, odstawiając ostrożnie butelkę na półkę. – A to najważniejsze.

Kiedy ponownie obrócił się w stronę Jaya, miał w ręku butelkę „Żółtej Lemoniady Bena Shaw'a".

– Na mój rozum na razie to ci zrobi lepiej – oznajmił, napełniając szklankę. – A gdy chodzi o to wino, już wkrótce do niego dorośniesz.

Znów zwrócił się w stronę spiżarki, zawahał, po czym oznajmił:

– Ale myślę, że mogę ci dać coś na twoje inne kłopoty, jeśli tylko chcesz. Chodź za mną.

Jay nie bardzo wiedział, czego tak naprawdę się wówczas spodziewał. Że ten stary człowiek udzieli mu kilku lekcji kung-fu? Podaruje bazookę pozostałą z czasów wojny, kilka granatów albo dzidę Zulusów przywiezioną z dalekich wojaży? Czy może nauczy go specjalnego, absolutnie niezawodnego, powalającego wroga ciosu, który poznał dzięki mistrzowi z dalekiego Tybetu? Tymczasem Joe powiódł go na drugą stronę domu, gdzie z gwoździa wystającego z kamiennego muru zwisał czerwony, flanelowy woreczek. Joe go zdjął, powąchał zawartość, po czym wręczył Jayowi.

– Weź – powiedział. – Jeszcze podziała jakiś czas. Sobie zrobię nowy.

Jay wbił w niego wzrok.

– Co to jest? – spytał w końcu.

– Po prostu noś go przy sobie. W kieszeni, jeśli chcesz. Lub uwieszony do kawałka sznurka. Zobaczysz. Pomoże.

– A co jest w środku? – wybałuszał teraz oczy tak, jakby starszy mężczyzna był obłąkany. Jego podejrzenia, na moment uśpione, wybuchnęły ze zdwojoną siłą.

– Eee, to i owo. Drzewo sandałowe. Lawenda. Odrobina kasztana. Tej sztuczki nauczyła mnie pewna kobieta na Haiti, lata temu. Działa za każdym razem.

A więc to tak, pomyślał Jay. Ten staruszek był ewidentnie pomylony. Nieszkodliwy – miał nadzieję – ale obłąkany. Spojrzał nerwowo w stronę ogrodu rozciągającego się za jego plecami i zaczął się zastanawiać, czy zdążyłby dobiec do murku, gdyby gospodarz okazał się jednak niebezpieczny. Ale Joe tylko się uśmiechał.

– Spróbuj – nalegał. – Noś to po prostu w kieszeni. Zaraz zapomnisz, że coś tam masz.

Jay postanowił sprawić mu przyjemność.

– OK – powiedział. – I co właściwie się wtedy stanie?

Joe znowu uśmiechnął się szeroko.

– Może i nic.

– Skąd więc będę wiedział, czy to działa jak należy? – zaczął nalegać.

– Będziesz wiedział – odparł Joe. – Gdy następnym razem pójdziesz do Nether Edge.

– Ani mi się śni w ogóle tam chodzić – rzucił Jay ostrym głosem. – Nie, póki te chłopaki...

– I zostawisz swoje skarby, ażeby je znaleźli?

Joe miał rację. Jay niemal zapomniał o puszce ze skarbami wciąż ukrytej w sekretnym miejscu, za obluzowanym kamieniem. Nagłe przerażenie, gdy sobie to uświadomił, niemal wyparło z jego pamięci pewność, że nigdy nie wspominał Joemu o puszce.

– Chodziłem tam i ja jako wyrostek – oświadczył starszy pan beznamiętnym tonem. – W załomie śluzy był taki obluzowany kamień. Jest tam jeszcze, hę?

Jay wytrzeszczał na niego oczy.

– Skąd pan wie? – wyszeptał.

– A co ja tam wiem? – spytał Joe przesadnie niewinnym tonem. – O co chodzi? Jestem jedynie synem górnika. Mnie nic nie wiadomo.

Tego dnia Jay nie wrócił nad kanał. Był zbyt skołowany tym wszystkim, co się wydarzyło – jego myśli kłębiły się wokół bójek, zniszczonych odbiorników radiowych, haitańskich czarów i błękitnych, śmiejących się oczu Joego. Wsiadł na rower i powoli przejechał kilka razy kładką ponad torami, z sercem walącym niczym młot, usiłując zebrać odwagę, by się wspiąć na nasyp. W końcu jednak popedałował do domu, przygnębiony i rozczarowany. Triumf wygranej potyczki już z niego wyparował. Teraz prześladował go obraz Zetha i jego bandy przetrząsających skarby z puszki, wybuchających ordynarnym śmiechem, niszczących komiksy i książki, wpychających do ust jego batony, wciskających do kieszeni jego pieniądze. Co gorsza, w puszce były też zeszyty z opowiadaniami i wierszami, które do tej pory napisał. Ale jednak pojechał do domu, zaciskając do bólu szczęki w poczuciu bezsilnej wściekłości, obejrzał w telewizji „Late Night at the Movies", po czym położył się do łóżka i pogrążył w niespokojnym śnie, w którym cały czas uciekał przed niewidzialnym wrogiem, a śmiech Joego dźwięczał mu w uszach.

Następnego dnia postanowił zostać w domu. Czerwony flanelowy woreczek leżał na nocnej szafce niczym nieme wyzwanie. Jay usiłował go zignorować i zabrał się za czytanie, ale wszystkie najlepsze komiksy wciąż znajdowały się w puszce ze skarbami. Do tego brak radia dawał mu się we znaki złowieszczą ciszą. Na zewnątrz świeciło słońce i wiał wiatr – przyjemna bryza, nie pozwalająca, by powietrze zanadto się rozprażyło. Zanosiło się na najpiękniejszy dzień tego lata.

Przybył na kładkę kolejową jakby we śnie. Wcale nie zamierzał się tam udawać; nawet gdy już pedałował w stronę miasta, jakiś wewnętrzny głos utrzymywał go w pewności, że pojedzie inną drogą, że zawróci, zostawi kanał Zethowi i jego bandzie – bo to teraz było przecież ich terytorium. Być może pojedzie do Joego – co prawda Joe nie zaprosił go do ponownych odwiedzin, ale też nie powiedział, żeby się trzymał od niego z daleka, jakby obecność Jaya była mu całkowicie obojętna. Albo może wpadnie do trafiki i kupi sobie paczkę papierosów. W każdym razie na pewno nie zjawi się dziś nad kanałem. Gdy ukrywał rower w dobrze mu znanej kępie wierzbówki i wspinał po nasypie – wciąż sobie to powtarzał. Tylko kompletny idiota podejmowałby ryzyko ponownego spotkania z gangiem tych wyrostków. Flanelowy woreczek Joego spoczywał w kieszeni jego dżinsów. Wyraźnie go czuł – miękka kulka, nie większa od zwiniętej w kłębek chusteczki do nosa. Jay zastanawiał się, jak mógłby mu pomóc woreczek pełen wonnych ziół. Otworzył go poprzedniego wieczoru i wysypał zawartość na nocną szafkę. Kilka drobnych patyczków, trochę brązowawego proszku i zielono-szarej, aromatycznej substancji. A on w duchu spodziewał się co najmniej zasuszonej ludzkiej głowy. To tylko żart, stwierdził wtedy stanowczo. Zwykły dowcip starego człowieka. A mimo to jakaś jego cząstka, owładnięta uporem, pragnąca desperacko wierzyć w niezwykłe działanie amuletu, nie pozwoliła na pozostawienie go w domu. A co jeżeli w tym woreczku rzeczywiście kryje się magiczna moc? Jay wyobraził sobie, że trzyma amulet wyciągnięty przed siebie, dźwięcznym, donośnym głosem wypowiada słowa zaklęcia, a Zeth i jego banda kulą się ze strachu... Woreczek spoczywał na jego udzie niczym kojąca, uspokajająca dłoń. Z drżącym sercem zaczął schodzić po nasypie w kierunku kanału. Najprawdopodobniej i tak nikogo tam nie spotka.

Znów się pomylił. Przemykał wąską ścieżką, trzymając się w cieniu drzew. Na spalonej, żółtawej ziemi jego tenisówki nie wydawały żadnego odgłosu. Trząsł się z nadmiaru adrenaliny, gotów uciekać przy najlżejszym, niepokojącym szeleście. Jakiś ptak zerwał się z głośnym trzepotem skrzydeł ze swojego gniazda w szuwarach i Jay zamarł, pewny, że ten alarm rozległ się na wiele mil wokół. Ale nic się nie wydarzyło. Teraz już niemal doszedł do śluzy, wyraźnie widział miejsce ukrycia swego skarbu. Kawałki potrzaskanego plastiku wciąż się walały po kamieniach. Jay uklęknął, usunął kawałek torfu zakrywający jego skrytkę i zabrał się do wyjmowania kamienia.

Od tak wielu godzin wyobrażał sobie ich nadejście, że w pierwszej chwili uznał dochodzące go odgłosy za wytwór własnego rozgorączkowanego umysłu. Po chwili jednak ujrzał zbliżające się od strony popieliska niewyraźne sylwetki, przesłonięte krzewami. Nie było już czasu na ucieczkę. Najwyżej pół minuty, a wynurzą się z zarośli. Ścieżka nad kanałem była w tym miejscu zupełnie odsłonięta i zbyt oddalona od kładki kolejowej, by miał pewność, że zdąży tam dobiec. Za kilka sekund stanie się całkiem odsłoniętym celem.

W mgnieniu oka zrozumiał, że teraz może się ukryć już tylko w jednym jedynym miejscu – w samym kanale. Kanał był w zasadzie całkiem wysuszony – tylko gdzieniegdzie majaczyły płytkie lusterka wody – przyduszony śmieciami, szuwarami i co najmniej stuletnią warstwą szlamu. Kamienny pomost tkwił niecały metr nad jego powierzchnią i Jay uznał, że pod nim może znaleźć schronienie – przynajmniej na jakiś czas. Oczywiście gdy oni tylko wejdą na pomost, czy skręcą w stronę ścieżki, lub schylą się, by sprawdzić co majaczy w tłustawej wodzie...

Teraz jednak nie było już czasu na podobne rozważania. Jay zsunął się z kolan wprost do kanału, jednocześnie wpychając puszkę do skrytki. Przez chwilę czuł, jak jego stopy bez żadnego oporu zapadają się w muł, ale po chwili dotknął dna, stojąc po kostki w szlamie, który wdarł się do tenisówek i rozlewał ohydną mazią pomiędzy palcami stóp. Ale Jay zupełnie nie zwrócił na to uwagi, przykucnął nisko – szuwary załaskotały go w twarz – zdecydowany, by stać się dla wroga jak najmniej widocznym celem. Instynktownie zaczął się też rozglądać za wszelką możliwą bronią: kamieniami, puszkami i innymi przedmiotami, którymi mógłby w nich ciskać. Jeżeli go spostrzegą, tylko element zaskoczenia może dać mu przewagę.

W tych gorących chwilach zapomniał o amulecie Joego tkwiącym w kieszeni dżinsów. Jednak gdy kucał w szlamie, woreczek wypadł mu z kieszeni i Jay podniósł go automatycznie, czując pogardę dla samego siebie. Jak do licha mógł kiedykolwiek uwierzyć, że woreczek pełen suchych liści i patyczków mógłby go przed czymkolwiek ochronić? Jak coś podobnego mogło mu w ogóle przyjść do głowy?

Teraz byli już blisko; najwyżej trzy metry od niego. Słyszał wyraźnie chrzęst ich butów. Któryś z nich rzucił o pomost słoikiem czy butelką; rozprysła się w drobny mak, a Jay skulił się, gdy deszcz szklanych odłamków posypał mu się na głowę i ramiona. W tym momencie uznał, że chowanie się pod pomostem było najidiotyczniejszym z możliwych pomysłów; po prostu samobójczym. Wystarczyło, by któryś z nich spojrzał w dół, a już byłby skazany na ich łaskę i niełaskę. Czemu nie uciekał, wyrzucał sobie gorzko w duchu. Powinien był uciekać, gdy jeszcze miał ku temu okazję. Kroki się zbliżyły. Dwa i pół metra, dwa metry, półtora. Jay wcisnął policzek w oślizłą, wilgotną kamienną ścianę kanału – usiłował stopić się z tą ścianą w jedno. Amulet Joego był teraz mokry od potu. Półtora metra. Metr.

Głosy – Baczków i Samolotów – odezwały się przerażająco blisko.

– Nie myślisz, że wróci, eh?

– Jeźli tak, to już z niego pieruński zimny trup.

To ja, pomyślał Jay w oszołomieniu. Oni mówią o mnie.

Metr. Pół metra. Głos Zetha, niemal obojętny w swojej chłodnej pogróżce, mówiący:

– Ja tam mogę czekać.

Pół metra, trzydzieści centymetrów. Na Jaya padł jakiś cień i chłopiec schylił się jeszcze bardziej. Przebiegały go ciarki. Oni patrzyli w dół, spoglądali na kanał, ale Jay nie miał odwagi podnieść głowy, by dokładnie zlustrować sytuację, chociaż tak bardzo go świerzbiło, aby zobaczyć, co się dzieje, jakby ktoś wysmagał mu mózg pokrzywami. Czuł ich oczy na swoim karku, słyszał oddech Zetha. Jeszcze chwila, a już tego nie zniesie. Będzie musiał podnieść głowę, będzie musiał na nich spojrzeć...

Do kałuży, zaledwie metr od Jaya z pluśnięciem wpadł kamień. Jay dojrzał go kątem oka. Po chwili wpadł jeszcze jeden. Plask!

Z desperacją pomyślał, że się tylko z nim drażnią. Bo przecież musieli go dostrzec i teraz jedynie przedłużali chwilę ataku, z trudem tłumili złośliwy rechot, cicho zbierali kamienie i inne pociski, by go nimi obrzucić. Być może nawet Zeth uniósł do oczu swoją wiatrówkę, i przyglądał mu się w nieruchomym zamyśleniu...

Jednak nic podobnego się nie wydarzyło. Gdy Jay już, już zamierzał podnieść głowę, usłyszał ich oddalające się kroki. Jeszcze jeden kamień plusnął o błoto i odbił się w jego stronę, tak że Jay aż się skulił. A potem ich głosy zaczęły się oddalać leniwie w kierunku popieliska i mówić coś o szukaniu butelek na ćwiczebne cele.

Jay jednak wciąż czekał w swym ukryciu, czując jakąś dziwną niechęć, by się stamtąd ruszyć. To był z ich strony podstęp, wmawiał sobie, zwykły fortel, żeby wywabić go z kryjówki, bo przecież byli tak blisko, że musieli go zobaczyć. Jednak głosy wciąż się oddalały, stawały się coraz cichsze, gdy jego wrogowie szli zarośniętą ścieżką w kierunku popieliska. Po chwili dobiegł go daleki odgłos wystrzału wiatrówki i ledwo słyszalne śmiechy zza linii drzew. To było absolutnie nieprawdopodobne. Przecież musieli go dojrzeć. A tymczasem, jakimś cudem...

Ostrożnie wyciągnął ze skrytki puszkę ze skarbami. Amulet od Joego był ciemny od potu. Ale zadziałał, ze zdziwieniem stwierdził w duchu Jay. Jakkolwiek nieprawdopodobnie to brzmiało, amulet zadziałał.

9

Londyn, marzec 1999

– Nawet najzimniejszą, najnudniejszą postać – tłumaczył swoim słuchaczom Jay – można uczłowieczyć, gdy każemy jej kogoś kochać: dziecko, mężczyznę czy kobietę, lub choćby – z braku laku – psa.

Chyba że zajmujesz się powieściami SF, pomyślał i uśmiechnął się szeroko, to wtedy wszystkich wyposażasz po prostu w żółte oczy.

Przysiadł na biurku, tuż obok podróżnej, brezentowej torby wypchanej do granic możliwości i cały czas z trudem się opanowywał, by jej nie dotykać, nie otwierać. Słuchacze kursu pisarskiego patrzyli na niego z trwożnym podziwem. Niektórzy nawet wszystko notowali. „...lub choćby... – z braku... laku... – psa" – skrobali pracowicie, starając się nie uronić ani jednego słowa.

Jay uczył ich za usilną namową Kerry, ale mgliście zżymał się na ich durne aspiracje, niewolnicze poddaństwo regułom. Było ich piętnaścioro, niemal bez wyjątku odzianych w czerń; młodych, nad wyraz poważnych mężczyzn i emocjonalnych kobiet, o krótko strzyżonych włosach, z kolczykami w brwiach, nosowo ucinających samogłoski w sposób typowy dla uczniów ekskluzywnych szkół. Właśnie jedna z kobiet – tak uderzająco podobna do Kerry sprzed pięciu lat, że bez trudu mogłaby uchodzić za jej siostrę – czytała na głos opowiadanie, które napisała w ramach ćwiczenia „charakterystyka postaci". Była to opowieść o czarnoskórej kobiecie, samotnej matce żyjącej w komunalnym mieszkaniu w Sheffield. Jay dotykał broszury WOLNOŚĆ, którą trzymał w kieszeni, i jednocześnie usiłował się skupić na słuchaniu, ale głos dziewczyny był teraz dla niego jedynie monotonnym bełkotem, nieprzyjemnym niczym natrętne bzyczenie osy. Od czasu do czasu Jay kiwał głową, udając zainteresowanie. Wciąż czuł się jakby odrobinę pijany.

Od zeszłego wieczoru nabrał przekonania, że świat nieznacznie się przesunął, wszystkie kontury uległy wyostrzeniu. Że nagle coś, w co wpatrywał się od wielu lat, nie wiedząc dokładnie, na co patrzy, nabrało nowego, wyrazistego kształtu.

Głos dziewczyny dźwięczał jednostajnie. Czytała z nachmurzoną miną i kompulsywnie kopała nogę od stolika. Jay z trudem powstrzymywał ziewanie. Ta kobieta była nieznośnie spięta. Spięta i raczej odrażająca w tym zaabsorbowaniu samą sobą i własnym głosem – niczym nastolatka tropiąca i wyciskająca wągry. Niemal w każdym zdaniu używała słów „kurwa" i „pieprzyć", prawdopodobnie, by nadać tekstowi pozory autentyczności. Jay miał się ochotę roześmiać: wymawiała te wyrazy „kwa" i „przyć".

Dobrze wiedział, że wcale nie jest pijany. Opróżnił butelkę już wiele godzin temu – ale nawet zaraz po wypiciu tego wina nie czuł się wstawiony. Po całym dniu załatwiania formalności związanych z domem, postanowił opuścić dzisiejsze wieczorne zajęcia, jednak się tu zjawił, bo niespodziewanie poczuł straszną odrazę na myśl o powrocie do domu i konieczności stawienia czoła niemej niechęci przedmiotów należących do Kerry. Dla zabicia czasu, powiedział sobie w duchu. Dla zabicia czasu. Działanie wina już dawno musiało ustąpić, a tymczasem Jay wciąż czuł niewytłumaczalne, radosne podniecenie. Jak gdyby rutyna powszedniego dnia została zawieszona, oferując nieoczekiwane wakacje. Być może wynikało to ze zbyt długiego rozmyślania o Joem. Wspomnienia wracały do niego uporczywą falą – pojawiało się ich zbyt wiele, by je dokładnie zanalizować, jakby ta butelka od Joego nie zawierała wina, a zatrzymany czas – rozwijający się leniwie niczym smuga dymu, niczym potężny dżin wynurzający się powoli spośród kwaśnych mętów – czyniąc z niego innego człowieka, sprawiając, że... że co właściwie? Popadł w szaleństwo? Odzyskał niezwykłą jasność umysłu? W każdym razie nie mógł się skoncentrować. Muzyka ze stacji radiowej, nadającej przeboje dawno minionych letnich miesięcy, wciąż bezsensownie dźwięczała mu w uszach. Znów miał trzynaście lat i głowę nabitą cudownymi wizjami, fantastycznymi obrazami. Miał lat trzynaście, był w szkole, przez okna wdzierała się woń nadchodzącego lata, co oznaczało, że już za chwilę będzie się mógł zjawić na Pog Hill Lane, więc wsłuchiwał się niecierpliwie w ciężkie cykanie zegara, miarowo odmierzające czas do końca roku szkolnego.

Niespodziewanie zdał sobie jednak sprawę, że teraz sam był nauczycielem. Nauczycielem gorączkowo wyczekującym końca zajęć. Gdy tymczasem jego uczniowie desperacko pragnęli, by wciąż tkwił wśród nich, i do tego bezkrytycznie spijali z jego warg każde nic nieznaczące słowo. Ostatecznie był przecież Jayem Mackintoshem – facetem, który napisał „Wakacje z Ziemniaczanym Joe". Pisarzem, który już nie tworzył. Nauczycielem, który nie miał im nic do przekazania.

Ta myśl sprawiła, że wybuchnął śmiechem.

Coś szczególnego musi wisieć w powietrzu, zdecydował. Smużka rozweselającego gazu, nieznaczny aromat szaleństwa. Monotonnie bełkocząca dziewczyna przerwała czytanie – a może je już zakończyła – i teraz wbijała w niego gniewny, pełen urażonej dumy wzrok. W tym momencie tak bardzo przypominała Kerry, że mimo woli znowu wybuchnął śmiechem.

– Kupiłem dziś dom – oznajmił ni z tego, ni z owego.

Wszyscy wybałuszyli na niego oczy. Zaś pewien młodzian w byronowskiej koszuli skrzętnie zanotował jego słowa: „Kupiłem... dziś... dom".

Jay wyciągnął broszurę z kieszeni i wpatrzył się w nią z lubością. Od ciągłego miętoszenia w dłoniach była pognieciona i wybrudzona, niemniej na widok zdjęcia Château Foudouin serce zadrżało mu z radości.

– W zasadzie nie dom – poprawił się. – Nie dom, a *chatto*. – Ponownie wybuchnął gromkim śmiechem. – Tak właśnie mawiał Joe. *Chatto* w *Bordo*.

Otwarł broszurę i zaczął czytać na głos tekst towarzyszący fotografii. Wszyscy słuchali go z uwagą. Byronowska Koszula zaś pilnie notowała.

Château Foudouin, Lot-et-Garonne. Lansquenet-sous-Tannes. Autentyczny, osiemnastowieczny château w sercu najpopularniejszego we Francji regionu produkcji win. Posiada własną winnicę, sad, jezioro, i rozległe grunty, a także działającą destylarnię, pięć sypialni, dwa salony oraz oryginalne dębowe belkowanie stropu. Możliwość całkowitej przebudowy.

– Oczywiście, kosztował mnie więcej niż pięć kawałków. Od 1975 ceny znacznie skoczyły w górę.

Przez chwilę Jay zastanawiał się, ilu z jego słuchaczy było już na świecie w 1975 roku. W milczeniu wybałuszali na niego oczy, próbując dociec sensu jego słów.

– Przepraszam, doktorze Mackintosh. – To była dziewczyna, która czytała swoje wypracowanie. Wciąż jeszcze stała i teraz przybrała wojowniczą pozę. – Czy mógłby mi pan wyjaśnić, jaki to ma związek z moim tekstem?

Jay znowu wybuchnął śmiechem. Nagle wszystko zaczęło mu się wydawać bardzo zabawne i nierealne. Miał wrażenie, że jest w stanie zrobić bądź powiedzieć, co tylko zechce. Normalność uległa zawieszeniu. Mówił sobie, że tak właśnie zazwyczaj czuje się człowiek pijany. A więc przez te wszystkie lata jego odczucia nie funkcjonowały należycie.

– Oczywiście – odparł z uśmiechem na ustach. – To... – rzekł, unosząc broszurę do góry, by każdy mógł się jej przyjrzeć – ...to jest najoryginalniejszy i najbardziej pobudzający wyobraźnię utwór literacki, jaki zdarzyło mi się przeczytać bądź usłyszeć w tej sali od początku semestru.

Zapadła głucha cisza. Nawet Byronowska Koszula zapomniała o notowaniu i wpatrywała się w niego z otwartymi ustami. Jay uśmiechał się radośnie do swoich słuchaczy, czekając na reakcję z ich strony. Wszyscy jednak przezornie zachowywali niewzruszony wyraz twarzy.

– Czemu w ogóle tu przyszliście? – rzucił nagle. – Czego oczekujecie po tych zajęciach?

Bardzo usilnie starał się nie wybuchnąć śmiechem na widok ich zatrwożonych twarzy, silenia się na beznamiętną uprzejmość. Czuł się młodszy od nich wszystkich, jakby był rozbrykanym uczniem przemawiającym do grupy nadętych, pedantycznych belfrów.

– Jesteście młodzi. O bujnej wyobraźni. Czemu więc, do cholery, wszyscy piszecie o czarnoskórych, samotnych matkach narkomanów hojnie szafując słowem „kwa"?

– Cóż, sir, to właśnie pan polecił nam napisać coś podobnego. – A więc nie udało mu się poskromić wojowniczej pannicy. Patrzyła na niego z wściekłością, kurczowo zaciskając kruche dłonie na arkuszach z wypracowaniem.

– Olewajcie wszelkie zadania! – wykrzyknął radośnie Jay. – Przecież nie piszecie dlatego, że ktoś każe wam to robić! Piszecie, ponieważ czujecie taką potrzebę, albo dlatego że macie nadzieję, iż ktoś zechce to przeczytać, albo dlatego że musicie naprawić coś, co w was pękło już dawno temu, lub też dlatego że macie nadzieję przywrócić przeszłość do życia...

By podkreślić wagę swych słów trzasnął dłonią w brezentową torbę, która wymownie zadźwięczała brzękiem uderzających o siebie butelek. Niektórzy z jego studentów spojrzeli po sobie znacząco, Jay odwrócił się plecami do swoich słuchaczy niemal w delirycznym nastroju.

– Gdzie podziała się magia, to tylko chciałbym wiedzieć? Gdzie są te latające dywany, haitańskie wudu, gdzie samotni rewolwerowcy i piękności uwiązane do kolejowych torów? Gdzie są ci łowcy Indian, czterorękie boginie, piraci i gigantyczne małpy? Co się stało ze wszystkimi pieprzonymi kosmitami?

Po jego słowach zapadła głęboka cisza. Studenci wpatrywali się w niego bez słowa. Dziewczyna ściskała swój tekst tak mocno, że całkowicie zmięła wszystkie strony w kurczowo zaciśniętej dłoni. Twarz miała białą niczym płótno.

– Urżnąłeś się, tak? – Jej głos drżał ze wściekłości i obrzydzenia. – Dlatego właśnie mi to robisz. Bo się po prostu urżnąłeś.

Jay znowu wybuchnął śmiechem.

– Parafrazując Churchilla czy kogokolwiek innego – być może jestem urżnięty, ale ty rankiem i na trzeźwo wciąż będziesz dla mnie odrażająca.

– Pieprzę cię – rzuciła mu w twarz, tym razem z bezbłędną wymową, po czym pomaszerowała w stronę drzwi. – Pieprzę ciebie i ten cały twój kurs. Złożę w tej sprawie zażalenie do dziekana!

Przez chwilę po jej występie panowała cisza. A potem rozległy się szepty. Cała sala zdawała się od nich pulsować. Przez moment Jay nie był pewien, czy rzeczywiście dźwięczą one w powietrzu, czy tylko w jego głowie. Brezentowa, podróżna torba pobrzękiwała i stukotała, grzechotała i dzwoniła. Ten dźwięk – prawdziwy czy wyimaginowany – rozsadzał mu czaszkę.

I wtedy właśnie Byronowska Koszula wstała i zaczęła bić mu brawo.

Kilkoro innych studentów spojrzało na niego niepewnie, by po chwili przyłączyć się do oklasków. Potem zaczęli klaskać jeszcze inni. Wkrótce ponad połowa słuchaczy stała i waliła w dłonie. Wciąż jeszcze bili mu brawo, gdy Jay pochwycił swoją torbę i ruszył w stronę drzwi, otworzył je, po czym wyszedł z sali. Oklaski zaczęły przycichać, podniósł się natomiast szmer konsternacji. W tej samej chwili z wnętrza brezentowej torby wydobył się dźwięk pobrzękujących o siebie butelek. „Specjały", usadowione tuż obok mnie, dokonały swego dzieła i teraz szeptem wymieniały własne sekrety.

10

Pog Hill, lipiec 1975

Po tym incydencie wielokrotnie chodził z wizytą do Joego, chociaż nigdy tak naprawdę nie polubił jego wina. Joe nie okazywał żadnego zdziwienia na jego widok; po prostu przynosił butelkę lemoniady, jakby właśnie oczekiwał chłopca. Nigdy nie zapytał też, czy amulet zadziałał. To Jay nagabywał go w tej sprawie parę razy ze sceptycyzmem człowieka, który w głębi duszy pragnie zostać o czymś przekonany. Jednak Joe reagował enigmatycznie.

– Magia – stwierdzał, przymrużając jednocześnie oko, dając do zrozumienia, że żartuje. – Nauczyła mnie tego pewna kobieta z Puerto Cruz.

– Mówiłeś wcześniej, że to było na Haiti – przerwał mu Jay.

Joe wzruszył ramionami. – Żadna różnica – oznajmił beznamiętnie. – Zadziałało, hę?

Jay musiał przyznać, że tak. Ale przecież w środku były tylko zwykłe zioła, prawda? Zioła i kilka drobnych patyczków zawiązanych w kawałek materiału. A tymczasem dzięki nim on przecież stał się...

Joe uśmiechnął się szeroko.

– E tam, chłopcze. Nie stałeś się niewidzialny. – Podniósł daszek swojej czapki w górę, odsłaniając oczy.

– Więc co takiego się wydarzyło?

Joe spojrzał na niego uważnie.

– Pewne rośliny mają specjalne własności, tak?

Jay pokiwał głową.

– Aspiryna. Digitalis. Chinina. To co w dawnych czasach nazwaliby magią.

– Leki.

– Jeśli wolisz taką nazwę. Ale setki lat temu nie rozróżniano magii od medycyny. Ludzie po prostu wiedzieli pewne rzeczy. Pokładali w nie wiarę. Żuli goździki na ból zębów, a miętę na chore gardło, gałązki jarzębiny zaś od złego uroku. – Rzucił okiem w stronę chłopca, jakby sprawdzał, czy nie zobaczy kpiącej miny. – Specjalne własności – powtórzył. – Gdy dużo podróżujesz i masz otwartą głowę, możesz się wiele nauczyć.

Jay nigdy nie był pewien, czy Joe szczerze wierzył w to, co mówił, czy też ta pozornie naturalna akceptacja magii była częścią wymyślnego planu, mającego na celu mącenie mu w głowie. Niewątpliwie starszy pan uwielbiał żarty. Kompletna ignorancja Jaya, gdy chodziło o cokolwiek związanego z ogrodnictwem, bardzo go bawiła. Przez kilka tygodni utrzymywał chłopca w przekonaniu, że zwyczajna kępka trawki cytrynowej to w istocie drzewo rodzące spaghetti – pokazywał mu nawet blade, miękkie nitki „makaronu" wyrastające z papierowo cienkich liści; że wielkie barszcze mogą wyciągać z ziemi swoje korzenie i maszerować na nich niczym na szczudłach; i że naprawdę można łapać myszy na walerianę. Jay był łatwowierny i naiwny, więc Joe z upodobaniem wynajdował coraz to nowe sposoby nabierania go. Ale w wielu sytuacjach zachowywał autentyczną powagę. Być może przez tak wiele lat wmawiał ludziom różne rzeczy, że sam w końcu zaczął w nie wierzyć. Drobne rytuały i przesądy rządziły jego życiem. Wiele z nich Joe zaczerpnął z mocno zużytej kopii „Zielnika Culpepera”, którą trzymał tuż przy łóżku. Łaskotał pomidory, by lepiej rosły. Nieustannie miał włączone radio, bo utrzymywał, że przy muzyce rośliny lepiej się rozwijają i stają się mocniejsze. Najbardziej odpowiadał im program Radia 1 – Joe twierdził niewzruszenie, że po programie „Ed Stewart’s Junior Choice” pory stają się o dobre dwa cale większe. Sam często podśpiewywał razem z radiem podczas pracy – jego wodewilowy głos niósł się głębokimi tonami ponad krzakami czarnej porzeczki, gdy je przycinał czy zbierał owoce. Zawsze sadził rośliny podczas nowiu, a zbiorów dokonywał w czasie pełni. W swojej cieplarni trzymał specjalny księżycowy grafik, w którym każdy dzień był oznaczony różnymi kolorami: brązowym dla ziemniaków, żółtym dla pasternaku, pomarańczowym dla marchewki. Również podlewanie odbywało się zgodnie z astrologicznymi wyliczeniami, podobnie jak przycinanie gałęzi i rozmieszczenie drzew. A najzabawniejsze, że te ekscentryczne praktyki rzeczywiście doskonale wpływały na kondycję ogrodu: wszystkie rośliny rozwijały się wspaniale, wybujała kapusta i rzepa rosły w równiutkich rzędach, marchew była słodka, bardzo soczysta i w tajemniczy sposób nigdy nie atakowana przez ślimaki. Gałęzie drzew lekko dotykały ziemi, bo tak bardzo uginały się pod ciężarem pięknych jabłek i gruszek, śliwek i wiśni. Jaskrawo kolorowe, orientalnie wyglądające znaki, przyklejone przezroczystą taśmą do konarów drzew, podobno zapobiegały wyjadaniu owoców przez ptaki. Astrologiczne symbole z tłuczonego fajansu i kolorowego szkła, pracowicie wkompo-

nowane w żwirowe ściezki, obramowywały grząd
ki. W ogrodzie Joego medycyna chińska przyjaźnie ocierała się o brytyjski folklor, a chemia radośnie łączyła się z mistycyzmem. Z obserwacji Jaya wynikało, że Joe rzeczywiście wierzył w te wszystkie czary. No i niewzruszenie wierzył w nie Jay. Gdy ma się trzynaście lat, wszystko wydaje się możliwe. Magia dnia powszedniego, tak nazywał swoje działania Joe. Alchemia dla laika. Żadnych ceregieli czy zawracania głowy. Jedynie mieszanina ziół i korzeni, zbieranych w okresie sprzyjających układów planetarnych. Cicho wypowiedziane magiczne zaklęcie, szkic symbolu powietrznego, podpatrzony u Cyganów w czasie jednej z rozlicznych podróży. Być może Jay nie zaakceptowałby niczego bardziej prozaicznego. Pomimo tych wszystkich dziwactw i niezwykłych wierzeń – a może właśnie dlatego – dookoła Joego unosiła się nadzwyczaj kojąca aura, promieniowała z niego pogoda ducha, która niezwykle pociągała chłopca i której Jay niesłychanie mu zazdrościł. Joe miał w sobie głęboki, wewnętrzny spokój, był bardzo wyciszony, sam w swoim małym domu otoczony jedynie roślinami, a jednocześnie przepełniała go ciekawość świata, radosna fascynacja wszystkim, co się dzieje wokół. Nie był wykształcony – w wieku dwunastu lat opuścił szkołę, żeby zacząć pracę w kopalni – a jednak stanowił niewyczerpane źródło interesujących informacji, anegdot i folkloru. W miarę upływu lata, Jay coraz częściej chodził go odwiedzać. Joe nigdy nie zadawał pytań, ale zawsze pozwalał Jayowi mówić do siebie, gdy pracował w swoim ogródku czy na nieoficjalnie zaanektowanej

działce na nasypie kolejowym, od czasu do czasu kiwając głową na znak, że uważnie słucha. Wspólnie posilali się kawałkami ciasta owocowego i grubymi pajdami chleba obłożonymi jajkami smażonymi na bekonie – dzięki Bogu, Joe nie uznawał dietetycznego pieczywa – oraz wypijali wiele kubków mocnej, słodkiej herbaty. Niekiedy Jay przynosił Joemu papierosy, słodycze czy czasopisma, a Joe przyjmował te podarunki bez szczególnej wdzięczności, nie okazując żadnego zdziwienia – tak samo jak akceptował obecność Jaya. Jay zdołał nawet poskromić przy nim swoją nieśmiałość i przeczytał mu kilka swoich opowiadań, których Joe wysłuchał z powagą i, jak się chłopcu zdawało, w pełnej uszanowania ciszy. Kiedy Jayowi nie chciało się odzywać, wówczas Joe opowiadał mu o sobie, o pracy w kopalni i o pobycie we Francji w czasie wojny, o tym jak stacjonował w Dieppe przez sześć miesięcy, do czasu aż granat urwał mu dwa palce u ręki – mówiąc to, poruszał kikutami uszkodzonych członków niczym zwinna rozgwiazda swoimi mackami – i jak potem, gdy już nie był zdolny do służby, znowu wrócił do pracy w kopalni, by po sześciu latach wypłynąć frachtowcem do Ameryki.

– Bo z podziemi wiele świata nie uświadczysz, chłopcze, a ja zawsze chciałem zobaczyć, jak wygląda w innych stronach. A ty dużo podróżowałeś?

Jay powiedział mu, że na wakacjach był z rodzicami dwa razy na Florydzie, raz na południu Francji, na Teneryfie i na Algarve. Joe prychnął lekceważąco.

– Ja myślałem o prawdziwym podróżowaniu,

chłopcze. Nie o tych bzdurach z turystycznych broszur. O Pont-Neuf wczesnym rankiem, gdzie nie ma żywego ducha poza kloszardami wyłaniającymi się spod mostu czy z metra i skąd widać pierwsze promyki słońca padające na wodę. O Nowym Jorku – Central Parku wiosną. Rzymie. Wyspie Wniebowstąpienia. Przemierzaniu Alp na osiołku, i Himalajów piechotą. Warzywnym *caique* na Krecie. Ryżu podawanym na liściach w świątyni Ganeszy. Wpadnięciu w nawałnicę u wybrzeży Nowej Gwinei. O wiośnie w Moskwie, gdzie spod zimowego, topniejącego śniegu wyłania się mnóstwo psiego gówna. – Oczy Joego błyszczały niezwykłym blaskiem. – Ja to wszystko widziałem, chłopcze – rzucił miękkim głosem. – I wiele jeszcze innych dziwów. Onegdaj obiecałem sobie, że zobaczę wszystko, co tylko istnieje na tym świecie.

Jay mu wierzył. Joe miał na ścianach mapy, starannie poznaczone swym niewyraźnym pismem i kolorowymi pineskami w miejscach, które odwiedził. Opowiadał o burdelach w Tokio i świątyniach w Tajlandii, rajskich ptakach i indyjskich figowcach oraz wielkich, sterczących ku niebu głazach na krańcu świata. W wielkiej, specjalnie przerobionej szafce na przyprawy, stojącej tuż przy łóżku, trzymał miliony nasion, pracowicie owinięte w kawałeczki gazetowego papieru i opatrzone nazwami starannie wypisanymi maleńkimi literkami: *tuberosa rubra maritima*, *tuberosa panax odarata*, tysiące, tysiące ziemniaków w maleńkich przegródkach, a ponadto marchwie, dynie, pomidory, karczochy, pory – samej tylko cebuli ponad trzysta odmian – szałwie, tymianki, słodkie bergamoty, a także nadzwyczaj cenny zbiór nasion ziół leczniczych i przedziwnych warzyw, które zgromadził podczas swych niezliczonych podróży – wszystkie starannie popakowane, opisane i gotowe do wysiewu. Joe powiedział Jayowi, że część z tych roślin już wymarła w swoim naturalnym środowisku, a o ich właściwościach nikt już dziś nie pamięta poza garstką ekspertów. Z milionów gatunków niegdyś hodowanych warzyw i owoców, w powszechnej uprawie znajdowało się zaledwie kilka tuzinów.

– To przez te intensywne gospodarowanie – mawiał Joe, opierając się na łopacie, żeby pociągnąć potężny łyk herbaty z kubka. – Specjalizacja zabija różnorodność. Poza tym, ludzie wcale nie chcą różnorodności. Chcą, aby wszystko wyglądało jednako. Pomidory mają być okrągłe i czerwone, mimo że podługowate, żółte smakują daleko lepiej. Czerwone tylko lepiej wyglądają na półkach. – Machnął dłonią ponad działką, obejmując tym gestem równe, zadbane rzędy warzyw, pnące się w górę nasypu, oraz skonstruowane domowym przemysłem szklarnie w zrujnowanej budce dróżnika i drzewka owocowe z gałęziami starannie przymocowanymi do muru. – Tutaj rosną takie rośliny, których nie znajdziesz nigdzie indziej w całej Anglii – powiedział cichym głosem. – A w moim kredensie są takie nasiona, których już może nie ma w żadnym innym miejscu na świecie.

Jay słuchał jego słów w trwożnym podziwie. Nigdy wcześniej nie interesował się jakimikolwiek roślinami. Z ledwością odróżniał jabłko odmiany Granny Smith od odmiany Red Delicious. Oczywiście wiedział, co to są ziemniaki, ale o czymś takim jak „modre tubery” czy „świerkowe tubery” nie słyszał nigdy w życiu. Myśl, że ten nasyp kolejowy skrywa niezwykłe sekrety, że rosną na nim tajemnicze, dawno zapomniane rośliny, których jedynym strażnikiem jest samotny, stary człowiek – wzniecała w Jayu gorączkowy entuzjazm, jakiego wcześniej nie umiałby sobie nawet wyobrazić. W dużej mierze sprawiał to sam Joe: jego opowieści, wspomnienia, niezwykła, wewnętrzna energia. Jay zaczął dostrzegać u Joego coś, czego wcześniej nigdy nie dostrzegł u nikogo innego. Powołanie. Poczucie celu i sensu w życiu.

– Czemu właściwie wróciłeś, Joe? – zapytał pewnego razu. – Czemu po tych wszystkich podróżach zdecydowałeś się tu wrócić?

Joe rzucił mu szczególne spojrzenie spod daszka swojej górniczej czapki.

– To część mego planu, chłopcze – oznajmił. – Ale nie zamierzam zostać tu na zawsze. Pewnego dnia znowu wyjadę. Już całkiem niedługo.

– A dokąd?

– Pokażę ci.

Sięgnął do kieszeni flanelowej koszuli i wyciągnął zniszczony skórzany portfel. Z jego wnętrza wyjął i starannie rozpostarł zdjęcie wycięte z jakiegoś czasopisma, dbając o to, aby nie naderwać papieru w miejscu wytartych, białych zgięć. Na fotografii widniał dom.

– Co to takiego? – spytał Jay, patrząc spod oka na zdjęcie. Budynek wyglądał dość zwyczajnie – był to duży dom o ścianach z kamienia w kolorze wyblakłego różu, z długim pasem ziemi od frontu, obsadzonym zadbanymi rzędami rozmaitej roślinności. Joe ponownie wygładził papier.

– To moje *chatto*, chłopcze – odparł z dumą. – W *Bordo*, we Francji. Moje *chatto* z winnicą i stuletnim sadem, w którym rosną brzoskwinie i drzewka migdałowe, jabłonie i grusze. – Jego oczy znów rozbłysły niezwykłym światłem. – Gdy już uzbieram dostateczną ilość pieniądza, kupię go. Pięć tysiączków powinno wystarczyć. A wtedy będę robił najlepsze wino na całym południu. *Chatto* Cox, 1975. No, i jak ci się to widzi?

Jay przyglądał mu się z powątpiewaniem.

– W *Bordo* słońce świeci przez cały rok – ciągnął Joe radośnie. – Pomarańcze w styczniu. Brzoskwinie jak piłki krykietowe. Oliwki. Kiwi. Migdały. Melony. I do tego bezkresna przestrzeń. Przez wiele mil nic tylko ogrody i winnice, ziemia tania jak ugór. Gleba niczym tłusty, owocowy placek. Piękne dziewczyny ugniatające winogrona bosymi stopami. Raj. Najprawdziwszy raj.

– Pięć tysięcy funtów to kupa pieniędzy – zauważył Jay sceptycznie. Joe jednak tylko postukał koniuszkiem palca w nos.

– Dopnę swego – stwierdził tajemniczo. – Jeżeli czegoś bardzo pragniesz, w końcu zawsze to osiągniesz.

– Ale ty przecież nawet nie znasz francuskiego.

W odpowiedzi Joe wyrzucił z siebie nagły potok szybkich, niezrozumiałych dźwięków, nie mających nic wspólnego z jakimkolwiek językiem, który Jayowi zdarzyło się słyszeć do tej pory.

– Joe, ja się uczę francuskiego w szkole – poinformował Jay. – Francuski nie ma nic wspólnego...

Joe spojrzał na niego pełnym pobłażania wzrokiem.

– To dialekt, chłopcze – oznajmił. – Nauczyłem się go od Cyganów w Marsylii. Więc wierz mi, będę tam pasował jak mało kto.

Starannie złożył zdjęcie i schował do portfela. Jay wgapiał się w niego z podziwem, teraz już całkowicie przekonany o prawdziwości jego słów.

– Pewnego dnia obaczysz, co mam na myśli, chłopcze. Tylko poczekaj.

– A czy ja mógłbym pojechać tam z tobą? – spytał rozgorączkowany Jay. – Zabrałbyś mnie ze sobą?

Joe z poważną miną, z głową przechyloną na jedną stronę, zaczął się zastanawiać nad tym pytaniem.

– Mógłbym cię zabrać, chłopcze, jeślibyś chciał. Tak, mógłbym to zrobić.

– Obiecujesz?

– W porządku. – Joe uśmiechnął się szeroko. – Obiecuję. Cox i Mackintosh, najlepsi pioruńscy producenci wina w *Bordo*. Odpowiada ci?

Za spełnienie tych marzeń wychylili toast ciepłym winem z jeżyn, rocznik 1973.

11

Londyn, wiosna 1999

Zanim Jay dotarł do klubu „Spy's" dochodziła już dziesiąta i przyjęcie było w toku. Kolejna literacka impreza Kerry, pomyślał ponuro. Znudzeni dziennikarze, tani szampan i nadgorliwe, młode stworzenia zabiegające o względy starszych od nich, zblazowanych facetów, takich jak on sam. Kerry nigdy nie miała dosyć podobnych imprez, sypała imionami znanych osobistości na prawo i lewo, jak gdyby rozrzucała wokół konfetti – Germaine i Will, i Ewan – przemykała od jednego prestiżowego gościa do drugiego z żarliwością najwyższej kapłanki. Jay dopiero w tym momencie uświadomił sobie, jak bardzo tego nienawidzi.

Wpadł do domu tylko na moment, by zabrać najpotrzebniejsze rzeczy. Zobaczył na automatycznej sekretarce gorączkowo mrugające czerwone światełko, ale nie chciało mu się odsłuchiwać wiadomości. Butelki wepchnięte do brezentowej podróżnej torby zamarły w kompletnej ciszy. Teraz to on był wzburzony, kipiał gwałtownymi emocjami: rozedrgany i drżący, w jednej chwili popadał w radosną ekstazę, by ledwie kilka sekund później z trudem powstrzymywać łzy. Przerzucał swoje rzeczy pospiesznie niczym złodziej, w obawie, że jeżeli zatrzyma się w tym biegu choć na chwilę, straci ów niezwykły napęd i wpadnie znowu w koleiny swojej dawnej egzystencji. Włączył radio, nadal nastawione na stację starych przebojów, i usłyszał Roda Stewarta śpiewającego „Sailing", jeden z ulubionych utworów Joego – „zawsze przywodzi mi na myśl one czasy, gdy tak wiele podróżowałem, chłopcze" – i Jay wsłuchał się w nostalgiczne tony, wpychając jednocześnie do torby z butelkami jakieś ubrania chwycone na chybił trafił. Zadziwiające, z jak niewielką liczbą rzeczy nie był w stanie się rozstać i musiał zabrać ze sobą. Maszyna do pisania. Niedokończony maszynopis „Niezłomnego Corteza". Parę ukochanych książek. Radio. I, oczywiście, kilka butelek wina, ze „Specjałami" Joego na czele. Kolejny impuls, powiedział sobie w duchu. To wino było przecież całkiem bezwartościowe, niemal nie nadające się do picia. A tymczasem Jay nie potrafił się uwolnić od przekonania, że w tych butelkach kryje się coś niezbędnego mu do życia. Coś, bez czego teraz absolutnie nie umiałby się obejść.

„Spy's" to jeden z wielu podobnych do siebie londyńskich klubów. Ich nazwy i wystrój się zmieniają, ale miejsca pozostają w swej istocie takie same: pełne blichtru, hałaśliwe, pozbawione duszy. Około północy wszyscy goście porzucają już wszelkie pozory intelektualizmu i zabierają się na poważnie za upajanie alkoholem, ostro flirtując z kim popadnie i oczerniając wszelkich możliwych konkurentów. Kiedy wysiadł z taksówki z brezentową torbą przewieszoną przez ramię i niewielką walizką w dłoni, Jay zdał sobie sprawę, że zapomniał zabrać z domu zaproszenie. Jednak po krótkiej, ostrej wymianie zdań z bramkarzem, zdołał przekazać wiadomość Kerry, która pokazała się parę minut później w sukience kupionej w snobistycznym domu mody, z lodowatym uśmiechem na ustach.

– W porządku – rzuciła bramkarzowi. – On jest po prostu beznadziejny – mówiąc to, zlustrowała swymi szmaragdowozielonymi oczami Jaya: jego dżinsy, płaszcz przeciwdeszczowy i brezentową torbę na ramieniu.

– Widzę, że postanowiłeś nie wkładać Armaniego – stwierdziła chłodno.

W tym momencie jego euforia opadła już ostatecznie, pozostawiając po sobie jedynie coś na kształt tępego kaca. Jednak Jay ze zdziwieniem spostrzegł, że mimo to pozostał niezłomny w swym postanowieniu. Dotykanie podróżnej torby zdawało się pomagać, więc czynił to raz po raz, jakby testował realność jej istnienia. Pod warstwą brezentu butelki pobrzękiwały cicho, w równym rytmie.

– Kupiłem dom – oznajmił Jay, wyciągając przed siebie rękę z wymiętą broszurą. – Popatrz, Kerry, to *château* Joego. Kupiłem go dziś rano. Od razu rozpoznałem ten dom, gdy tylko ujrzałem zdjęcie.

Pod beznamiętnym, zielonym spojrzeniem poczuł się beznadziejnie dziecinnie. Na jakiej podstawie przypuszczał, że ona go zrozumie? Przecież on sam ledwo był w stanie zrozumieć co nim kierowało.

– Nazywa się Château Foudouin – dorzucił.

Kerry spojrzała na niego uważnie.

– Kupiłeś dom.

Potaknął skinieniem głowy.

– Tak po prostu kupiłeś dom? – spytała pełnym niedowierzania głosem. – I zrobiłeś to dzisiaj?

Znowu skinął głową. Miał jej do powiedzenia tak wiele. To było przeznaczenie, chciał krzyknąć, to magia, którą bezskutecznie próbował odnaleźć od dwudziestu lat. Chciał jej opowiedzieć wszystko o tej broszurze i promieniu słońca, i o tym, jak zdjęcie tego domu po prostu na niego wyskoczyło. Chciał jej wyjaśnić, jak wielka ogarnęła go wówczas pewność, że ten dom sam wybrał właśnie jego, a nie odwrotnie.

– To niemożliwe, żebyś kupił dom. – Kerry wciąż usiłowała przyswoić sobie jego słowa. – Na Boga jedynego, Jay, przecież ty się wahasz całymi godzinami, zanim kupisz koszulę!

– Ale tym razem było inaczej. Było tak, jakby... – próbował zwerbalizować własne emocje: owo tajemnicze przeświadczenie, wszechogarniające poczucie przymusu. Doświadczył tego po raz pierwszy od czasu, gdy był nastolatkiem: tej wiedzy, że życie nie jest pełne bez jakiegoś nieskończenie pożądanego, magicznego, totemicznego przedmiotu – pary rentgenowskich okularów, kalkomanii z wizerunkami Hell's Angels, biletu kinowego na wyjątkowy film, ostatniego singla najmodniejszej kapeli – pewności, że wejście w jego posiadanie wszystko zmieni, że można będzie potwierdzać jego istnienie ciągłym dotykaniem, macaniem go we własnej kieszeni. To nie było uczucie, które mógłby żywić dorosły, dojrzały człowiek. Było o wiele prymitywniejsze, płynące z samych trzewi. Z nagłym zdziwieniem Jay odkrył, że właściwie od dwudziestu lat nie miał żadnych pragnień, że w zasadzie już nie pożądał niczego.

– Jakbym... nagle znowu znalazł się na Pog Hill – oświadczył, w pełni świadomy, że Kerry i tak go nie zrozumie. – Jak gdyby w ogóle nie było tych ostatnich dwudziestu lat.

Twarz Kerry wyrażała kompletne zmieszanie.

– Nie mogę uwierzyć, że pod wpływem nagłego impulsu kupiłeś dom – oznajmiła. – Samochód, tak. Czy motocykl. OK. Gdy się nad tym zastanowię, jestem gotowa przyznać, że byłbyś do tego zdolny. Ostatecznie to tylko duże zabawki dla dużych chłopców. Ale dom?! – Pokręciła głową z wyrazem całkowitego zagubienia. – I co zamierzasz z nim zrobić?

– Zamieszkać w nim – odparł Jay z prostotą. – Tam pracować.

– Ale przecież to gdzieś we Francji. – Irytacja nadała tonowi jej głosu ostrego zabarwienia. – Jay, ja nie mogę sobie pozwolić na grzęźnięcie tygodniami we Francji. W przyszłym miesiącu zaczynam nowy program. Mam zbyt wiele zobowiązań. Słuchaj, czy w pobliżu jest chociaż jakieś lotnisko? – Urwała gwałtownie, spoglądając uważnie na podróżną torbę, jakby po raz pierwszy rejestrując jej obecność – obecność walizki, a także jego podróżny strój. Na czole pomiędzy brwiami, pojawiła się jej głęboka bruzda.

– Posłuchaj, Kerry...

Kerry wzniosła dłoń we władczym geście.

– Jedź do domu – poleciła. – To nie jest odpowiednie miejsce na podobną dyskusję. Jedź do domu, Jay, zrelaksuj się, a gdy wrócę, wszystko omówimy na spokojnie. OK? – Jej głos brzmiał teraz powściągliwie: można by odnieść wrażenie, że zwraca się do nadpobudliwego maniaka.

Jay pokręcił głową.

– Ja nie wracam – oświadczył stanowczo. – Muszę na jakiś czas stąd wyjechać. Przyszedłem, żeby ci powiedzieć do widzenia.

Nawet w tym momencie Kerry nie okazała zaskoczenia. Irytację, owszem. Niemal zakrawającą na gniew. Ale pozostała pewna własnej pozycji, niewzruszona w swej postawie i przekonaniu.

– Znowu się urżnąłeś, Jay – stwierdziła autorytatywnie. – I zupełnie nie przemyślałeś tej decyzji. Zjawiasz się tu i ni stąd, ni zowąd częstujesz mnie jakimś idiotycznym pomysłem fundowania sobie drugiego domu, a gdy ja natychmiast nie wpadam z tego powodu w zachwyt...

– To nie ma być mój drugi dom.

Ton jego głosu zaskoczył ich oboje. Przez moment zabrzmiał wręcz brutalnie.

– A to co, do jasnej cholery, ma znaczyć? – spytała niskim, groźnym głosem.

– Że mnie w ogóle nie słuchasz. Obawiam się, że tak naprawdę nigdy nie słuchałaś tego, co do ciebie mówię. – Urwał na moment. – Zawsze powtarzasz mi, że wreszcie powinienem dorosnąć, podejmować własne decyzje, usamodzielnić się. Ale w rzeczywistości cieszysz się, że jestem permanentnym lokatorem w twoim domu, że we wszystkim czuję się od ciebie zależny. Nie mam niczego, co należy do mnie. Kontakty, przyjaciele – są twoi, nie moi. Ty nawet wybierasz dla mnie ubrania. A tymczasem ja mam pieniądze, Kerry, mam swoje książki, nie jestem nieszczęśnikiem zmuszonym do głodowania na poddaszu.

Ton Kerry, gdy po chwili się odezwała, był rozbawiony, nawet nieco pobłażliwy.

– A więc to w tym rzecz? Zamierzasz ogłosić drobną deklarację niepodległości? – Jej pocałunek musnął jego policzek. – W porządku. Nie masz ochoty na to przyjęcie. Nigdy nie miałeś. Przepraszam, że nie zauważyłam tego rano. OK? – Położyła mu rękę na ramieniu i rozpłynęła się w uśmiechu. Patentowanym uśmiechu Kerry O'Neill.

– Proszę, posłuchaj. Posłuchaj mnie chociaż raz.

Czy dlatego Joe zachował się tak, a nie inaczej, zastanawiał się w tym momencie. Bo o wiele łatwiej odejść bez jednego słowa, zniknąć bez wzajemnych oskarżeń, bez łez, okrzyków niedowierzania. Uciec od poczucia winy. Jay jednak nie potrafił tak postąpić wobec Kerry. Ona co prawda już go nie kochała, wiedział to. Być może zresztą nigdy go nie kochała. Mimo to nie potrafił jej tego zrobić. Zapewne dlatego, że wiedział, jak by się potem czuła.

– Spróbuj mnie zrozumieć. To miejsce... – jednym szerokim gestem objął klub, oświetloną jaskrawymi neonami ulicę, pochmurne, ciemne niebo, cały Londyn: ciężko dyszący, ciemny, wiejący grozą. – Ja już nie należę do tego miejsca. Nie mogę myśleć, gdy tu jestem. Cały czas nic nie robię, tylko czekam, by coś się wydarzyło, by objawił mi się jakiś szczególny znak...

– Och, na rany Chrystusa, dorośnij wreszcie! – Nagle Kerry wpadła w furię, skrzecząc tonem wściekłego ptaszyska. – Czy to ma być wymówka? Jakiś idiotyczny *angst*? Gdybyś mniej czasu poświęcał na ckliwe wspominanie tego starego sukinsyna, a w zamian wreszcie rozejrzał się wokół, gdybyś tylko przyjął odpowiedzialność za własne życie i przestał wyczekiwać na specjalne znaki, niezwykłe omeny...

– Przecież ja właśnie to robię – przerwał jej w pół zdania. – Właśnie biorę odpowiedzialność za własne życie. Robię to, co zawsze kazałaś mi robić.

– Ależ ja nigdy nie miałam na myśli jakiejś bezsensownej ucieczki do Francji! – Teraz w jej głosie pobrzmiewała już panika. – Nie wolno ci postępować w taki sposób! Ostatecznie jesteś mi coś winien! Dwóch minut nie przetrwałbyś beze mnie. Zawsze przedstawiałam cię odpowiednim ludziom, wykorzystywałam dla ciebie swoje kontakty. Beze mnie byłeś niczym, objawieniem jednej książki, pieprzonym uzurpatorem...

Przez chwilę Jay przyglądał się jej beznamiętnie. To dziwne, pomyślał chłodno, jak szybko łagodna łania może się przemienić w zjadliwą wiedźmę. Czerwone usta Kerry były teraz cienką krechą, wykrzywioną straszną złością. Jej oczy zmieniły się w dwie wąskie szparki. Wściekłość, dobrze znana, przynosząca wyzwolenie, otuliła go nagle niczym miękki płaszcz. Wybuchnął głośnym śmiechem.

– Podaruj sobie te bzdury – oznajmił stanowczym głosem. – To był zawsze układ przynoszący obopólne korzyści. Przecież uwielbiałaś szafować moim nazwiskiem na wszelkich możliwych przyjęciach, prawda? Byłem atrakcyjnym dodatkiem do twojego stroju. Pokazywanie się ze mną dobrze wpływało na twój wizerunek. To jak z tymi ludźmi czytającymi poezję w metrze. Wszyscy widzieli cię razem ze mną i automatycznie zakładali, że jesteś prawdziwą intelektualistką, a nie panienką usiłująca wcisnąć się za wszelką cenę do telewizji, niezdolną do choćby jednej własnej, oryginalnej myśli.

Wpiła w niego wzrok – kompletnie zaskoczona i doprowadzona do wściekłości. Teraz miała oczy szeroko rozwarte.

– Co takiego?!

– Żegnaj. – Odwrócił się, by odejść.

– Jay! – Rzuciła się w jego stronę, waląc z całej siły otwartą dłonią w brezentową torbę. Wewnątrz butelki zaszeptały, po czym parsknęły gniewnie.

– Jak śmiesz odwracać się do mnie plecami? – wysyczała z wściekłością Kerry. – Swego czasu bez skrupułów wykorzystywałeś moje kontakty, gdy tak ci było wygodnie. Jak masz czelność odwracać się teraz ode mnie i oznajmiać, że odchodzisz, nie udzielając mi żadnego sensownego wyjaśnienia? Jeżeli potrzebujesz psychicznej przestrzeni – powiedz to. A potem pojedź do tego swojego francuskiego *château*, jeżeli tego rzeczywiście potrzebujesz, ponapawaj się inną atmosferą, jeżeli to miałoby jakoś ci pomóc.

Nagle spojrzała na niego roziskrzonym wzrokiem.

– Czy właśnie o to chodzi? O kolejną książkę? – Jej głos był głosem wygłodniałego wampira, jej gniew przeobraził się nagle w żywe podniecenie. – Jeżeli w tym rzecz, musisz mi to powiedzieć, Jay. Przynajmniej tyle jesteś mi winien. Po tych wszystkich latach...

Jay spojrzał na nią. Jakże prosto byłoby teraz powiedzieć „tak". Dać jej coś, co mogłaby zrozumieć. Usprawiedliwić, wybaczyć.

– Nie wiem – odparł w końcu. – Ale nie sądzę.

W tym momencie pojawiła się taksówka i Jay zatrzymał ją machnięciem ręki. Wrzucił bagaże na tylne siedzenie, po czym sam wskoczył do środka. Kerry wydała okrzyk frustracji i trzasnęła dłonią w szybę samochodu, jakby to była jego twarz.

– W porządku! A więc uciekaj! Ukryj się przed ludźmi! Jesteś taki sam jak ten staruch – zwyczajny nieudacznik i życiowy tchórz! To jedyne na co cię stać! Jay! Jaaay!

Gdy taksówka gładko ruszyła spod krawężnika, Jay uśmiechnął się szeroko i oparł o brezentową torbę. Z jej wnętrza wydobyły się ciche, pobrzękliwe dźwięki aprobaty, które towarzyszyły mu już przez całą drogę na lotnisko.

12

Pog Hill, lato 1975

W miarę upływu letnich dni, Jay coraz częściej zjawiał się na Pog Hill Lane. Joe witał go z zadowoleniem, ale kiedy chłopiec nie przychodził, nigdy nie komentował tego faktu. Jay wiele czasu spędzał więc także na sekretnych zabawach nad kanałem lub w pobliżu linii kolejowej, obserwując uważnie swoje niepewne terytorium, zawsze czujnie wypatrując, czy nie nadchodzi Zeth ze swoimi przyjaciółmi. Jego skrytka nad śluzą nie była już bezpieczna, Jay zabrał więc stamtąd puszkę ze skarbami i zaczął się rozglądać za pewniejszym schowkiem. W końcu zdecydował się na wrak samochodu tkwiący na wysypisku – przylepił puszkę mocną taśmą do spodu przerdzewiałego baku. Jay bardzo polubił to stare auto. Ukryty przed ciekawskimi oczami za grubą zasłoną zieleni, godzinami urzędował rozłożony w jego wnętrzu na jedynym pozostałym siedzeniu, chłonąc zapach starej, zbutwiałej skóry. Raz czy dwa usłyszał w pobliżu głosy Zetha i jego koleżków, jednak gdy kucał w niskim kadłubie samochodu – ściskając kurczowo w dłoni amulet od Joego – nie sposób było go dojrzeć, o ile nie przeprowadziło się bliskiej i starannej lustracji okolic wraku. Jay patrzył więc i słuchał, zachwycony, że może bezkarnie szpiegować wrogów. W takich chwilach niezachwianie wierzył w moc swojego amuletu.

Kiedy lato nieubłaganie zaczęło się zbliżać ku końcowi, Jay ze zdumieniem odkrył, że zdążył bardzo polubić Kirby Monckton. Pomimo swojej początkowej niechęci, znalazł tu coś, czego nie doświadczył w żadnym innym miejscu. Lipiec i sierpień przepływały powoli, niczym potężne białe szkunery. Jay zaś wpadał na Pog Hill Lane niemal co dzień. Niekiedy przebywał sam na sam z Joem, jednak aż nazbyt często pojawiali się w domu starszego pana rozmaici goście – sąsiedzi i przyjaciele – bo Joe zdawał się nie mieć rodziny. Jay był zazdrosny o czas, który spędzał razem z Joem, bardzo niechętnie dzielił się nim z innymi ludźmi, natomiast Joe zawsze serdecznie witał wszystkich przychodzących, rozdawał im skrzynki owoców, pęczki marchwi czy pokaźne worki ziemniaków. Komuś dawał butelkę wina z jeżyn, a komuś innemu przepis na proszek do czyszczenia zębów. Był specjalistą od napojów miłosnych, herbatek ziołowych, cudownych saszetek. Goście przychodzili do niego, otwarcie po warzywa i owoce, ale często przesiadywali, szepcząc mu coś do ucha, a potem wychodzili z maleńkimi paczuszkami, owiniętymi w bibułę bądź skrawkami flaneli, wciśniętymi w dłoń lub w kieszeń.

Joe nigdy nie brał od nikogo pieniędzy. Niekiedy ludzie przynosili mu coś w podzięce: bochenek chleba, domowy placek z mięsem czy papierosy. Jay zastanawiał się, skąd Joe bierze pieniądze i jak zamierza uzbierać te 5000 funtów na swój wymarzony *château*. Ale kiedy wspominał o tym starszemu panu, ten tylko wybuchał śmiechem.

Gdy złowrogo zaczął się zbliżać wrzesień, każdy dzień nabierał specjalnego, głębokiego znaczenia, jakiejś mitycznej jakości. Jay wędrował brzegiem kanału w oparach nostalgii. Zapisywał w zeszycie to, czego dowiedział się od Joego w czasie ich długich rozmów ponad krzewami czarnej porzeczki, a potem odtwarzał w myślach swoje zapiski, gdy tylko kładł się do łóżka. Godzinami przemierzał na rowerze teraz już dobrze znane ścieżki i głęboko wdychał przepojone sadzą powietrze. Wspinał się na Upper Kirby Hill, wpatrywał się w fioletowoczarny obszar Gór Pennińskich i marzył, by mógł zostać tu już na zawsze.

Joe natomiast zdawał się niewzruszony. Niezmiennie zbierał owoce, układał je starannie w skrzynkach, przerabiał spady na dżem, wynajdywał dziko rosnące zioła, by je zrywać w czasie pełni. Na wrzosowiskach zbierał czarne jagody, a na nasypie kolejowym – jeżyny. Ze swoich pomidorów produkował *chutney*, z kalafiorów – pikantne pikle. Marynował też cebulę na zimę, zalewał olejem ostrą paprykę i rozmaryn, przygotowywał woreczki z lawendą na bezsenność oraz z biedrzeńcem na szybkie gojenie ran. Poza tym, oczywiście, produkował wino. Całe lato upłynęło Jayowi pod znakiem aromatu wina: fermentującego, nabierającego wieku i smaku. A było to wino najrozmaitszych rodzajów: z buraków, ze strąków groszku, z malin, z kwiatu czarnego bzu, z owoców róży, z „tuber", ze śliwek, z pasternaku, z imbiru i z jeżyn. Cały dom przypominał jedną wielką destylarnię – rondle z owocami pyrkotały na piecu, gąsiory na podłodze czekały na przelanie płynu do butelek, muślinowe ścierki służące do przecierania owoców suszyły się na linkach, a w pobliżu, w schludnych rządkach, stały gotowe do użytku wiadra, butle i butelki, przetaki oraz lejki różnych rozmiarów.

Joe trzymał swój kocioł destylacyjny w piwnicy: wielki, miedziany, przypominający gigantyczny czajnik i choć zapewne stary – pieczołowicie wypolerowany. Joe używał go do produkcji własnego „spirytu” – surowego, przezroczystego alkoholu wyciskającego z oczu łzy – który wykorzystywał do przetwarzania letnich owoców ułożonych w błyszczących rzędach na półkach w piwnicy. Joe nazywał ten alkohol wódką z ziemniaków, kartoflanym sokiem. Mówił, że jest siedemdziesięcioprocentowy. Łączył go z równymi ilościami owoców i cukru, i w ten sposób wytwarzał swoje likiery. Z wiśni, ze śliwek, z czerwonych porzeczek i z jagód. Owoce barwiły likwor na fioletowo, czerwono i czarno – a przynajmniej tak się wydawało w mdłym świetle piwnicy. Każdy słoik, każda butelka były starannie opisane i opatrzone datą. Stało ich tam dużo więcej, niż kiedykolwiek mógłby zjeść czy wypić jeden człowiek. Ale Joe się tym nie przejmował; tak czy owak rozdawał większość butelek i słoików. Poza winem i odrobiną dżemu truskawkowego do porannej grzanki, Joe nie tykał żadnych swoich wymyślnych przetworów czy alkoholi. A przynajmniej Jay nigdy nie widział, by to robił. Podejrzewał, że starszy pan sprzedaje te zaprawy w zimie, chociaż do tej pory nie zauważył, by Joe kiedykolwiek wziął od kogoś pieniądze. Po prostu wszystko rozdawał.

We wrześniu Jay wrócił do szkoły. Moorlands pozostało takie samo, jakim je pamiętał: dominował tam zapach kurzu, płynu dezynfekcyjnego, pasty do podłóg i starej frytury. Rozwód rodziców przebiegł w miarę gładko – poprzedzony wieloma płaczliwymi telefonami od matki i przekazami pieniężnymi od Chlebowego Barona. O dziwo, Jay pozostał zupełnie niewzruszony tym faktem. W czasie lata jego wściekłość wygasła i przekształciła się w chłodną obojętność. Teraz z jakiegoś bliżej niesprecyzowanego powodu gniew wydawał mu się czymś dziecinnym. Co miesiąc pisywał do Joego, mimo że starszy pan nie odpowiadał regularnie na jego listy. Poinformował, że z pisaniem u niego krucho, i ograniczył się do kartki na Boże Narodzenie oraz kilku linijek pod koniec każdego semestru. Jednak jego milczenie nie niepokoiło Jaya. Wystarczyła mu świadomość, że Joe był tam, gdzie być powinien.

W lecie Jay znowu pojechał do Kirby Monckton. Częściowo dlatego, że o to nalegał, jednak nie umknęło jego uwagi, że ta decyzja w skrytości ducha ucieszyła także rodziców. Matka właśnie rozpoczynała w Irlandii zdjęcia do filmu, natomiast Chlebowy Baron zamierzał spędzić wakacje na swoim jachcie w towarzystwie – jak wieść niosła – młodej modelki o imieniu Candide.

Jay umknął więc do Kirby Monckton z uczuciem wielkiej ulgi.

13

Paryż, marzec 1999

Spędził noc w poczekalni. Nawet przespał się przez chwilę w jednym z plastikowych, ergonomicznie ukształtowanych, pomarańczowych foteli na lotnisku Charles'a de Gaulle'a – chociaż był zbyt podniecony, by się należycie zrelaksować. Wydawało mu się, że drzemie w nim niewyczerpane źródło energii, dynamo umiejscowione gdzieś w okolicach żeber. Zmysły miał nadnaturalnie wyczulone. Wszelkie zapachy – płynu do mycia podłóg, potu, dymu papierosowego, perfum, porannej kawy – uderzały w niego potężnymi falami. O piątej rano porzucił wszelkie pretensje do snu i poczłapał do kafeterii na rogaliki i filiżankę przesłodzonej czekolady. Pierwszy ekspres do Marsylii odchodził o szóstej dziesięć. Następnie pociąg osobowy miał go zabrać do Agen, skąd już taksówką mógł dojechać do... no właśnie, jak to się nazywało? Mapa dołączona do broszury była zaledwie ogólnym szkicem, Jay miał jednak nadzieję, że gdy dotrze do Agen zdoła uzyskać dokładniejsze wskazówki. Poza tym sama podróż sprawiała mu przyjemność, owo pędzenie do miejsca, które na razie było jedynie mglistym krzyżykiem na mapie. Miał wrażenie, że pijąc wino Joego, niespodziewanie staje się samym Joem, znaczącym przebyty dystans na mapie, zmieniającym tożsamość w zależności od własnych upodobań i kaprysów. Jednocześnie czuł się lżejszy, wyzwolony od gniewu i poczucia krzywdy, które towarzyszyły mu od długiego czasu, stanowiły bezsensowny balast przez tak wiele lat.

„Jeżeli zawędrujesz dość daleko – mawiał Joe – wszelkie reguły ulegną zawieszeniu".

Teraz wreszcie Jay zaczynał rozumieć jego słowa. Prawda, lojalność, tożsamość. Owe pojęcia wiążą nas z miejscami i obrazami, które po pewnym czasie mogą już zupełnie nie przystawać do naszego życia. Można zostać, kim się tylko chce. Jechać choćby na kraniec świata. Na lotniskach, dworcach autobusowych i stacjach kolejowych wszystko może się wydarzyć. Tam nikt nie zadaje żadnych pytań. Ludzie osiągają stan bliski niewidziałności. W takich miejscach każdy jest jedynie jednym spośród tysięcy pasażerów. Nikt nikogo nie rozpoznaje. Nikt o nikim wcześniej nie słyszał.

Jay zdołał przespać parę godzin w pociągu. We śnie – nad wyraz realistycznym – ujrzał samego siebie biegnącego wzdłuż kanału w Nether Edge, na próżno usiłującego dogonić oddalający się pociąg z węglem. Z niezwykłą wyrazistością widział przestarzałą, metalową konstrukcję wagonów. Czuł zapach pyłu węglowego i zjełczałego smaru do wagonowych osi. W ostatnim wagonie ujrzał Joego, który siedział w swoim pomarańczowym kombinezonie górniczym i kolejarskiej czapce na stercie węgla, machającego mu na do widzenia butelką domowego wina w jednej i mapą świata w drugiej dłoni, wołającego coś metalicznym głosem, dobiegającym jednak ze zbyt wielkiej oddali, aby dosłyszeć słowa.

Obudził się trzydzieści parę kilometrów przed Marsylią z nieprzepartym pragnieniem wychylenia czegoś mocniejszego. Za oknami jasnym, przymglonym pasem ciągnął się wiejski krajobraz. Jay poszedł do baru, zamówił wódkę z tonikiem, wysączył drinka powoli, po czym zapalił papierosa. Wciąż miał wrażenie, że paląc, oddaje się zakazanej rozkoszy – zagrało w nim poczucie winy zabarwione radosnym uniesieniem, jak wtedy, gdy zamiast do szkoły biegł na wagary.

Jeszcze raz wyciągnął broszurę z kieszeni. Teraz już była bardzo pomięta – tani papier zaczynał się przecierać na zgięciach. Przez chwilę pomyślał, że wreszcie poczuje się inaczej, że w końcu opuści go to niezwykłe poczucie przymusu. Ale nie. Wciąż w nim tkwiło. W brezentowej torbie leżącej tuż obok, na siedzeniu, „Specjały" rozpierały się i gulgotały w rytm stukotu pociągu, a w ich wnętrzu osad dawno minionych letnich miesięcy kłębił się niczym karmazynowy muł zmąconej rzeki.

Jay nie mógł się już doczekać, kiedy wreszcie dotrze do Marsylii.

14

Pog Hill, lato 1976

Czekał na działce. Radio przywiązane kawałkiem sznurka do gałęzi grało dość głośno, ale Jay wyraźnie słyszał, że Joe śpiewa w rytm – tym razem „Boys Are Back In Town" grupy Thin Lizzy – swoim pełnym, wodewilowym głosem. Stał odwrócony plecami, schylony nad kępą specjalnej odmiany malin z sekatorem w dłoni. Przywitał Jaya, nie odrywając się od pracy, wciąż zwrócony do niego plecami, jak gdyby Jay nigdy nie wyjeżdżał. W pierwszej chwili chłopiec pomyślał, że Joe zdecydowanie się postarzał – jego włosy pod wytłuszczoną czapką zdawały się przerzedzone, a pod T-shirtem bardzo ostro rysowały się kruche dyski kręgosłupa – jednak gdy starszy pan się w końcu odwrócił, Jay spostrzegł, że to wciąż ten sam, niezmieniony Joe o żywo niebieskich oczach i uśmiechu bardziej odpowiednim dla czternastolatka niż sześćdziesięciopięcioletniego mężczyzny. Na szyi miał zawieszony jeden ze swoich czerwonych, flanelowych amuletów. Gdy Jay uważnie rozejrzał się po działce, zauważył że podobne talizmany znajdują się na każdym drzewie, na każdym krzaku, nawet na rogach cieplarni i inspektów skonstruowanych domowym sposobem. Klosze ze słoików i odpowiednio uciętych plastikowych butelek po lemoniadzie, chroniące kiełkujące nasiona, też miały zawiązany wokół kawałek czerwonego sznureczka bądź starannie wyrysowany tym samym kolorem jakiś znak. Mógł być to kolejny wymyślny żart starszego pana – jak pułapki na skorki czy szerbetowy krzew – jednak tym razem humor Joego cechował jakiś ponury upór, przywodzący na myśl człowieka w oblężonym mieście. Jay spytał go o te wszystkie amulety, spodziewając się w odpowiedzi tradycyjnego dowcipu, szelmowskiego przymrużenia oka, a tymczasem wyraz twarzy Joego pozostał nadzwyczaj poważny.

– To dla ochrony, chłopcze – oznajmił cichym głosem. – Dla ochrony.

Wiele czasu zabrało Jayowi zrozumienie, jak bardzo poważne było to oświadczenie.

Lato wiło się leniwie, niczym piaszczysta, wiejska droga. Jay wpadał na Pog Hill Lane w zasadzie co dzień, a kiedy czuł nieprzepartą ochotę pobycia w samotności, wówczas szedł do Nether Edge i nad kanał. Niewiele się tam zmieniło. Na wysypisku przybyło wspaniałości: kilka lodówek, worki ze starymi ubraniami, zegar z uszkodzoną obudową, karton wypchany zniszczonymi książkami w tanich wydaniach. Dzięki kolei również trafiały tam rozmaite skarby: gazety, czasopisma, połamane płyty gramofonowe, fajansowe kubki i spodki, puszki, butelki nadające się do skupu. Każdego ranka Jay przeczesywał tory i ich bezpośrednie sąsiedztwo, zbierając to, co wydawało mu się cenne bądź interesujące, po czym dzielił się swoimi znaleziskami z Joem w jego domu. Starszy pan nie marnował niczego. Stare gazety wędrowały na kompost. Kawałki chodnika powstrzymywały rozrost chwastów na warzywnych grządkach. Plastikowe torby osłaniały gałęzie owocowych drzew i odstraszały ptaki. Joe zademonstrował Jayowi, jak robić klosze dla osłony młodziutkich sadzonek i kiełkujących nasion z zaokrąglonych części butelek od lemoniady i jak wykorzystywać stare, zużyte opony w charakterze rozsadników dla ziemniaków. Pewnego dnia spędzili całe popołudnie na taszczeniu wyrzuconej lady chłodniczej w górę nasypu, by ją przerobić na inspekt. Złom i stare ubrania sortowali do odpowiednich kartonów i potem Joe sprzedawał je wędrownemu handlarzowi staroci. Opróżnione puszki po farbach i plastikowe wiaderka stawały się doniczkami na rośliny.

W zamian za te wszystkie skarby Joe odkrywał przed Jayem sekrety ogrodu. Powoli chłopiec nauczył się odróżniać lawendę od rozmarynu i hyzop od szałwii. Nauczył się, jak smakować glebę – trzeba było wrzucić szczyptę pod język, jak człowiek sprawdzający jakość tytoniu – by określić jej kwasowość. Jay nauczył się także uśmierzać ból głowy za pomocą rozkruszonej lawendy, a ściskanie w dołku – miętą pieprzową. Dowiedział się, jak parzyć herbatkę z rumianku na lepszy sen. Nauczył się sadzić margerytki na poletkach ziemniaczanych dla odstraszania szkodników, zrywać czubki pokrzyw na piwo, a także wyrysowywać grabiami znak chroniący od złego uroku, ilekroć nad ogrodem przeleciała sroka. Oczywiście zdarzało się, że niekiedy starszy pan nie mógł się powstrzymać od jakiegoś żartu. Jak na przykład wtedy, gdy dał mu do smażenia cebulki żonkili zamiast normalnej cebuli lub gdy kazał mu sadzić pod płotem dojrzałe truskawki, by sprawdzić, czy wyrosną z nich nowe krzaczki. Ale przez większość czasu Joe zachowywał się bardzo poważnie – a przynajmniej tak sądził Jay – i najwyraźniej czerpał przyjemność z nowej dla siebie roli nauczyciela. Pewnie już wtedy wiedział, że to wszystko zmierza ku końcowi, chociaż w owym czasie Jay niczego nie podejrzewał i tego lata czuł się najszczęśliwszy w życiu, gdy siedział na działce Joego i słuchał z nim razem radia, czy sortował złom i szmaty, lub gdy trzymał szatkownicę do warzyw i gdy razem selekcjonowali owoce na następną partię wina. Porównywali wartość muzyczną „Good Vibrations" (wybór Jaya) z wartością „Brand New Combine Harvester" (wybór Joego). Jay czuł się bezpieczny, chroniony przez dobre moce, jakby znalazł się nagle w niewielkim załomku wieczności, który miał trwać w nieskończoność i nigdy go nie zawieść. Wszystko wokół jednak ulegało nieznacznej zmianie. Być może tkwiła ona w samym Joem: niezwykłym dla niego niepokoju, nadzwyczaj rozważnym spojrzeniu, malejącej liczbie gości – czasami przez cały tydzień przychodziły zaledwie dwie osoby – lub w niezwykłej, złowrogiej ciszy panującej na Pog Hill Lane. Nie było już słychać żadnych stuków i puków, żadnego podśpiewywania, na linkach suszyło się coraz mniej prania, a klatki dla królików i gołębniki stały porzucone, popadając w ruinę.

Joe często chadzał na skraj swojej działki i w milczeniu spoglądał na linię kolejową. Pociągów też jeździło teraz coraz mniej – jedynie dwa pasażerskie dziennie na torach dalekobieżnego ruchu, a poza tym przetaczały się tam jedynie lokomotywy manewrowe i wózki z węglem zmierzające ku składowisku zlokalizowanemu na północnym skraju miasteczka. Szyny – tak świecące i wypolerowane zeszłego lata – teraz zaczynała pokrywać rdza.

– Po mojemu planują zamknąć tę linię – rzucił Joe pewnego razu. – W następnym miesiącu pewno przyjdą i wyburzą Kirby Central. – Kirby Central to była budka dróżnika nieopodal stacji. – A zaraz potem budkę w Pog Hill, o ile się nie mylę.

– Ależ to twoja cieplarnia – zaprotestował Jay. Od kiedy znał Joego ten zawsze wykorzystywał zapuszczoną budkę dróżnika położoną pięćdziesiąt metrów od jego działki na swoją cieplarenkę, którą zapełnił delikatnymi, ciepłolubnymi roślinami, krzewami pomidorów, dwoma drzewkami brzoskwiniowymi i winoroślą pnącą się ku powale, wymykającą się na biały dach w kaskadzie szerokich, jasnych liści.

Joe wzruszył ramionami.

– Zwykle od razu je burzą – oświadczył. – I tak miałem dużo szczęścia.

Powędrował wzrokiem ku czerwonym woreczkom przybitym do tylnej ściany, po czym wyciągnął rękę i chwycił jeden z nich pomiędzy palce.

– Do tej pory byliśmy roztropni – dorzucił. – Nie przyciągaliśmy cudzej uwagi. Ale gdy zamkną linię, wtedy zjawią się tu ludzie, by zdemontować trakcję, dojdą do Pog Hill i do Nether Edge. Mogą siedzieć tu miesiącami. A ten grunt, to własność kolei. Ja i ty, chłopcze, jesteśmy tu bezprawnymi intruzami.

Jay powędrował wzrokiem za jego spojrzeniem, chłonąc – jakby po raz pierwszy w życiu – cały pas działki, równe rzędy warzyw, szklarnie, setki plastikowych rozsadników, dziesiątki drzewek owocowych, gęste krzewy malin, czarnej porzeczki, kępy rabarbaru. To zabawne, ale nigdy dotąd nie przyszło mu do głowy, że znajdują się na obcym terenie.

– Ach, tak. Ale czy sądzisz, że będą chcieli zabrać sobie te grunty?

Joe nie spojrzał na niego. Oczywiście, że będą chcieli zabrać te grunty. Ujrzał to wyraźnie w rysach starszego pana, w wyważonym wyrazie jego twarzy – jak wiele czasu trzeba, by to wszystko gdzieś przesadzić? Jak wiele, by odbudować taki ogród? Zabiorą tę ziemię nie dlatego, że jej naprawdę potrzebują, ale dlatego, że należy do nich i że mogą z nią zrobić, co zechcą. To ich terytorium: nieużytek czy nie, ale ich własność. Jayowi nagle żywo stanął przed oczami Zeth i jego kumple w momencie, gdy Zeth posłał kopniakiem radio w powietrze. Ci, którzy przyjdą zabierać ten grunt, będą mieli taki sam wyraz twarzy, kiedy zaczną zrównywać nasyp kolejowy, wyburzać cieplarenkę, wyrywać rośliny i krzewy, ryć buldożerem słodkie kępy lawendy i grusze z na wpół dojrzałymi owocami; gdy będą brutalnie wygrzebywać z ziemi ziemniaki i marchew, i pasternak, i te wszystkie tajemnicze, egzotyczne rośliny, które Joe gromadził przez całe swoje życie. Jay poczuł, jak nagle wzbiera w nim straszliwa furia i pięści zaciskają mu się boleśnie na ceglanym murku.

– Im nie wolno tego robić! – wykrzyknął zapalczywie.

Joe znowu wzruszył ramionami. Oczywiście, że wolno. Teraz Jay w pełni zrozumiał znaczenie czerwonych amuletów zwieszających się z każdej gałęzi, z każdego wystającego gwoździa, ze wszystkiego, co Joe pragnął ocalić. Amulety nie mogą sprawić, by dominium Joego stało się niewidzialne, ale mogą... co właściwie? Zatrzymać buldożery? Przecież to niedorzeczne.

Joe nie odezwał się słowem. Jego oczy były jasne i przepełnione wewnętrznym spokojem. Przez moment wyglądał jak stary rewolwerowiec, pokazywany w setkach westernów, przypinający broń, by stanąć do ostatecznego pojedynku. Przez sekundę wszystko – absolutnie wszystko – wydało się Jayowi możliwe. Cokolwiek miało się wydarzyć w przyszłości, w owym momencie on wierzył niezachwianie w moc Joego i w moc jego magii.

15

Marsylia, marzec 1999

Pociąg przybył do Marsylii około południa. Było pochmurno, ale ciepło, więc Jay przebijał się przez snujący się bez celu tłum z płaszczem przewieszonym przez ramię. W kiosku na peronie kupił parę kanapek, ale wciąż czuł się zbyt zdenerwowany, zbyt podniecony, by jeść. Pociąg do Agen wjechał na stację niemal z godzinnym opóźnieniem i potem przez całą drogę wlókł się niemiłosiernie; ten etap podróży miał mu zająć tyle samo czasu, co podróż z Paryża. Energia powoli z niego ulatywała, a jej miejsce zajmowało wyczerpanie. Jay zapadał w niespokojną drzemkę pomiędzy częstymi postojami na małych stacyjkach – był spragniony, głodny i miał lekkiego kaca. Nie mógł opanować potrzeby częstego wyciągania z kieszeni broszury tylko po to, by się upewnić, że to wszystko nie jest jedynie wytworem jego wyobraźni. Próbował włączyć radio i nastawić jakąś stację, ale nie udało mu się złapać nic poza tępym szumem.

W końcu późnym popołudniem dojechał do Agen. Znowu zaczynał się czuć raźniej, odzyskiwać świadomość otaczającego go świata. Z okien pociągu widział pola uprawne i farmy, sady i świeżo zaoraną ziemię o głębokiej barwie czekolady. Wszystko było bardzo zielone. Wiele drzew już pięknie kwitło – nadzwyczaj wcześnie, zważywszy, że to dopiero marzec, pomyślał – ale potem zreflektował się, że jego jedyne ogrodnicze doświadczenia wiązały się z Joem i obszarem położonym ponad tysiąc kilometrów na północ. Z dworca wziął taksówkę i kazał się zawieźć do agencji nieruchomości – adres widniał w broszurze – mając nadzieję, że uzyska tam pozwolenie na obejrzenie swojego nowego domu. Ale – szlag by to trafił! – agencja była już zamknięta.

Podniecony swoją ucieczką ku wolności Jay nigdy nie uwzględnił podobnej możliwości w swoich planach. Co miał więc teraz zrobić? Znaleźć hotel w Agen? Nie, póki nie obejrzy swojego domu. Swojego domu. Na tę myśl dostał gęsiej skórki. Następnego dnia była niedziela i najprawdopodobniej agencja znowu będzie zamknięta, a wtedy przyjdzie mu czekać aż do poniedziałkowego poranka. Gdy tak stał niezdecydowany pod zamkniętymi na trzy spusty drzwiami, taksówkarz, który go tu przywiózł, zaczął się niecierpliwić. Właściwie jak daleko stąd leżało Lansquenet-sous-Tannes? Tam zapewne znajdzie jakieś miejsce do spania, przynajmniej najzwyklejsze – w rodzaju jakiegoś *chambre d'hôte.* Teraz dochodziło wpół do szóstej. A więc zdąży obejrzeć dom przed zapadnięciem ciemności, choćby tylko z zewnątrz.

Pokusa była nie do odparcia. Odwracając się w stronę znudzonego taksówkarza, Jay – z niezwykłą dla siebie stanowczością – pokazał mu mapę.

– *Vous pouvez m'y conduire tout de suite?*

Mężczyzna zastanawiał się przez moment, rozważając propozycję z leniwą powolnością typową dla mieszkańców tego regionu Francji. Jay wyciągnął z kieszeni dżinsów zwitek banknotów i pokazał je taksówkarzowi. Ten wzruszył beznamiętnie ramionami, po czym energicznym skinieniem głowy wskazał na tylne siedzenie. Nie umknęło uwagi Jaya, że wcale nie zamierzał pomóc mu w załadowaniu bagażu.

Jazda zajęła im pół godziny. Jay ponownie zapadł w drzemkę na przesiąkniętym zapachem skóry i dymu papierosowego tylnym siedzeniu taksówki, natomiast kierowca nieustannie palił gauloise'y i wydawał pomruki zadowolenia, gdy przemykał bez włączania kierunkowskazu pomiędzy samochodami, a potem gnał wąskimi dróżkami, władczo naciskając na klakson na każdym zakręcie, od czasu do czasu posyłając w powietrze stadka kur gdaczących przeraźliwie i gorączkowo machających skrzydłami. Jay czuł już porządny głód i miał nieprzepartą ochotę na drinka. Wcześniej przypuszczał, że gdy dotrą do Lansquenet, znajdzie jakieś miejsce, gdzie się będzie mógł posilić. Teraz jednak, gdy przyglądał się piaszczystym drogom, na których taksówka podskakiwała wściekle, zaczynał w to poważnie wątpić.

Poklepał kierowcę po ramieniu.

– *C'est encore loin?*

Ten wzruszył ramionami, wskazał palcem przed siebie, po czym dość gwałtownie zatrzymał samochód.

– *Là.*

I rzeczywiście, dom tam stał, tuż za niewielkim zagajnikiem. Skośne, czerwone promienie niezbyt spektakularnego zachodu oświetlały pobielone ściany i dachówki jakimś tajemniczym blaskiem. Gdzieś z boku Jay dostrzegł refleks wody, sad zaś – na fotografii zielony – był teraz pokryty pienistą masą bladych kwiatów. Widok był przepiękny. Zapłacił taksówkarzowi o wiele za dużo z pozostałej mu jeszcze francuskiej gotówki i wystawił walizkę na drogę.

– *Attendez-moi ici. Je reviens tout de suite.*

Kierowca wykonał jakiś bliżej nieokreślony ruch ręką, który Jay uznał za znak zgody, po czym zostawiwszy taksówkę i walizkę na skraju drogi, sam szybko pomaszerował w kierunku kępy drzew. Kiedy doszedł do zagajnika, wyraźniej zobaczył dom i przyległą winnicę. Fotografia w broszurze łudziła oko, w żadnym wypadku nie oddawała skali posiadłości. Jako miejskie dziecko Jay nie miał pojęcia o areałach, ale te grunty wydały mu się teraz ogromnie rozległe. Z jednej strony wyznaczała je droga i rzeka, zaś z drugiej – długi żywopłot ciągnący się het poza dom, znikający gdzieś daleko w polach. Na przeciwległym brzegu rzeki Jay dostrzegł następny dom, mały z niskim dachem, a jeszcze dalej wioskę – iglicę kościoła, drogę wijącą się wzdłuż rzeki, kilka niedużych budynków. Ścieżka do domu biegła obok winnicy (już zieleniącej się i wypuszczającej długie pędy, które wyłaniały się zawadiacko spomiędzy morza chwastów) oraz obok zapuszczonego ogrodu warzywnego, gdzie zeszłoroczne szparagi i karczochy wznosiły swe włochate głowy ponad żółtymi mleczami.

Dojście do domu zajęło mu jakieś dziesięć minut. Gdy podszedł bliżej, zobaczył, że budynek – podobnie jak winnica i ogródek warzywny – wymagał solidnej renowacji. Różowawa farba miejscami się łuszczyła i odchodziła płatami od muru, odsłaniając szary, popękany tynk. Cześć dachówek leżała roztrzaskana na zarośniętej ścieżce. Okna na parterze kryły się za okiennicami bądź zostały zabite deskami, natomiast niektóre szyby na piętrze były wybite i ziały czernią ohydnych szczerb. Frontowe drzwi zabito gwoździami. Odnosiło się wrażenie, że dom stał opuszczony od wielu lat. A tymczasem w ogródku warzywnym dało się dostrzec oznaki czyjejś niedawnej działalności. Jay obszedł budynek dookoła, szacując rozmiary zniszczenia. Spostrzegł, że większość uszkodzeń była w zasadzie powierzchowna – wynikała z zaniedbania i działania sił przyrody. W środku wszystko mogło wyglądać inaczej. Odkrył miejsce, gdzie połamana okiennica odstawała od tynku, tworząc szparę dostatecznie szeroką, by zajrzeć do środka. Wcisnął twarz w szczelinę. Wewnątrz panowała ciemność i słychać było odgłos kapiącej wody.

Nagle coś w środku się poruszyło. W pierwszej chwili Jay pomyślał, że to szczury. Ale potem usłyszał ciche, skradające kroki, chrobotanie o podłogę przypominające szurgot podbitych metalowymi żabkami butów przesuwających się po betonowej, piwnicznej posadzce. Z pewnością więc nie były to szczury.

Zawołał całkiem absurdalnie: „Hej!" – i dźwięki ustały.

Zezując przez szparę w okiennicy, Jay dojrzał – a przynajmniej tak mu się zdawało – że na linii jego wzroku przemieszcza się powoli jakiś niewyraźny cień: kształt, który w zasadzie można by uznać za postać w obszernej kapocie i czapce nasuniętej głęboko na oczy.

– Joe? Joe?!

Co za idiotyzm! Przecież to nie mógł być Joe. Jay po prostu myślał o nim tak wiele przez ostatnich kilka dni, że wszędzie zaczynał dostrzegać jego obecność. To całkiem naturalny odruch, jak przypuszczał. Gdy ponownie spojrzał w głąb domu, postać – o ile tam przedtem w ogóle była jakakolwiek postać – już zniknęła. Dom spowijała cisza. Jay doznał przelotnego uczucia rozczarowania, niemal smutku, którego jednak nie śmiał analizować głębiej, bo przestraszył się, że wówczas okaże się to jakimś szaleństwem, absurdalnym przekonaniem, że Joe rzeczywiście tu był i czekał na niego. Stary Joe, w swojej czapce, górniczych buciorach i wielkiej, luźnej kapocie, czekający na niego w opuszczonym domu, żyjący z płodów ziemi. Myśli Jaya skierowały się w tym momencie bezlitośnie ku ogródkowi warzywnemu – przecież ktoś musiał posiać te rośliny, pomyślał z obłąkańczą logiką. Ktoś musiał tu być.

Spojrzał na zegarek i ze zdumieniem spostrzegł, że siedział przed domem ponad dwadzieścia minut. A przecież dlatego poprosił taksówkarza, żeby czekał na niego przy szosie, bo nie zamierzał spędzać nocy w Lansquenet. To, co do tej pory zobaczył, kazało mu wątpić, czy w wiosce uda mu się znaleźć jakiekolwiek miejsce na nocleg. Ponadto zrobił się już strasznie głodny. Puścił się więc biegiem przez sad; gdy wypadł zza zagajnika i tuż przed szosą pokonał zakręt – pocił się i ciężko dyszał.

Tymczasem po taksówce nie zostało ani śladu.

Przeklął szpetnie. Jego walizka i brezentowa torba leżały bezładnie rzucone na pobocze. Kierowca, znudzony czekaniem na stukniętego Anglika, po prostu odjechał.

Czy więc mu się to podobało, czy nie – musiał tu już pozostać.

16

Pog Hill, lato 1976

Kirby Central zostało zdemontowane w sierpniu. Jay był w pobliżu, gdy je zamykali – ukrywał się w wysokiej kępie rozsiewającej nasiona wierzbówki – a gdy poszli, zabierając ze sobą zwrotnice, sygnalizację świetlną i wszystko inne, co można by ukraść, zakradł się po schodach w górę i zajrzał przez okno. Schematy torów i rozkłady pociągów wciąż walały się wewnątrz, natomiast przekładnia zwrotnicy ziała czarną dziurą. Mimo to budka w dziwny sposób wyglądała na zamieszkałą, jakby dróżnik wyszedł tylko na moment i za kilka minut miał powrócić. Jay spostrzegł też, że zostało tam wiele szkła, które można by dobrze spożytkować, gdyby tylko razem z Joem przytargali ją na Pog Hill Lane.

– Daj spokój, chłopcze – powiedział jednak Joe, gdy Jay mu o tym zameldował. – I tak będę miał pełne ręce roboty tej jesieni.

Jay nie potrzebował żadnego wyjaśnienia tych słów. Od początku sierpnia Joe coraz poważniej przejmował się losami swojej działki. Rzadko mówił o tym otwarcie, ale niekiedy przerywał pracę i wbijał wzrok w swoje drzewka, jakby oceniał, jak wiele życia im jeszcze zostało. Czasami zatrzymywał się, by pogładzić gładką korę jabłoni czy śliwy i wówczas zaczynał przemowę – do siebie czy do Jaya – cichym głosem. Zawsze, mówiąc o drzewach, używał ich nazwy gatunkowej i przemawiał tak, jakby były ludźmi.

– Mirabelka. Nieźle rośnie, co? To francuska śliwka, żółta, doskonała na dżem, wino, czy tak po prostu do jedzenia. Podoba jej się tu, na nasypie, gdzie sucho i słonecznie. – Zamilkł na chwilę, po czym oznajmił: – Za stara już jest, by ją przenieść. Zapuściła korzenie głęboko, pewna, że pozostanie w tym miejscu na zawsze, a tu nagle taka historia. To dopiero łotry.

Był to najbardziej bezpośredni sposób, w jaki Joe odniósł się do problemów swojej działki.

– Teraz chcą wyburzyć Pog Hill Lane. – Głos Joego podniósł się wyraźnie i nagle Jay zdał sobie sprawę, że po raz pierwszy widzi go w stanie zbliżonym do gniewu. – Pog Hill Lane, tkwiącą tu od ponad wieku, zbudowaną, gdy w Nether Edge była jeszcze kopalnia, a nad kanałem pracowali marynarze.

Jay wybałuszył oczy.

– Wyburzyć Pog Hill Lane? Masz na myśli domy?

Joe skinął głową.

– Dziś przyszedł do mnie list. Pocztą – oznajmił sucho. – Te łotry uważają, że tu jest niebezpiecznie. Chcą wyburzyć wszystko wokół. Wszystkie szeregi.

Jego twarz, niby rozbawiona, wyrażała ponurą determinację.

– Wyburzyć. Po tak długim czasie. Mieszkam tu od trzydziestu dziewięciu lat – od chwili gdy zamknęli kopalnie w Upper Kirby i Nether Edge. Kupiłem górniczy dom od magistratu. Ale nie ufałem im, o nie. Nawet wtedy... – urwał, wznosząc swą lewą, kaleką dłoń w geście ironicznego salutu. – Czego jeszcze chcą, ha? Tam na dole zostawiłem swoje trzy palce. Niemalże kosztowało mnie to pioruństwo życie. Po mojemu więc, powinienem być coś dla nich wart. Oni powinni pamiętać takie rzeczy!

Jay wpatrywał się w niego z rozdziawionymi ustami. Takiego Joego nie widział nigdy przedtem. Szczególny podziw i strach kazały mu milczeć. A potem Joe urwał równie gwałtownie, jak zaczął, i pochylił się troskliwie nad świeżo zaszczepioną gałęzią.

– Wydawało mi się, że to się stało w czasie wojny – wykrztusił w końcu Jay.

– Co takiego?

Jaskrawoczerwona szmatka łączyła szczepkę z gałęzią. Joe posmarował to miejsce czymś w rodzaju żywicy wydającej ostrą, soczystą woń. Pokiwał sam do siebie głową, wyraźnie usatysfakcjonowany postępami drzewa.

– Mówiłeś mi, że straciłeś palce w Dieppe – drążył temat Jay. – Podczas wojny.

– Ach, tak – Joe wcale nie wyglądał na skonsternowanego. – Tam na dole też się toczyła wojna. Straciłem je, kiedy miałem szesnaście lat – zmiażdżyły się pomiędzy dwoma wagonikami w 1931. Potem nie chcieli mnie wziąć do wojska. Wtedy zapisałem się do grupy Bevana. Tego samego roku mieliśmy trzy zawały. Siedmiu wpadło w potrzask pod ziemią, gdy obsunął się tunel. Nie byli nawet prawdziwymi mężczyznami, niektórzy mieli tyle lat co ja. A byli też młodsi. Kiedy się skończyło czternasty rok życia, można się było zatrudnić w kopalni za stawkę dorosłego chłopa. Pracowaliśmy na podwójnych zmianach, żeby ich stamtąd wyciągnąć. Słyszeliśmy ich za ścianą zwaliska – krzyczeli i płakali – ale ilekroć chcieliśmy ich sięgnąć, zapadała się kolejna część chodnika. Pracowaliśmy w ciemnościach z powodu palnych gazów, po kolana w mule. Byliśmy przemoczeni i na wpół przyduszeni. Wiedzieliśmy, że w każdej sekundzie strop może się zawalić, ale się nie poddawaliśmy. Aż do chwili gdy przyszli bosowie i zamknęli cały korytarz. – Joe spojrzał na Jaya z niezwykłą gwałtownością, z zastarzałą furią. – Nie mów mi więc, że nie byłem na wojnie, chłopcze – oznajmił ostrym głosem. – Wiem równie wiele o wojnie – o tym, czym naprawdę jest wojna – co ci chłopcy we Francji.

Jay wbijał w niego wzrok, nie wiedząc, co powiedzieć. Joe zapatrzył się w przestrzeń, wsłuchany w krzyki i błagania młodych ludzi, dawno temu umarłych w jakże teraz spokojnej bliźnie Nether Edge. Jayem wstrząsnął dreszcz.

– I co teraz zrobisz?

Joe spojrzał na niego uważnie, jakby sprawdzał, czy nie dojrzy oznak potępienia. A po chwili odprężył się i uśmiechnął swoim łobuzerskim uśmiechem, gmerając jednocześnie w kieszeni, z której wygrzebał wymiętą paczkę żelków. Wziął sobie jednego żelkowego ludzika, po czym wyciągnął pakiecik w stronę Jaya.

– To, co robiłem zawsze, chłopcze. Będę, do cholery, walczył o to, co moje – oświadczył z całą mocą. – Nie pozwolę, by uszło im to na sucho. Pog Hill to moje miejsce na ziemi i nie pozwolę się przekwaterować do jakiegoś gównianego osiedla. Nie pozwolę na to ani im, ani nikomu innemu – mówiąc to, ze smakiem odgryzł głowę żelkowego ludzika, po czym natychmiast wyciągnął następnego z torebki.

– Ale co możesz w tej sytuacji zrobić? – dopytywał się Jay. – Przyślą ci nakaz eksmisji. Odetną ulicę od gazu i elektryczności. Czy jednak nie mógłbyś...

Joe rzucił mu szczególne spojrzenie.

– Nigdy nie jest tak, by nie można czegoś zrobić, chłopcze – powiedział miękkim głosem. – Po mojemu nadszedł czas, by sprawdzić, co naprawdę ma jakąś moc w życiu. Czas, by wyjąć worki z piaskiem i zatkać dziury. Czas, by utuczyć czarnego koguta, jak to robią na Haiti – mrugnął zawadiacko w stronę Jaya, jakby się z nim dzielił sekretnym dowcipem.

Jay rozejrzał się po działce. Zawiesił wzrok na amuletach przybitych do muru, uwiązanych do gałęzi drzew, na piktogramach z tłuczonego szkła misternie ułożonych na ziemi oraz na kredowych znakach na doniczkach z kwiatami i nagle ogarnęło go wszechmocne poczucie bezradności. To wszystko było takie kruche, tak wzruszająco podatne na unicestwienie. A potem spojrzał na domy – na te poczerniałe, skromne szeregowce, ze zwichrowanymi frontami i wychodkami w ogródkach oraz oknami ocienionymi plastikiem. Jakieś pranie suszyło się na pojedynczej lince sześć czy siedem domów od posesji Joego. Dwójka dzieciaków bawiła się w rynsztoku od frontu. Natomiast Joe – słodki, stary, zwariowany Joe ze swoimi marzeniami, podróżami, ze swoim *chatto*, milionem nasion i piwnicą pełną butelek – szykował się na wojnę, z góry skazany na przegraną, uzbrojony jedynie w swoją magię dnia powszedniego i kilka kwart domowego wina.

– Nie frasuj się, chłopcze – uspokajał go Joe. – Wszystko będzie w porządku, zobaczysz. Mam w zanadrzu kilka specjalnych sztuczek, o czym wkrótce się przekonają te łotry z magistratu.

Jego słowa jednak brzmiały pusto. Wszystko, co mówił, było jedynie czczą chełpliwością, bo tak naprawdę Joe nic nie mógł zrobić. Oczywiście Jay – na użytek przyjaciela – udawał, że wierzy w każde jego słowo. Zbierał więc na kolejowym nasypie specjalne zioła, które po wysuszeniu zaszywał w czerwone woreczki. Powtarzał dziwne słowa i gesty, naśladując w tym Joego. Musieli zabezpieczać granice posesji dwa razy dziennie. Oznaczało to chodzenie wokół określonego terenu – w górę nasypu, wokół działki, obok budki dróżnika w Pog Hill (którą Joe uważał za swoją własność), a potem wzdłuż całej Pog Hill Lane, poprzez murek łączący teren Joego z terenem sąsiadów, przed frontowymi drzwiami i obok ogrodzenia od strony ogrodu – z czerwoną świecą w dłoni, w ogniu której spalało się liście laurowe nasączone aromatycznym olejem i przy okazji wypowiadało z powagą niezrozumiałe frazy, które wedle Joego miały być łaciną. Z tego, co mówił Joe, Jay zrozumiał, że odprawiali specjalny rytuał mający ochraniać dom i przyległe grunty od złych wpływów, zapewniać wszystkiemu ochronę i potwierdzać przynależność tych terenów do Joego. Gdy wakacje zbliżały się ku końcowi, ich celebracje wydłużały się coraz bardziej – z trzyminutowych biegów wokół ogrodu rozrosły się do procesji trwających piętnaście minut, a nawet i dłużej. W innych okolicznościach Jay prawdopodobnie rozkoszowałby się tymi codziennymi ceremoniałami, ale nie teraz, gdy – w odróżnieniu od zeszłego roku, kiedy to Joe traktował wszystko z odpowiednią dawką dowcipu i ironii – starszy pan wykazywał o wiele mniejszą skłonność do żartów. Jay domyślał się, że za tą maską obojętności w Joem wciąż narastał prawdziwy niepokój o przyszłość. Coraz więcej opowiadał o swoich podróżach, wspominał dawne przygody i planował przyszłe wyprawy. Oznajmiał swą niezłomną wolę jak najszybszego porzucenia Pog Hill na rzecz *château* we Francji, po czym jednym tchem przysięgał, że nigdy nie opuści swojego obecnego domu – aż do chwili, gdy wyniosą go stąd nogami do przodu. Gorączkowo pracował w ogrodzie. Jesień tego roku nadeszła szybko, więc natychmiast trzeba było zbierać wiele owoców, po czym bez zwłoki przerabiać je na dżemy, wino, galaretki i marynaty; ziemniaki i pasternak czekały na wykopki i odpowiednie zabezpieczenie na zimę; poza tym magiczne rytuały Joego wymagały teraz co najmniej trzydziestu minut, w czasie których trzeba było wiele gestykulować i rzucać za siebie rozmaite sproszkowane rośliny. A jeszcze przedtem należało przygotować aromatyczne olejki i specjalne mieszanki ziołowe. Teraz Joe nabrał wyglądu człowieka prześladowanego przez demony – jego rysy gwałtownie się wyostrzyły, a w oczach pojawiła się szczególna szklistość, będąca wynikiem bezsenności – bądź też nadmiaru alkoholu. Bo teraz Joe zaczął pić o wiele więcej niż kiedykolwiek przedtem. I nie ograniczał się, jak zeszłego roku, do wina czy piwa z pokrzyw, ale raczył się również swoim spirytusem – ziemniaczaną wódką – z piwnicznego kotła destylacyjnego, a także zeszłorocznymi likierami ze spiżarki pod schodami. Jay zaczął się zastanawiać, czy popijając w tym tempie, Joe w ogóle przetrwa zimę.

– Nic mi nie będzie – odparł Joe, gdy pewnego razu Jay wyraził na głos dręczące go obawy. – Teraz mam po prostu wiele pracy. Ale z nadejściem zimy będę jak nowy. Obiecuję. – Podniósł się, trzymając ręce splecione na krzyżu. Nie zwalniając uścisku, mocno wyprostował je w stawach i przeciągnął się. – Już mi lepiej. – A potem się uśmiechnął i przez chwilę był niemal tym samym starym Joe o oczach przepełnionych śmiechem, zacienionych wytłuszczoną czapką. – Umiałem o siebie zadbać na kilka lat przedtem, zanim zjawiłeś się na tym padole, chłopcze. Potrzeba daleko więcej niż kilku pajaców z magistratu, by mnie położyć na łopatki.

Po czym natychmiast wdał się w długą, absurdalną opowieść z czasów, gdy tak wiele podróżował – o pewnym handlarzu błyskotek usiłującym przeprowadzić transakcję z jednym ze szczepów południowoamerykańskich Indian.

– No i wódz tego plemienia (Wódz Mungawomba – tak było mu na imię) oddał mu to wszystko i powiada (bo ja go uczyłem angielskiego w wolnych chwilach): „Zatrzym se te koraliki, koleś; ale bede rad, jak zreperujesz mój toster”.

Joe i Jay wybuchnęli śmiechem, przez moment zapominając o troskach, a przynajmniej odepchnęli je na bok. Jay bardzo chciał wierzyć, że Pog Hill pozostanie bezpieczne. W niektóre dni, gdy patrzył na tajemniczą plątaninę roślin na działce i w ogródku – niemal naprawdę udawało mu się w to uwierzyć. Joe zdawał się tak pewny siebie, trwały i niezniszczalny. Niemożliwe więc, by kiedykolwiek miało go tu nie być.

17

Lansquenet, marzec 1999

Przez chwilę stał na poboczu szosy przerażony i zdezorientowany. Niemal zrobiło się już ciemno; niebo osiągnęło swoisty odcień świetlistego, głębokiego granatu, pojawiający się tuż przed zapadnięciem nocy, a horyzont ponad domem przecinały bladocytrynowe, zielonkawe i różowe pręgi. Piękno tego obrazu – jego posiadłości, powiedział sobie po raz kolejny w duchu, czując, jak ponownie wzbiera w nim zapierające dech uczucie nierealności – lekko nim wstrząsnęło. Pomimo położenia, w jakim się obecnie znajdował, nie opuszczało go niezwykłe podniecenie, jakby ta przygoda też była wcześniej zaplanowanym zrządzeniem losu.

Nikt – nikt, powtórzył sobie – nie wiedział, gdzie się teraz znajduje.

Gdy podnosił z pobocza brezentową torbę, butelki zagrzechotały jedna o drugą. Znad wilgotnej ziemi uniósł się nagle szczególny aromat – lata, dzikiego szpinaku, a może łupkowego pyłu i stojącej wody. Coś trzepoczącego na gałęzi kwitnącego głogu przyciągnęło jego uwagę i Jay pochwycił to odruchowo, przyciągając bliżej do oczu.

Kawałek czerwonej flaneli.

Butelki w torbie zadźwięczały, a wino się zapieniło. Głosy „Specjałów" uniosły się nagle w przydechach, poświstach i chrzęstach, w zduszonych radosnych spółgłoskach i sekretnie szeptanych samogłoskach. Jay poczuł, jak niespodziewana bryza rozwiewa mu ubranie, szeleści śpiewnym murmurandem, pulsuje w łagodnym powietrzu niczym serce. „Dom jest tam, gdzie serce" – to było jedno z ulubionych powiedzonek Joego. „Dom jest tam, gdzie serce".

Jay spojrzał ponownie na szosę. W zasadzie nie było jeszcze tak późno. W każdym razie na pewno nie za późno, by w okolicy znaleźć jakiś nocleg i gdzieś się posilić. Dojście do wioski – teraz zredukowanej do kilku błyskających ponad rzeką światełek i do dźwięków muzyki płynącej ponad polami – nie zajęłoby mu nawet pół godziny. Mógłby zostawić tu swoją walizkę, ukryć ją bezpiecznie w przydrożnych zaroślach, a zabrać jedynie brezentową torbę. Bo z jakichś względów – wewnątrz butelki podskakiwały i zaśmiewały się z cicha – czuł niechęć przed pozostawieniem jej poza zasięgiem wzroku. A do tego przyciągał go dom. Idiotyzm, powiedział sobie w duchu. Przecież już się przekonał, że ten dom nie nadaje się w obecnym stanie do zamieszkania. A przynajmniej wygląda na nie nadający się do zamieszkania, poprawił się natychmiast, przypominając sobie Pog Hill Lane, opuszczone ogródki i zabite deskami okna, za którymi mimo wszystko radośnie kwitło życie. Więc może i tutaj, za zawartymi drzwiami...

To zabawne, jak uporczywie powracał do tej myśli. Była całkiem niedorzeczna, a jednocześnie tak podstępnie przekonująca. Ten opuszczony warzywnik, ten skrawek czerwonej flaneli, to uczucie, ta pewność, że tam naprawdę ktoś był wewnątrz domu...

We wnętrzu brezentowej torby na nowo rozpoczął się karnawał. Pogwizdy, śmiechy, dalekie fanfary. Entuzjastyczny powrót we własne progi. Nawet mnie się to udzieliło – mnie, pochodzącej z winnic oddalonych o setki kilometrów stąd, z Burgundii, gdzie światło jest jaśniejsze, a gleba bogatsza, hojniejsza. A jednak słyszałam wyraźnie dźwięki domowego ognia trzaskającego w piecu, odgłos otwieranych na oścież drzwi, zapach świeżo pieczonego chleba, czystych prześcieradeł i ciepłych, niemytych, swojskich ciał. Jay też to poczuł, ale sądził, że dociera to do niego z wnętrza domu; odruchowo, niemal bezmyślnie postąpił kolejny krok w stronę ciemniejącego budynku. Nikomu nie stanie się krzywda, jeśli jeszcze raz rzuci okiem, zadecydował. Tylko po to, by się upewnić.

18

Pog Hill, lato 1977

Nadszedł wrzesień. Jay powrócił do szkoły z poczuciem jakiejś nieodwołalności, z przekonaniem, że w Pog Hill zaszły poważne zmiany. Jeżeli jednak nawet tak było, Joe nie wspominał o tym ani słowa w swoich krótkich, rzadko wysyłanych listach. Na Boże Narodzenie przyszła od niego kartka – dwie linijki wypisane starannie dużym, okrągłym pismem niemal niepiśmiennej osoby – a potem kolejna na Wielkanoc. Semestry pełzły powolnie jak zwykle. Piętnaste urodziny Jaya minęły bez szczególnej fety – dostał kij do krykieta od ojca i Candide, a od matki bilety do teatru. Potem przyszły egzaminy; huczne imprezy w internacie; dzielenie się sekretami i łamanie solennych przysiąg; kilka gwałtownych bójek; przedstawienie szkolne – „Sen nocy letniej" – gdzie wszystkie postaci odgrywali chłopcy, jak w prawdziwym teatrze czasów Szekspira. Jay grał Puka, ku rozczarowaniu Chlebowego Barona. Ale przez ten cały czas myślał tylko o Joem i Pog Hill, tak że pod koniec letniego semestru był niespokojny, podirytowany, zniecierpliwiony. Na domiar złego, tego lata matka zdecydowała się towarzyszyć mu w Kirby Monckton przez parę tygodni, pozornie po to, by spędzić więcej czasu z synem, ale tak naprawdę dlatego, że chciała uciec przed mediami oblegającymi ją od czasu rozpadu ostatniego miłosnego związku.

Jayowi ani trochę nie uśmiechała się perspektywa zostania centralnym obiektem jej nagłych macierzyńskich uczuć, czego nie omieszkał powiedzieć wprost, wywołując wybuch złości i histerii w iście operowym stylu. W ten sposób popadł w niełaskę, jeszcze zanim wakacje rozpoczęły się na dobre.

Przyjechali do Kirby Monckton pod koniec czerwca, taksówką, w strugach deszczu. Przez całą drogę matka Jaya odgrywała „Mater Dolorosa", natomiast on usiłował słuchać radia, w czasie gdy ona przechodziła od długich, egzaltowanych momentów ciszy do infantylnych zachwytów na widok dawno zapomnianych elementów krajobrazu.

– Jay, kochanie, spójrz tylko! Ten maleńki kościółek – czyż nie jest słodziutki?

Jay przypisywał to zachowanie faktowi, że tak często grywała w sit-comach, ale być może ona zawsze tak mówiła. Zgłośnił radio o ułamek tonu. The Eagles grali „Hotel California". Matka posłała mu jedno z tych swoich spojrzeń zranionej łani i zacisnęła usta. Jay całkowicie ją zignorował.

Deszcz padał bez przerwy przez cały pierwszy tydzień wakacji. Jay siedział w domu, patrzył na lecące z nieba krople, słuchał radia i próbował wytłumaczyć sobie, że taka pogoda nie może trwać w nieskończoność. Niebo było biało-szare i złowieszcze. Gdy się patrzyło na chmury, zdawało się, że z góry leci nie woda, lecz sadza. Dziadkowie wytrząsali się nad nim i nad matką: ją traktowali, jakby wciąż była małą dziewczynką, i do tego w kółko serwowali jej ulubione potrawy. W ten sposób przez pięć dni jedli jedynie szarlotkę, lody, smażoną rybę i małże. Szóstego dnia, nie zważając na pogodę, Jay wsiadł na rower i popedałował na Pog Hill Lane, ale drzwi domu Joego zastał zamknięte na głucho. Nikt też nie odpowiadał na stukanie. Jay zostawił rower przy tylnym ogrodzeniu i przeskoczył przez murek do ogrodu, w nadziei że będzie mógł zajrzeć do domu przez okno.

Tymczasem wszystkie okna zostały zabite deskami.

Ogarnęła go panika. Zaczął walić pięścią w jedno z opieczętowanych drewnem okien.

– Hej, Joe?! Joe?!!!

Żadnej odpowiedzi. Zaczął walić jeszcze mocniej, wciąż nawołując Joego. Do framugi był przybity skrawek czerwonej flaneli, ale wyglądał na stary, wypłowiały od słońca, deszczu i wiatru – pozbawiony mocy magiczny amulet minionego roku. Za domem wysokie chaszcze chwastów – cykuty, piołunu i wierzbówki – skrywały opuszczoną działkę.

Jay usiadł na murku, nie zważając na deszcz lepiący mu T-shirt do ciała, kapiący z włosów, zalewający oczy. Czuł się całkowicie odrętwiały. Jak Joe mógł tak po prostu zniknąć, zapytywał się głupawo w duchu. Czemu nic nie powiedział? Nie napisał choćby kilku słów? Jak mógł wyjechać bez niego?

– Nie frasuj się, chłopcze – usłyszał nagle za swoimi plecami. – Wcale nie jest tak źle, jak się zdaje.

Jay odwrócił się tak gwałtownie, że niemal zwalił się z murka. Jakieś pięć metrów od niego stał Joe, niemal niewidoczny za wysoką ścianą zielska. Na swoją czapkę nałożył jeszcze jaskrawożółtą zydwestkę. W ręku trzymał łopatę.

– Joe?!

Starszy pan wyszczerzył zęby w serdecznym uśmiechu.

– Ano. A co myślałeś?

Jay z radości nie mógł wykrztusić słowa.

– To moje ostateczne rozwiązanie – wyjaśnił Joe z bardzo zadowoloną z siebie miną. – Odcięli mi elektrykę, ale podłączyłem się, robiąc obejście licznika, więc wciąż mogę jej używać. Z tyłu wykopałem studnię, mam więc czym podlewać rośliny. Chodź za mną. Powiesz mi, co myślisz.

Joe – w typowy dla siebie sposób – zachowywał się tak, jakby Jay nigdy stąd nie wyjeżdżał, jakby widzieli się zaledwie wczoraj. Rozgarnął dzielące ich zielsko i kiwnął na chłopca, by podążył za nim. Za ścianą chwastów działka była w równie idealnym porządku co zawsze – z butelkami po lemoniadzie osłaniającymi malutkie roślinki, ze starymi oknami przerobionymi na inspekty i zużytymi oponami przygotowanymi do sadzenia ziemniaków. Z pewnej odległości wszystko to musiało się zdawać skumulowanymi przez lata rozmaitymi odpadami, ale wystarczyło podejść bliżej, a wyglądało tak samo jak dawniej, jak za dobrych czasów. Na nasypie kolejowym drzewka owocowe – niektóre osłonięte kawałkami plastiku – ociekały deszczem. Był to najwspanialszy kamuflaż, jaki Jay miał kiedykolwiek ujrzeć w swoim życiu.

– To niesamowite – wykrztusił w końcu. – Myślałem, że naprawdę stąd wyjechałeś.

Joe wyglądał na bardzo uradowanego.

– Nie ty jeden, chłopcze – rzucił tajemniczo. – Chodź, spójrz teraz w tamtą stronę.

Jay skierował wzrok na torowisko. Budka dróżnika, wykorzystywana przez Joego na cieplarnię – wciąż stała na swoim miejscu, chociaż wydawała się być w stanie całkowitego rozpadu; poprzez dziury w dachu wychylały się pędy winorośli i opadały na obłażące z farby ściany. Trakcję elektryczną zdemontowano i wykopano podkłady – zewsząd, z wyjątkiem pięćdziesięciometrowego pasa dzielącego dom Joego od budki, jakby przez przypadek przeoczono ten teren. Pomiędzy czerwonymi od rdzy szynami, kiełkowały chwasty.

– Z nadejściem nowego roku nikt już nie będzie pamiętać, że w Pog Hill onegdaj biegła kolej. Może zostawią nas wtedy w spokoju.

Jay powoli pokiwał głową, wciąż niezdolny do normalnej rozmowy z powodu zdumienia i potężnego uczucia ulgi.

– Może i tak.

19

Lansquenet, marzec 1999

W powietrzu unosił się aromat zapadającego mroku – gorzko-dymny, herbaciany, na tyle łagodny, że zdawał się obiecywać możliwość spędzenia nocy pod gołym niebem. Winnicę, położoną na lewo, przepełniały różne dźwięki: ptasie trele, kumkanie żab, cykanie owadów. Jay wciąż jeszcze widział ścieżkę pod stopami, lekko wyzłoconą ostatnimi promykami zachodzącego słońca, jednak światło nie padało już na front domu, który teraz wyglądał ponuro, niemal groźnie. Jay zaczął się nawet zastanawiać, czy jednak nie powinien był odłożyć wizyty na następny ranek.

W końcu zniechęciła go myśl o długim marszu do wioski. Miał na nogach solidne buty z wysoką cholewką, które – gdy opuszczał Londyn – wydawały się sensownym wyborem na drogę, ale które teraz – po tak wielu godzinach podróży – zaczęły go uciskać i obcierać. Gdyby tylko dostał się do wnętrza domu, a to – sądząc po zabezpieczeniach, jakie do tej pory zobaczył, nie powinno być trudne – wówczas mógłby się tam przespać. Do wioski natomiast wybrałby się nazajutrz rano.

Przecież w zasadzie nikt nie mógłby mu zarzucić, że wtargnął na ten teren czy do tego domu bezprawnie. Bo to wszystko już niemal stało się jego własnością. Doszedł do warzywnika. Coś z boku domu – prawdopodobnie naderwana okiennica – uderzało rytmicznie o tynk, wydając przykre, żałobne dźwięki. Z tyłu budynku, pod drzewami, przesuwały się cienie, stwarzając wrażenie, że stoi tam człowiek: przygarbiona postać w czapce i kapocie. Coś odskoczyło mu spod stóp ze świstem, gdy postawił kolejny krok – kolczasta łodyga karczocha, wciąż zwieńczona zeszłorocznym kwiatem, teraz wysuszonym niemal do stanu nieistnienia. Gdy był w połowie zaniedbanego ogródka, jakiś drobiazg zatrzepotał mu przed oczami, pasemko czegoś miękko owiniętego wokół sztywnej gałęzi dzikiej róży. Skrawek tkaniny. Z miejsca, w którym stał, Jay nie mógł dojrzeć nic poza tym, ale i tak od razu wiedział, co to jest. Flanela. Czerwona. Upuścił torbę na skraju ścieżki i wszedł w plątaninę zielska, będącą swego czasu ogrodem warzywnym, odgarniając wysokie, sztywne łodygi. To był znak. To nie mogło być nic innego – tylko specjalny omen.

Kiedy dał kolejny krok, by pochwycić skrawek tkaniny, coś zachrzęściło gwałtownie pod jego lewą stopą, po czym zatrzasnęło się z gniewnym zgrzytem metalu wokół jego kostki, przebijając miękką skórę buta. Jay stracił równowagę, poleciał do tyłu w zielsko, a dojmujący ból rozlał się po nodze, stając się nie do zniesienia. Klnąc siarczyście, Jay pochwycił gwałtownie ten przedmiot zarysowujący się niewyraźnym kształtem w mroku i natrafił palcami na ząbkowany metal uczepiony jego stopy.

Potrzask, pomyślał w osłupieniu. Jakiś potrzask.

Ból był tak silny, że w pierwszej chwili nie mógł rozumować logicznie, więc przez kilka cennych sekund gapił się bezmyślnie na ów przedmiot wgryzający się coraz głębiej w jego but. Palce zaślizgały mu się na metalu i wtedy Jay zorientował się, że krwawi. Wpadł w panikę.

Wielkim wysiłkiem zmusił się do bezruchu. Jeżeli to był potrzask, trzeba rozewrzeć go siłą. Przecież to paranoja wmawiać sobie, że został zastawiony specjalnie na niego. Prawdopodobnie ktoś chciał upolować królika, może lisa czy inne zwierzę.

Przez moment straszny gniew stępił jego ból. Cóż za karygodna nieodpowiedzialność, kryminalna bezmyślność, by zastawiać potrzaski na zwierzęta tak blisko czyjegoś domu – *jego* domu. Jay zaczął mocować się z żelastwem. Wydawało mu się, że ma do czynienia z bardzo starym i prymitywnym urządzeniem. Pułapkę zaprojektowano na zasadzie gwałtownie zaciskających się szczęk i przymocowano do ziemi za pomocą metalowego kołka. Z boku umieszczono zapadkę. Jay klął, walcząc z zardzewiałym mechanizmem, czując, że przy każdym ruchu zęby potrzasku zatapiają się coraz głębiej w jego kostkę. Wreszcie poradził sobie jakoś z zapadką, ale i tak potrzebował kilku prób, by rozewrzeć metalowe szczęki, a kiedy w końcu zdołał to zrobić, odczołgał się nieco do tyłu, niezdarnie, i spróbował ocenić rozmiar okaleczenia. Noga już spuchła, skóra cholewki oblepiała ją bardzo ściśle, tak więc zdjęcie butów w normalny sposób mogło lada chwila stać się niemożliwe.

Usilnie się starał nie myśleć o rozmaitych groźnych szczepach bakterii, które właśnie teraz być może wdzierały się do jego organizmu. Wydźwignął się do pozycji stojącej i niezręcznie podskakując na jednej nodze, powrócił na ścieżkę. Usiadł na kamieniach i zabrał się za zdejmowanie buta.

Zajęło mu to prawie dziesięć minut. Kiedy skończył, oblewał go pot. Teraz było już zbyt ciemno, aby dokładnie obejrzeć nogę, ale i bez tego Jay wiedział, że minie jakiś czas, zanim znowu odważy się normalnie na niej stąpać.

20

Pog Hill, lato 1977

Nowe metody ochronne nie były jedyną zmianą w okolicach Pog Hill tego roku. W Nether Edge zjawili się goście. Jay wciąż tam chadzał co kilka dni, przyciągany przez niezwykłą aurę subtelnego rozkładu; przez przedmioty pozostawione, by zbutwieć w spokoju. Nawet w najgorętsze dni lata nie rezygnował z przeszukiwania swoich ulubionych miejsc; wciąż pojawiał się nad brzegiem kanału, w okolicach popieliska i wysypiska – częściowo w poszukiwaniu rzeczy przydatnych dla Joego, a częściowo dlatego, że te miejsca nie przestawały go fascynować. Musiały też stanowić pewną atrakcję dla Cyganów, ponieważ tam właśnie założyli swój obóz, na który składały się cztery auta kempingowe ustawione w kwadrat niczym wozy amerykańskich pionierów dla obrony przed wrogiem. Samochody były szare, rdzewiejące, z osiami uginającymi się od nadmiaru nagromadzonego bagażu, z drzwiami mocowanymi na sznurki i oknami zmatowiałymi od starości. Ludzie w nich mieszkający przedstawiali się równie nieatrakcyjnie. Sześcioro dorosłych i tyleż samo dzieci, wszyscy ubrani w dżinsy lub kombinezony, czy tanie, kupione na bazarach, nylonowe koszulki. Ich świat sprawiał wrażenie lepkiego od brudu – był wizualizacją permanentnie unoszących się nad obozowiskiem zapachów: starej frytury, niedopranej odzieży, benzyny i śmieci.

Jay nigdy przedtem nie widział Cyganów. Ta bezbarwna, prozaiczna grupa zupełnie nie była tym, co obiecywały wszystkie jego dotychczasowe lektury. Nigdzie nie widział ani śladu konnych wozów, z bokami malowanymi w szaleńcze, żywe wzory, czy ciemnowłosych, niebezpiecznych piękności ze sztyletami u pasa bądź ociemniałych staruszek obdarzonych mocą jasnowidzenia. Te wszystkie jego wyobrażenia o Cyganach znajdowały jeszcze potwierdzenie w doświadczeniach Joego, więc gdy Jay spoglądał na obozowisko ze swojego ulubionego punktu ponad śluzą, czuł, że denerwuje go ich obecność. Wydawali się najzwyklejszymi ludźmi i póki Joe nie potwierdził ich egzotycznego pochodzenia, Jay nabierał coraz silniejszego przeświadczenia, że to jedynie turyści z południa zamierzający powłóczyć się po wrzosowiskach.

– Nie, chłopcze – stwierdził autorytatywnie Joe, wskazując na odległe obozowisko, gdzie z niewielkiego, blaszanego komina wąska, blada smużka dymu wiła się ku niebu nad Nether Edge. – To nie turyści. To Cyganie, a jakże. Może nie Romowie z krwi i kości, ale prawdziwe cygańskie dusze. Podróżnicy. Tacy jak ja za dawnych lat. – Zmrużył oczy, spoglądając poprzez papierosowy dym na obozowisko. – Po mojemu zostaną tu przez zimę. Odjadą z nadejściem wiosny. Nikt ich nie będzie niepokoić w dolinie Edge. Teraz już nikt tam nie chodzi.

Oczywiście nie była to do końca prawda. Jay uważał Nether Edge za swoje terytorium i przez kilka pierwszych dni obserwował Cyganów z taką samą złością i niechęcią, jaką pierwszego roku w Monckton czuł wobec Zetha i jego koleżków. Rzadko widział wśród samochodów kempingowych jakiś ruch – tylko niekiedy wśród pobliskich drzew suszyło się pranie, a pies uwiązany do pierwszego z brzegu samochodu szczekał przeraźliwie i nieustannie. Raz czy dwa spostrzegł też kobietę niosącą wodę w wielkich kanistrach w stronę pojazdu. Woda pochodziła z czegoś w rodzaju rury z zaworem wmurowanej w betonowy kwadrat przy piaszczystej ścieżce. Podobne urządzenie znajdowało się także po drugiej stronie obozu.

– Zainstalowano to wiele lat temu – wyjaśnił Joe. – Był tu wtedy obóz cygański z wodą i elektryką. Tam jest wodomierz, z którego korzystają, a także i szambo. Nawet śmieci zabierają stamtąd raz w tygodniu. Można by pomyśleć, że z tego wszystkiego korzysta więcej osób, ale to nieprawda. Ci Cyganie to zabawny naród.

Joe pamiętał, że ostatni raz Cyganie obozowali w Nether Edge przed dziesięcioma laty.

– To byli prawdziwi Romowie – oznajmił. – Teraz już rzadko możesz spotkać prawdziwych Romów. Kupowali ode mnie owoce i jarzyny. Niewiele ludzi chciało z nimi handlować. Mawiali, że Cyganie są nie lepsi od żebraków. – Joe uśmiechnął się szeroko. – No, nie powiem. Nie wszystko, co robili, było takie do końca uczciwe, ale gdy człowiek jest całe życie w drodze, musi sobie jakoś radzić. Wynaleźli sposób oszukiwania wodomierza. Widzisz, żeby skorzystać z wody, trzeba wrzucić pięćdziesiąt pensów. Oni brali wodę i elektrykę przez całe lato, a kiedy pojechali, ci z magistratu przyszli tu, żeby opróżnić wodomierz. Nie znaleźli w środku nic poza odrobiną wody. I do dziś nie wiadomo, jak oni to zrobili. Zamek był nienaruszony. Nikt przy nim nie manipulował.

Jay z zainteresowaniem spojrzał na Joego.

– To jak oni to zrobili? – spytał zaciekawiony.

Joe znowu uśmiechnął się szeroko i poklepał palcem po nosie.

– Alchemia – wyszeptał i ku irytacji Jaya nie chciał już powiedzieć na ten temat ani słowa.

Opowieść Joego na nowo rozbudziła w Jayu zainteresowanie Cyganami, tak że chłopiec przez kilka następnych dni bacznie obserwował obozowisko, ale chociaż pilnie wytężał wzrok, nie dostrzegł ani śladu jakichkolwiek sekretnych działań. W końcu rozczarowany opuścił swój punkt obserwacyjny nad śluzą i wyruszył na poszukiwanie bardziej interesujących obiektów: na wysypisku polował na komiksy i ilustrowane magazyny i starannie przeczesywał tory w poszukiwaniu łupów. Poza tym obmyślił genialny sposób zdobywania darmowego węgla, by Joe mógł nim palić w swoim piecu. Co dzień, w powolnym stukocie, przez torowisko przetaczały się dwa pociągi z urobkiem. Na ostatnim z dwudziestu czterech wagonów zawsze siedział człowiek, pilnujący, żeby nikt nie wdrapywał się na wagony. Joe powiedział Jayowi, że w przeszłości zdarzały się tu straszne wypadki – dzieciaki nawzajem się podpuszczały i wskakiwały na węgiel.

– Wyglądają na powolne – powiedział Joe ponuro – ale każdy z nich to czterdziestotonowiec. Nigdy nie próbuj wdrapać się na któryś z nich, chłopcze.

I Jay nigdy nie próbował. Wynalazł o wiele lepszy sposób pozyskiwania węgla, dzięki czemu piec Joego płonął i trzaskał radośnie przez całe lato aż do jesieni, kiedy to już na dobre zamknęli linię kolejową.

Dwa razy w ciągu dnia, tuż przed przyjazdem pociągów, Jay ustawiał rząd starych puszek na skraju kolejowej kładki. Układał je w piramidy, niczym kokosy na wiejskiej strzelnicy, żeby wyglądały jak najbardziej zachęcająco. Znudzeni stróże, siedzący na ostatnich wagonach, nigdy nie potrafili się oprzeć tej pokusie. Za każdym razem gdy pociąg przetaczał się obok kładki, rzucali bryłkami węgla w puszki, usiłując je strącić. W ten sposób Jay mógł zawsze liczyć na co najmniej sześć solidnych kawałków. Składował je w schowanej w krzakach trzygalonowej puszce po farbie i co kilka dni, gdy już była pełna, zanosił węgiel do domu Joego. I gdy właśnie z tego powodu pewnego dnia urzędował przy kolejowej kładce, usłyszał odgłos wystrzału dochodzący z Nether Edge – odgłos, który zmroził go tak, że puszka z węglem wypadła mu z dłoni.

Zeth powrócił.

21

Lansquenet, marzec 1999

Jay wyciągnął z podróżnej torby chusteczkę i zaczął tamować krew. Było mu zimno i teraz żałował, że nie zabrał ze sobą ciepłej kurtki. Wyjął też jedną z kanapek, które kupił wcześniej na stacji i zmusił się do jedzenia. Smakowała obrzydliwie, ale mdłości nieco ustąpiły, a nawet odniósł wrażenie, że się odrobinę rozgrzał. Teraz już zapadła noc. Właśnie wschodził srebrzysty księżyc – był już na tyle wysoko, że pojawiły się cienie – i pomimo przeszywającego bólu w nodze Jay z zaciekawieniem rozejrzał się wokół. Rzucił okiem na zegarek, prawie pewien, że zobaczy fosforyzującą tarczę swojego Seiko – czasomierza, który dostał na Boże Narodzenie, gdy miał czternaście lat, i który Zeth zniszczył tego ostatniego, najokropniejszego tygodnia sierpnia. Jednak tkwiący teraz na jego ręku Rolex nie fosforyzował. „Jakże wulgarnie wyzywający, *mon cher*". Kerry zawsze wybierała rzeczy z klasą.

W cieniu załomu budynku coś się poruszyło. Jay wykrzyknął: „Hej!", i pokuśtykał w stronę domu, starając się obciążać jedynie zdrową nogę.

– Hej! Proszę poczekać! Jest tam kto?

Coś uderzyło o ścianę z takim samym płaskim klaśnięciem, jakie słyszał wcześniej. Prawdopodobnie naderwana okiennica. Zdawało mu się nawet, że dostrzegał jej zarys na tle fioletowo-czarnego nieba – jedno skrzydło trzaskające luźno w porywach nocnej bryzy. Przeszedł go dreszcz. A więc jednak nie było tam żywej duszy. Gdyby tylko udało mu się dostać do środka i uciec przed tym chłodem...

Okno z naderwaną okiennicą znajdowało się jakiś metr nad ziemią. Wewnątrz szeroki parapet do połowy blokowały kawałki tynku i zeschych roślin, Jay jednak zdołał oczyścić go na tyle, by się przepchnąć do środka. W powietrzu unosił się zapach farby. Jay poruszał się powoli, sprawdzając, czy nie ma kawałków potłuczonego szkła, po czym przerzucił nogę ponad parapetem i wskoczył do pokoju, wciągając za sobą brezentową torbę. W pomieszczeniu panowały ciemności, jednak jego wzrok już do tej pory zdołał przywyknąć do mroku. Jay spostrzegł, że pokój był niemal pusty – na środku stał jedynie stół wraz z krzesłem, a w rogu walał się stos jakichś szmat – zapewne worków. Podpierając się krzesłem, Jay pokuśtykał w tamtą stronę i wtedy spostrzegł, że to śpiwór i poduszka zwinięte starannie i oparte o ścianę tuż obok kartonowego pudła, w którym stały puszki z farbą i leżało kilka woskowych świec.

Świec?! Co do cholery...?

Sięgnął do kieszeni dżinsów po zapalniczkę. Była to jedynie tania jednorazówka, niemal już bez gazu, ale w końcu udało mu się wykrzesać płomień. Świece nie zdążyły zawilgnąć. Knot zaskwierczał, po czym rozbłysnął ogniem. Miękki, łagodny blask rozjaśnił pokój.

– Nie jest źle – powiedział sobie.

Tutaj mógł spokojnie położyć się spać. Miał dach nad głową, koce i pościel, a także resztki kanapek ze stacji. Na moment udało mu się nawet zapomnieć o bólu w stopie, gdy z szerokim uśmiechem na twarzy uświadomił sobie, że znalazł się we własnym domu. To należało odpowiednio uczcić.

Zaczął szperać w brezentowej torbie i po chwili wyciągnął jedną z butelek Joego. Czubkiem scyzoryka usunął woskową osłonkę i przeciął zielony sznurek. Powietrze wypełnił klarowny zapach kwiatu czarnego bzu. Jay upił nieco wina, o dobrze znanym, lepkim smaku – przypominającym odór owoców pozostawionych w ciemnościach, by zgniły. Zdecydowanie doskonały rocznik, powiedział sobie w duchu i zatrząsł się w konwulsyjnym śmiechu. Wypił więcej. Pomimo niezachęcającego aromatu, wino rozgrzewało, odurzało niczym ciężka woń piżma. Jay usiadł na zrolowanym posłaniu, pociągnął kolejny potężny łyk trunku i od razu poczuł się lepiej.

Ponownie poszperał w torbie i wyciągnął radio. Włączył je, chociaż tak naprawdę podejrzewał, że znowu usłyszy jedynie tępy szum, tak jak w pociągu z Marsylii, jednak ku własnemu zdumieniu udało mu się złapać czysty, wyraźny sygnał. Oczywiście nie była to stacja nadająca stare przeboje, ale jakiś francuski lokalny program, rozbrzmiewający cicho szczebiotliwą muzyką, której nie znał. Ponownie wybuchnął śmiechem i nagle doświadczył niezwykłej lekkości bytu.

Wewnątrz brezentowej torby cztery pozostałe „Specjały" znowu odezwały się chórem, jazgotem buńczucznych skowytów i pogwizdów, gorączkowymi okrzykami wojennymi, buchającymi taką kakofonią dźwięków, że ich tonacja zaczęła pobrzmiewać prymitywną dzikością, frenetycznym musowaniem głosów, obrazów i wspomnień mieszających się w deliryczny koktajl triumfu. Mnie też pociągnął ten bal szaleńców, wepchnął w radosny, nieokiełzany wir, tak że przez chwilę nie byłam już sobą – Fleurie, z szacownego rocznika, o ledwie wyczuwalnym posmaku czarnej porzeczki – ale wyuzdanym tyglem aromatów, pieniących się i buzujących, uderzających do głowy niepohamowaną falą gorąca. Coś za chwilę miało się wydarzyć, byłam o tym przekonana, gdy nagle zapadła zupełna cisza.

Jay rozejrzał się wokół zaintrygowany. Przeszył go nagły dreszcz, jakby niespodziewanie do wnętrza pokoju wpadł podmuch lodowatej bryzy – bryzy pochodzącej z jakichś odległych rejonów. Dopiero w tym momencie zauważył, że farba na ścianach była zupełnie świeża; obok kartonu z puszkami leżały pędzle, dokładnie wymyte i starannie ułożone z jeszcze wilgotnym włosiem. Podmuch powietrza zdawał się teraz silniejszy, niosący woń dymu, karmelu, jabłek i świętojańskiej nocy. Radio zatrzeszczało cicho.

– Cóż, chłopcze – odezwał się jakiś głos w ciemnościach. – Trudno powiedzieć, byś się śpieszył.

Jay odwrócił się tak gwałtownie, że niemal stracił równowagę.

– Powoli – ostrzegł Joe łagodnym głosem.

– Joe!?

Joe nic się nie zmienił. Miał na głowie swoją starą czapkę, T-shirt z logo Thin Lizzy, spodnie do pracy w ogrodzie i górnicze buty. W ręku trzymał dwa kieliszki. Przed nim, na stole, stała butelka wina z kwiatu czarnego bzu, rocznik 1976.

– Zawsze mawiałem, że przywykniesz do tego trunku – zauważył z satysfakcją w głosie. – Szampański kwiat bzu. Ma swoją moc, hę?

– Joe!?

Jaya przeszyło takie uczucie gwałtownej radości, że aż zadźwięczały wszystkie butelki. Teraz ostatnie wydarzenia wreszcie nabrały sensu – pomyślał w delirycznym zaćmieniu; teraz w końcu złożyły się w sensowną całość. Te znaki, wspomnienia – wiodące go do tego miejsca – nagle nabrały treści.

Jednak już parę sekund później uderzyła go brutalna świadomość rzeczywistości – jakby przebudził się nagle ze snu w momencie, gdy wszystko miało właśnie zostać cudownie wyjaśnione, ale wraz z dziennym światłem zapadło się w nicość, trzasnęło na tysiąc drobnych kawałków.

Przecież to było zupełnie niemożliwe. Nawet zakładając, że Joe jeszcze żył, musiałby teraz być już po osiemdziesiątce. Joe po prostu odszedł, powiedział sobie Jay stanowczo. Rozpłynął się niczym złodziej w mrokach nocy, pozostawiając po sobie jedynie pytania, na które nikt nie potrafił udzielić odpowiedzi.

Jay spojrzał uważnie na starszego pana oświetlonego blaskiem świecy, zajrzał w jego jasne, żywe oczy otoczone siateczką zmarszczek, wywołanych częstym śmiechem, i po raz pierwszy spostrzegł, że Joego otaczała jakaś pozłocista poświata – nawet wokół czubków jego buciorów dał się zauważyć niesamowity pobłysk – pobłysk nostalgii.

– Nie jesteś rzeczywisty, prawda? – spytał Jay.

Joe wzruszył ramionami.

– A cóż to znaczy rzeczywisty? – rzucił nonszalancko. – Coś takiego nie istnieje, chłopcze.

– Rzeczywisty w tym sensie, że obecny tutaj ciałem.

Joe przyglądał mu się cierpliwym wzrokiem, niczym nauczyciel pouczający nie dość rozgarniętego ucznia. Głos Jaya wzniósł się niemal gniewną nutą.

– Rzeczywisty to znaczy istniejący tu i teraz w swojej cielesnej powłoce. Nie będący jedynie wytworem mojej przesyconej winem wyobraźni, chorym omamem lub pierwszym symptomem zatrucia krwi czy też doświadczeniem pozacielesnym odczuwanym w chwili, gdy tak naprawdę siedzę gdzieś w białym pokoju, spętany specjalnym kaftanem bez rękawów.

Joe wciąż przyglądał mu się łagodnie.

– A wiec wyrosłeś na pisarza – rzucił od niechcenia. – Zawsze mawiałem, żeś jest mądrym chłopcem. Napisałeś coś dobrego, hę? Zarobiłeś dużo tysiączków?

– Tak, zarobiłem kupę szmalu, ale napisałem tylko jedną dobrą książkę. Bardzo dawno temu. Aż za dawno. Cholera, wciąż nie mogę uwierzyć, że siedzę tu i gadam sam do siebie.

– Tylko jedną, hę?

Jayem ponownie wstrząsnął dreszcz. Zimna, nocna bryza wciskała się wąską strużką przez na wpół otwartą okiennicę, niosąc ze sobą ten przyprawiający o drżenie podmuch z innych rejonów.

– Chyba naprawdę jestem chory – powiedział Jay cicho do siebie. – To szok toksyczny czy tym podobne paskudztwo, które złapałem przez ten cholerny potrzask. Zaczynam majaczyć.

Joe energicznie potrząsnął głową.

– Nic ci nie będzie, chłopcze – odezwał się kpiącym tonem. – Wpadłeś tylko w drobną pułapkę na lisy. Ten stary człowiek trzymał tu kury. A kury przyciągały lisy. On zawsze zaznaczał, gdzie są te pułapki niewielkim kawałkiem szmatki.

Jay spojrzał na skrawek flaneli, który wciąż mocno ściskał w dłoni.

– A ja myślałem...

– Wiem, co myślałeś. – Oczy Joego rozbłysły rozbawieniem. – Zawsze taki sam. Rzucający się we wszystko na łeb na szyję, bez rozeznania, co w trawie piszczy. I wciąż pełen pytań. Ciekaw, jak nie tego, to owego – mówiąc to, wyciągnął w stronę Jaya dłoń z kieliszkiem napełnionym żółtym winem z kwiatu bzu. – Wlej w siebie ten płyn – zarządził miękkim głosem. – Dobrze ci zrobi. Powiedziałbym ci też, żebyś wyszedł i poszukał biskupiego ziela, ale teraz planety nie są przychylne dla zbiorów.

Jay wbił w niego wzrok. Jak na zjawę czy halucynację Joe był nadzwyczaj realny. Pod paznokciami i w siateczce zmarszczek na dłoni miał ogrodową ziemię.

– Jestem chory – wyszeptał cicho Jay. – A ty zniknąłeś tamtego lata. Odszedłeś bez słowa pożegnania. Teraz ciebie wcale tu nie ma. Jestem tego pewien.

Joe potrząsnął głową.

– Eee tam – rzucił przyjacielskim tonem. – Porozmawiamy o tym, kiedy się poczujesz lepiej.

– Kiedy się poczuję lepiej, ciebie już tu nie będzie.

Joe roześmiał się serdecznie i zapalił papierosa. W chłodnym powietrzu zapach dymu zdawał się cierpki i ostry. Jay spostrzegł – nie czując zaskoczenia – że Joe wyciągnął swojego papierosa ze starej paczki playersów numer 6.

– Zapalisz? – zapytał, wyciągając paczkę w jego stronę.

Przez chwilę papieros w ręku Jaya zdawał się jak najbardziej prawdziwy i namacalny. Zaciągnął się mocno, ale dym miał posmak zatęchłego kanału i płonących ognisk. Rzucił więc zapalonego papierosa na betonową posadzkę, bezmyślnie przyglądając się iskrom, które wyskoczyły w górę, gdy niedopałek uderzył o twardą powierzchnię. Nagle zaczęło mu się kręcić w głowie.

– Może położyłbyś się na chwilę – zaproponował Joe. – Masz tu śpiwór i kilka koców – całkiem czystych, i w ogóle. Wyglądasz na umordowanego.

Jay bez przekonania położył się na kocach. Był wyczerpany. Rwała go głowa, stopę przeszywał ból, czuł się całkowicie skołowany. Wiedział, że ma poważne powody do zmartwienia. Jednak chwilowo zdawało mu się, że jest całkiem pozbawiony możliwości krytycznej oceny sytuacji. Zbolały, ułożony na prowizorycznym posłaniu, naciągnął na siebie śpiwór, który okazał się ciepły, czysty i wygodny. Przez głowę przebiegło mu nagle pytanie, czy wszystko, co działo się wokół, nie było jedynie ułudą wywołaną hipotermią – czy przypadkiem nie przypadła mu w udziale rola głównego bohatera w jakiejś obłąkańczej wersji „Dziewczynki z zapałkami"? Wybuchnął śmiechem. Ziemniaczany Facet. Całkiem zabawne, co? Znajdą go rankiem ze skrawkiem czerwonej flaneli w jednej i pustą butelką po winie w drugiej dłoni – zamarzniętego, z błogim uśmiechem na ustach.

– Nie licz na to – rzucił Joe rozbawionym tonem.

– Pewnie, podobne historie nie przytrafiają się starym pisarzom – wymamrotał Jay. – Pisarze po prostu tracą zmysły. – Zaśmiał się ponownie, tym razem dość dziko. Świeca zaskwierczała i zgasła, chociaż świadomość Jaya wciąż upierała się, że to starszy pan ją zdmuchnął. Bez migotliwego płomyka pokój zdawał się przeraźliwie ciemny. Wąska smuga księżycowej poświaty musnęła kamienną podłogę. Za oknem jakiś ptak wydał z siebie przejmujący trel. Gdzieś z oddali dobiegł rozdzierający krzyk – kota czy może sowy. Jay leżał bez ruchu, wsłuchując się w dźwięki nocy. Było ich tak wiele! A chwilę potem za oknem dał się słyszeć odgłos przypominający ludzkie kroki. Jay zamarł.

– Joe?

Ale starszy pan już zniknął – zakładając, że w ogóle tu był. Odgłos zaś dobiegł go znowu – cichy, stłumiony, ukradkowy. Pewnie jakieś zwierzę, powiedział sobie Jay. Pies, a może lis. Wstał jednak i podszedł do okna.

Za uszkodzoną okiennicą wyraźnie majaczyła sylwetka ludzka.

– Jezu!

Odruchowo gwałtownie postąpił w tył – zbyt gwałtownie, jak na swoją zranioną kostkę, tak że niewiele brakowało, a zwaliłby się bezładnie na podłogę. Postać była wysoka – jej rozmiary wyolbrzymiała jeszcze wielka, ciężka kapota i czapka z daszkiem. Jay dostrzegł w przelocie rozmazane, niewyraźne rysy twarzy ukryte pod daszkiem, włosy rozsypujące się po kołnierzu, oczy przepełnione gniewem w bladej twarzy. Ulotne wrażenie, że to ktoś znajomy. Bardzo ulotne. W mgnieniu oka go opuściło. Kobieta stojąca za okiennicą była mu zupełnie obca.

– Co pani tutaj robi, do cholery?

Automatycznie odezwał się po angielsku, wcale nie oczekując, że go zrozumie. Po wydarzeniach ostatniego wieczora nie miał nawet pewności, czy ta kobieta stała tam naprawdę.

– I kim właściwie pani jest?

Spojrzała na niego. Stara strzelba w jej dłoniach w zasadzie nie była wycelowana w niego, ale wystarczyłby drobny ruch ręki, żeby tak się właśnie stało.

– Pan wkroczył tu bezprawnie. – Jej angielszczyzna, mimo mocnego francuskiego akcentu, była dobra. – To nie jest opuszczona własność. Znajduje się pan na terenie prywatnym.

– Wiem. Ja...

Ta kobieta zapewne pilnuje domu, wytłumaczył sobie w duchu Jay. Być może płaci się jej za to, by nie dopuszczała do dalszej dewastacji budynku. To by wyjaśniało owe tajemnicze dźwięki, leżące tu świece, śpiwór i zapach świeżej farby. Cała reszta – jak na przykład nieoczekiwane pojawienie Joego – była jedynie wytworem jego wyobraźni. Gdy to sobie uświadomił, uśmiechnął się do kobiety z uczuciem ulgi.

– Przepraszam, że podniosłem na panią głos. Nie zorientowałem się w sytuacji. Nazywam się Jay Mackintosh. Być może agencja coś wspomniała na mój temat.

Patrzyła na niego nic nierozumiejącym wzrokiem. Ale już po chwili rzuciła okiem ponad jego ramię na maszynę do pisania, butelki, brezentową torbę.

– Agencja?

– Tak. To właśnie ja kupiłem ten dom. Przez telefon. Przedwczoraj. – Parsknął krótkim, nerwowym śmiechem. – Zadziałałem pod wpływem impulsu. Po raz pierwszy w swoim życiu. Nie mogłem się doczekać zakończenia wszelkich papierkowych formalności. Chciałem natychmiast obejrzeć swój dom. – Zaśmiał się znowu, ale w jej oczach nie ujrzał ani cienia wesołości.

– Twierdzi pan, że pan kupił ten dom?

Skinął głową.

– Bardzo chciałem jak najszybciej go zobaczyć. Ale nie udało mi się zdobyć kluczy. Przez przypadek utknąłem tu samotnie. A do tego zraniłem się w nogę...

– To niemożliwe – oznajmiła bezbarwnym tonem. – Powiedziano by mi, gdyby pojawił się inny kupiec.

– Przypuszczam, że nikt się nie spodziewał, że przyjadę tak szybko. Proszę posłuchać, to doprawdy bardzo proste. Przepraszam, że panią wystraszyłem. Nawet nie wie pani, jak się cieszę, że dogląda pani budynku.

Spojrzała na niego dziwnym wzrokiem, ale nie powiedziała słowa.

– Widzę, że postanowiono nieco odnowić to

miejsce. Spostrzegłem puszki z farbą. Czy to pani się tym zajmowała?

Pokiwała twierdząco głową z pustym wyrazem oczu. Za jej plecami nocne niebo zdawało się zasnute mgłą, pełne skłębionych chmur. Jay w końcu poczuł się skonsternowany jej milczeniem. Zapewne nie uwierzyła w jego słowa.

– Czy pani... To znaczy, jestem ciekaw, czy w okolicy dużo jest takiej pracy? Mam na myśli dozorowanie budynków. Odnawianie starych posiadłości.

Wzruszyła ramionami. Ten gest mógł oznaczać cokolwiek. Jay nie miał pojęcia, co zamierzała w ten sposób wyrazić.

– Jay Mackintosh – uśmiechnął się ponownie. – Jestem pisarzem.

Ponownie to spojrzenie. Jej oczy prześliznęły się po nim z wyrazem pogardy lub szczególnego zaciekawienia.

– Marise d'Api. Zajmuję się winnicą leżącą za tym polem.

– Miło mi panią poznać.

Albo podawanie ręki nie było miejscowym zwyczajem, albo miał to być z jej strony celowy afront.

A więc nie dozorczyni, zdecydował w myślach Jay. Powinien od razu się zorientować. Dowodziła tego arogancja w jej twarzy i szorstkość obejścia. Ta kobieta miała własną posiadłość, własną winnicę. Była równie twarda, jak jej ziemia.

– Pewnie jesteśmy więc sąsiadami?

Ponownie żadnej odpowiedzi. Jej twarz nie wyrażała żadnych uczuć. Nie sposób było stwierdzić, czy za tą maską kryje się rozbawienie czy gniew, czy też może najzwyklejsza obojętność. Obróciła się na pięcie. Przez moment jej twarz, zwrócona w stronę księżyca, zasrebrzyła się jasną poświatą i wówczas Jay spostrzegł, że była to osoba młoda – może dwudziestoośmio- czy dwudziestodziewięcioletnia – o delikatnych rysach wyzierających spod daszka czapki. Zaraz potem jednak kobieta zniknęła, poruszając się nadzwyczaj wdzięcznie pomimo zbyt obszernych ubrań. Jej ciężkie buty odcisnęły ślad na wysoko porastającym zielsku.

– Hej! Proszę poczekać!

Jay zbyt późno uświadomił sobie, że Marise d'Api mogłaby mu pomóc. Na pewno dysponowała żywnością, gorącą wodą, a może nawet środkami dezynfekcyjnymi na zranioną kostkę.

– Proszę chwilę poczekać! Madame d'Api! Potrzebuję pani pomocy!

Nawet jeżeli go usłyszała, nie odpowiedziała. Przez moment wydawało mu się, że dojrzał jej postać rysującą się na tle ciemnego nieba. Odgłos, który go dochodził od strony chaszczy, mógł być odgłosem jej kroków, ale równie dobrze mógł być też czymś zupełnie innym.

Gdy Jay pojął wreszcie, że ona nie wróci, ponownie położył się na swoim prowizorycznym posłaniu w rogu pokoju i zapalił świecę. Niemal całkowicie opróżniona butelka wina Joego stała tuż obok niego, chociaż był całkiem pewien, że gdy się kładł, stała na stole. Widocznie jednak przeniósł ją tu w zamroczeniu. To zrozumiałe, że nie pamiętał. Doznał szoku. W migotliwym świetle świecy zsunął skarpetkę, aby uważnie zbadać stan zranionej kostki. Paskudny uraz – ciało wokół cięcia zsiniało i zapuchło. Biskupie ziele – powiedział starszy pan. Wbrew samemu sobie Jay się uśmiechnął. Biskupie ziele – tak w Yorkshire zwano bukwicę, będącą jednym z głównych składników magicznych saszetek Joego.

Teraz natomiast jedyny dostępny środek odkażający stanowiło wino. Jay przechylił butelkę i polał ranę cienkim strumyczkiem żółtawego płynu. Przez moment czuł silne pieczenie. Nos wypełnił mu wyrazisty aromat lata oraz ziół. I chociaż zdawał sobie sprawę, że to kompletny absurd, od razu poczuł się odrobinę lepiej.

Radio zatrzeszczało, po czym umilkło.

Zaraz też ponownie powiała bryza z innych regionów – niosąca woń jabłek, kołysankę skomponowaną ze stukotu pociągowych kół, odgłosu pracy odległej maszynerii i radiowej stacji ze starymi przebojami. Śmieszne, jak w pamięci wciąż powracał do niego ten utwór – zimowy utwór – „Bohemian Rhapsody".

W końcu Jay zapadł w sen, ściskając w dłoni skrawek czerwonej flaneli.

Ale „Specjały" – oplecione czerwonym sznurkiem wino z malin, niebieskim z jeżyn, żółtym z owoców dzikiej róży i czarnym z damaszki – nie zmrużyły oka. Snuły niekończącą się rozmowę.

22

Nether Edge, lato 1977

Zeth się nie zmienił. Jay rozpoznał go natychmiast, chociaż tym razem jego wróg nie miał wiatrówki przerzuconej przez ramię i na dodatek przez ostatni rok znacznie urósł, a długie włosy nosił związane w cienki ogonek. Miał na sobie dżinsową kurtkę z nazwą grupy Greateful Dead – wypisaną na plecach mazakiem – oraz wysokie robocze buty. Siedząc w swej kryjówce nad kanałem, Jay nie był w stanie stwierdzić, czy Zeth jest sam, czy też ze swoimi kompanami. Gdy przyglądał się swemu wrogowi, spostrzegł, że Zeth uniósł wiatrówkę do oczu i zaczął mierzyć w coś znajdującego się w pewnej odległości od ścieżki nad kanałem. Kilka kaczek siedzących obok wody poderwało się do góry furkocząc skrzydłami niczym drewnianymi kołatkami. Zeth wrzasnął, po czym wystrzelił ponownie. Kaczki zaczęły się miotać niczym oszalałe. Jay nie ruszył się z miejsca. Jeżeli Zeth miał ochotę strzelać do kaczek – to już jego sprawa. Jay nie miał zamiaru mu w tym przeszkadzać. Jednak im dłużej przyglądał się tej scenie, tym większe ogarniały go wątpliwości. Zeth chyba jednak nie mierzył w stronę kanału, ale gdzieś dalej – poza linię drzew, bardziej w kierunku rzeki, mimo że tam teren był zbyt odsłonięty dla ptaków. Może więc strzelał do królików, pomyślał Jay, jednak natychmiast zdał sobie sprawę, że hałas, który czynił Zeth, spłoszyłby każdą zwierzynę. Zmrużył więc oczy w świetle zachodzącego słońca, usiłując dostrzec co tak naprawdę robił jego wróg. Ten wystrzelił raz, potem jeszcze raz i za chwilę ponownie załadował broń. Nagle Jay zdał sobie sprawę, że Zeth stał dokładnie w tym samym miejscu, z którego on sam miał zwyczaj obserwować...

Cyganie.

Zeth niewątpliwie celował w linkę do suszenia bielizny rozciągniętą pomiędzy dwoma najbliższymi samochodami – jeden koniec tej linki już zwisał bezwładnie i tarzał się w trawie niczym złamane ptasie skrzydło, trzepoczące w bólu na wietrze. Pies, uwiązany tam gdzie zwykle – ujadał bez opamiętania. Jayowi zdawało się, że dojrzał coś w oknie jednego z aut – gwałtownie odsuniętą firankę i bladą twarz o rozmytych rysach oraz szeroko rozwartych oczach – z powodu gniewu bądź przerażenia – szybko ginącą za opadającą zasłonką. Poza tym nie spostrzegł żadnego innego ruchu w okolicach samochodów. Zeth roześmiał się głośno, po czym na nowo załadował broń. Wreszcie Jay zdołał też dosłyszeć jego wrzaski.

– Cyganichy! Cyganichy!

Cóż, skonstatował Jay filozoficznie, w tej sytuacji nie mógł przecież nic sensownego zrobić. Nawet Zeth nie był na tyle szalony, żeby tak naprawdę kogokolwiek zranić. Mógł strzelać do linki na pranie. Tak – to było w jego stylu. Zastraszenie innych leżało w jego naturze. I – jak spostrzegł Jay – wychodziło mu to całkiem nieźle. Nagle stanął mu przed oczami obraz samego siebie tego pierwszego lata, gdy kucał i płaszczył się pod śluzą, i poczuł jak twarz oblewa mu rumieniec.

Do cholery, przecież tak naprawdę w tej chwili nic nie mógł zrobić.

Cyganie byli bezpieczni w swoich samochodach. Wystarczy, że poczekają aż Zethowi skończy się amunicja. Przecież w końcu będzie musiał iść do domu. Poza tym to była jedynie wiatrówka. Nie można zrobić komukolwiek prawdziwej krzywdy, posługując się jedynie wiatrówką. Nie, to niemożliwe. Nawet gdyby się trafiło w człowieka.

A tak w zasadzie, co ten Zeth naprawdę chciał zrobić?

Jay odwrócił się, by pójść już sobie z tego miejsca, gdy nagle wydał okrzyk przerażonego zdumienia. Niecałe dwa metry od niego, w krzakach, kryła się dziewczyna. Był tak pochłonięty obserwacją Zetha, że nawet nie usłyszał jej kroków. Wyglądała na jakieś dwanaście lat. Spod gąszczu rudych loków wyzierała mała twarz, usiana piegami tak wielkimi, jakby próbowały pokryć całą skórę. Miała na sobie dżinsy i za duży biały T-shirt. Jego rękawy dyndały luźno nad jej chudymi łokciami. W dłoni trzymała wyświechtaną bandanę wypełnioną kamieniami.

Podniosła się równie szybko i bezgłośnie jak Indianka. Jay w zasadzie nie miał czasu na żadną reakcję, gdy już posłała w jego stronę ze świstem kamień, który z niewiarygodną prędkością i celnością trafił go w kolano. Usłyszał trzask, poczuł przeszywający ból. Wrzasnął i upadł na plecy, chwytając się gwałtownie za nogę. Dziewczynka spojrzała na niego uważnie, szykując jednocześnie kolejny kamień do rzutu.

– No coś ty – zaprotestował Jay.

– Przepraszam – oznajmiła, nie odkładając jednak przygotowanego kamienia.

Jay podwinął nogawkę spodni, by uważnie zlustrować stan swojego kolana. Już zaczynał tworzyć się siniak. Gniewnym wzrokiem obrzucił dziewczynę, a ona odwzajemniła mu się beznamiętnym spojrzeniem.

– Nie powinieneś odwracać się tak gwałtownie – stwierdziła. – Przestraszyłeś mnie.

– Ja przestraszyłem... – Jay zupełnie nie wiedział, co właściwie powinien powiedzieć.

Dziewczyna wzruszyła ramionami.

– Sądziłam, że jesteś razem z nim – oznajmiła energicznie, zwracając drobny podbródek w stronę śluzy. – Wykorzystuje nasze samochody i biednego Toffiego na swoje cele.

Jay spuścił nogawkę.

– Ten! Nie jest żadnym moim kumplem – stwierdził urażonym tonem. – To wariat.

– Ach, tak. To w porządku.

Dziewczyna odłożyła kamień z powrotem do bandany. W tym samym momencie zabrzmiały dwa kolejne wystrzały, po których echem rozległ się wojenny okrzyk Zetha:

– Cyganichy! Cyganichy!

Dziewczyna rzuciła uważne spojrzenie ponad krzewami, po czym uniosła jedną z gałęzi, najwyraźniej planując ześliznąć się w dół kanału.

– Hej, poczekaj chwilę!

– A czemu?

Prawie na niego nie spojrzała. W cieniu krzewów jej oczy nabrały złocistego odcienia niczym ślepia sowy.

– Co zamierzasz zrobić?

– A jak myślisz?

– Przecież powiedziałem ci, że to wariat – złość Jaya wywołana niespodziewanym atakiem ustąpiła miejsca przerażeniu. – To wariat. Nie powinnaś się z nim w cokolwiek wdawać. Wkrótce znudzi mu się ta zabawa i wtedy zostawi was w spokoju.

Dziewczyna wpatrywała się w niego z otwartą pogardą.

– Ty pewnie tak właśnie byś postąpił?

– Hmm... Sądzę, że tak.

Wydała z siebie jakiś dźwięk, który równie dobrze mógł wyrażać rozbawienie, jak i pogardę, po czym przemknęła zwinnie pod gałęzią, chwytając się jej jedną ręką dla równowagi. Potem, hamując obcasami, ześliznęła się po skarpie kanału i dotarła do żwirowego dna. Teraz Jay zorientował się już, co zamyślała. Pięćdziesiąt metrów poniżej nabrzeża znajdował się przesmyk, który wychodził wprost na śluzę. Czerwony ił i luźny żwir pokrywały w tym miejscu brzeg kanału. Wąskie pasmo krzewów dawało dobrą osłonę. Było to jednak miejsce zdradliwe – jeżeli podeszło by się do niego zbyt szybko czy nieostrożnie, można było się zwalić z osypiska wprost na leżące pod spodem kamienie. Niemniej stanowiło ono dla dziewczyny idealne miejsce do ataku na Zetha – zakładając, oczywiście, że właśnie to zamierzała zrobić. Chociaż trudno uwierzyć, że chciała się na coś takiego poważyć. Jay ponownie rzucił okiem w tamtą stronę i zauważył, jak przemyka teraz dużo niżej, niemal niewidoczna za gęstą roślinnością. Właściwie nie spostrzegłby jej wcale, gdyby nie płomienny kolor jej włosów. Jeżeli tego chce, to jej sprawa, powiedział sobie w duchu. Ostatecznie on ją ostrzegał.

A na dodatek to przecież w ogóle nie była jego sprawa.

Nie miał z tym nic wspólnego.

Ciężko wzdychając, podniósł puszkę wypełnioną węglem – swoim trzydniowym łupem – po czym zaczął gramolić się w dół skalistej ścieżki.

Obrał inną drogę wiodącą w stronę popieliska, niemal na całej długości obrośniętą krzewami. Zresztą tak czy owak Zeth w ogóle nie patrzył w tę stronę. Był zbyt pochłonięty strzelaniem i wrzaskami. W tej sytuacji nie trudno było przemknąć przez otwartą przestrzeń popieliska i skryć się na jego osłoniętym skraju. Nie była to równie dobra kryjówka, jak ta, którą wybrała dla siebie dziewczyna, ale w tych okolicznościach musiała mu wystarczyć. Ostatecznie powinni sobie poradzić we dwójkę przeciwko jednemu Zethowi. Zakładając oczywiście, że to naprawdę będzie rozgrywka dwa na jeden. Jay starał się nawet nie myśleć o kumplach Zetha, którzy mogli znajdować się gdzieś w pobliżu, gotowi przybiec na każde zawołanie.

Postawił na ziemi puszkę z węglem, a sam przyczaił się na skraju popieliska. Teraz zdawało mu się, że Zeth jest bardzo blisko; Jay nawet słyszał jego oddech i szczęk wiatrówki, gdy Zeth ją złamał, żeby ponownie załadować. Jeżeli się trochę wychylił, mógł nawet dostrzec swego wroga – tył jego głowy, kawałek profilu, szyję upstrzoną ropnym trądzikiem i ogonek tłustych włosów. Ponad śluzą nie ujrzał ani śladu po dziewczynie i nagle zaczął się z niepokojem zastanawiać, czy ona aby przypadkiem nie uciekła. Jednak już chwilę później spostrzegł błysk czerwieni ponad przesieką i zobaczył kamień wystrzelony z krzaków, trafiający Zetha prosto w ramię. Jay zdumiał się celnością rzutu dziewczyny. Zobaczył, jak Zeth obraca się gwałtownie, wyjąc z bólu i zaskoczenia. Kolejny kamień uderzył go w splot słoneczny, a gdy Zeth skierował się w stronę przesieki, Jay rzucił dwoma bryłami węgla w jego plecy. Jedna z nich chybiła, druga doszła celu i Jaya oblała w tym momencie gorąca fala radosnego uniesienia. Zanurkował w krzaki.

– Zabiję cię, gnoju! – Głos Zetha zabrzmiał bardzo dorośle, jakby był olbrzymem w skórze nastolatka. A na dodatek rozległ się niemal nad uchem Jaya. W tym samym momencie dziewczyna zaczęła jednak rzucać kamieniami, uderzając ich wspólnego wroga w kostkę, potem chybiając, a jeszcze potem strzelając prosto w bok jego głowy. Rozległ się taki dźwięk, jakby kij bilardowy trafił w bilę.

– Zostaw nas w spokoju – wrzasnęła dziewczyna ze swej kryjówki na szczycie osypiska. – Zostaw nas w spokoju, ty sukinsynie!

Teraz Zeth ją wreszcie dojrzał. Jay zobaczył, że wyrostek przesuwa się w stronę przesieki ściskając wiatrówkę w dłoni. Doskonale wiedział, co Zeth zamierzał zrobić: schować się pod nawisem osypiska, ponownie naładować wiatrówkę, a potem wyskoczyć i strzelać. Strzelałby co prawda na oślep, ale i tak mogło to być groźne. Jay wychynął znad krawędzi popieliska i wycelował. Trzasnął Zetha bryłą węgla pomiędzy łopatki najsilniej jak mógł.

– Spadaj stąd – wrzasnął szaleńczo, miotając kolejną bryłą węgla ponad krawędzią popieliska. – Idź naprzykrzać się komu innemu!

Okazało się jednak, że tak otwarte wystąpienie było błędem. Zeth rozwarł oczy w sposób nie pozostawiający wątpliwości, że rozpoznał Jaya.

– No, no, no.

A jednak Zeth się zmienił. Zmężniał. Rozrósł w ramionach. Stawał się odpowiednio szeroki do swojego wzrostu. Nagle wydał się Jayowi całkiem dorosłym człowiekiem, i do tego człowiekiem bardzo groźnym. Teraz z szerokim uśmiechem zaczął się zbliżać do popieliska, trzymając wiatrówkę gotową do strzału. Cały czas przesuwał się pod nawisem, tak że dziewczyna nie mogła go namierzyć. I nie przestawał się złowieszczo uśmiechać. Jay rzucił w jego stronę dwie kolejne bryły węgla – ale chybił. Natomiast Zeth podchodził coraz bliżej.

– Spadaj stąd!

– Bo co?

Zeth był teraz tak blisko, że mógł bez trudu ogarnąć wzrokiem popielisko. Jednocześnie zerkał w górę, aby sprawdzić, czy przez cały czas znajduje się pod ochroną nawisu. Jego wyszczerzone zęby przywodziły na myśl ostry sierp. Wycelował w Jaya broń z figlarnym, niemal łagodnym uśmiechem.

– Bo co? Bo co?

Zdesperowany Jay zaczął w niego ciskać pozostałymi bryłami węgla, one jednak odbijały się od ramion dryblasa niczym pociski karabinu od czołgowego pancerza. Jay spojrzał w wylot lufy wiatrówki. To nie jest groźna broń, powtarzał sobie w duchu, to tylko wiatrówka na nieszkodliwe naboje. Nie był to przecież ani kolt ani luger, a poza tym Zeth i tak nie odważyłby się wystrzelić.

Palec Zetha znalazł się nagle na cynglu. Coś kliknęło. Z tej odległości wiatrówka wcale nie wyglądała na tak nieszkodliwą. Zdawała się wręcz śmiertelnie niebezpieczna.

I wtedy nagle za plecami Zetha rozległ się dziwny odgłos, po czym grad niewielkich odłamków skalnych posypał się z nawisu na jego głowę i ramiona. Zeth nie zauważył, że podchodząc do Jaya, stanął na nieosłoniętym gruncie, w zasięgu wzroku i rzutu Dziewczyny. To zabawne, ale nagle Jay zaczął o niej myśleć tak, jakby jej płeć określała jednocześnie jej imię. Jay przesunął się bliżej krawędzi popieliska, ani na chwilę nie spuszczając wzroku z Zetha. Najpierw sądził, że Dziewczyna rzuca kamieniami zebranymi do swojej bandany, jednak teraz przekonał się, że nie miał racji: to nie były pojedyncze kamienie, ale cały ich deszcz – dziesiątki czy nawet setki odłamków skalnych, żwiru i dużych kamieni spadających z nasypu w tumanie żółtawobrązowego pyłu. Ktoś obruszył skraj osypiska, które teraz leciało w dół niczym skalna lawina. Ponad urwiskiem Jay dostrzegł zbyt obszerny T-shirt – teraz już nie tak bardzo biały – zwieńczony marchewkową szopą włosów. Dziewczyna, na czworaka, kopała z całej siły nogami w krawędź osypiska, posyłając w dół kamienie i ziemię rozpryskujące się na leżących poniżej kamieniach, uderzające twardo o Zetha, spowijające go żółtym, gryzącym pyłem. Ponad odgłos walących się kamieni wzbił się cienki, wojowniczy głos Dziewczyny, wykrzykujący triumfalnie:

– Nażryj się tego świństwa, sukinsynie!

Zetha kompletnie zaskoczył jej gwałtowny atak. Upuścił wiatrówkę i w pierwszym odruchu chciał umknąć pod nawis, ale chociaż osłaniał go on przed ręcznie rzucanymi pociskami, nie stanowił żadnej ochrony przed lecącą w dół ziemno-skalną lawiną, tak że Zeth w końcu się potknął i krztusząc się, wpadł w sam środek masy spadającej ziemi i odłamków. Zaklął szpetnie, wzniósł ramiona obronnym ruchem nad głowę i właśnie w tym momencie spadł na niego cały grad kamieni. Jeden z nich, wielkości cegłówki, trafił go w łokieć i wtedy Zeth nagle stracił cały zapał do walki. Ksztusząc się i kaszląc, oślepiony pyłem, przyciskając bolący łokieć do brzucha, wytoczył się spod nawisu. Z góry rozległ się okrzyk triumfu, po którym znowu zaczęły się sypać kamienie. Bitwa była już jednak wygrana. Zeth jeszcze tylko rzucił jedno mordercze spojrzenie przez ramię i umknął. Biegł boczną ścieżką tak długo, aż znalazł się na szczycie, i dopiero tam odważył się zatrzymać, by jeszcze raz zawyć wojowniczo.

– Jużeś, kurwa, trup, słyszysz? – jego odgłos odbił się od brzegu kanału. – Jeśli jeszcze raz cię zoczę, jużeś pieprzony trup!

Zza drzew rozległ się kpiący okrzyk Dziewczyny. Zeth jak niepyszny czmychnął z placu boju.

23

Lansquenet, marzec 1999

Gdy Jay się obudził, promienie słońca zalewały mu twarz. Światło miało niezwykły odcień głębokiej żółci – niczym klarowne wino – zupełnie niepodobny do cytrynowej bladości świtu. Gdy spojrzał na zegarek, ze zdumieniem odkrył, że przespał czternaście godzin. Przypomniał sobie, że w nocy miał gorączkę i nawet majaczył, po czym natychmiast – pełen najgorszych obaw – zabrał się za oględziny zranionej nogi i tropienie śladów infekcji. Szczęśliwie nie zobaczył żadnych niepokojących oznak. Opuchlizna zeszła znacznie, gdy spał, i chociaż wciąż miał na kostce soczyste krwiaki oraz brzydką ranę, uszkodzenie okazało się o wiele mniej niebezpieczne i rozległe, niż mu się wydawało poprzedniego wieczoru. Długi sen zdecydowanie dobrze mu zrobił.

Udało mu się nawet założyć na kontuzjowaną nogę but. Co prawda gdy go miał na sobie, czuł w stopie ból, ale nie tak dojmujący, jak się obawiał. Zjadł ostatnią zakupioną na dworcu kanapkę – obrzydliwie nieświeżą, ale umierał z głodu – po czym spakował maszynę do walizki, a wina do brezentowej torby i powlókł się w kierunku szosy. Zostawił bagaże w przydrożnych krzakach, sam zaś rozpoczął żmudną wędrówkę w kierunku wioski. Często zatrzymywał się, by odpocząć, tak że zanim wkroczył na główną ulicę, minęła prawie godzina. Dzięki temu zdołał się jednak spokojnie rozejrzeć po okolicy. Lansquenet było maleńką miejscowością z jedną tylko ulicą i paroma bocznymi drogami oraz ryneczkiem, na którym znajdowało się zaledwie kilka sklepów: apteka, piekarnia, rzeźnik i kwiaciarnia. Pomiędzy dwoma rzędami lip tkwił kościół, a obok biegła droga do rzeki, przy której stała kawiarnia. Wzdłuż poszarpanych brzegów rzeki kilka zapuszczonych domów chyliło się ku pobliskim polom. Jay nadszedł od strony nurtu, znalazł bród, gdzie stąpając po dużych płaskich kamieniach, mógł przekroczyć wodę, i w ten sposób znalazł się tuż obok kawiarni. Żywa biało-czerwona markiza osłaniała niewielkie okno, a na chodniku przed wejściem stało parę metalowych stolików. Szyld nad drzwiami głosił: „Café des Marauds".

Jay wszedł do środka i zamówił małe jasne. *Propriétaire* stojąca za barem spojrzała na niego zdziwionym wzrokiem, i w tym momencie Jay zdał sobie sprawę, jaki widok musi przedstawiać własną osobą: nieumyty, nieogolony, w nieświeżym T-shircie i do tego najprawdopodobniej cuchnący tanim winem. Uśmiechnął się szeroko do właścicielki, ona jednak przyglądała mu się z powątpiewaniem.

– Nazywam się Jay Mackintosh – oznajmił. – Jestem Anglikiem.

– Aaa, Anglikiem. – Kobieta uśmiechnęła się i skinęła głową, jak gdyby to wystarczało za wszelkie wyjaśnienia. Miała okrągłą, różową, błyszczącą twarz – jak u lalki. Jay pociągnął długi łyk piwa.

– Joséphine – przedstawiła się *propriétaire*. – Czy jest pan... turystą?

Powiedziała to w taki sposób, jakby bawiła ją podobna myśl.

Jay pokręcił głową.

– Niezupełnie. Wczoraj wieczorem miałem problem z dotarciem do tego miejsca. Ja... po prostu się zgubiłem. Musiałem spać w polowych warunkach.

W kilku słowach wyjaśnił jej całą sytuację.

Joséphine spojrzała na niego z ostrożnym współczuciem. Zapewne nie mogła sobie wyobrazić, że ktoś mógł się zgubić w tak niewielkim, świetnie jej znanym miejscu.

– Czy tu można gdzieś wynająć pokój? Pokój na noc?

Potrząsnęła przecząco głową.

– A więc nie ma tu hotelu? Czy choćby *chambre d'hôte*?

Ponownie posłała mu rozbawione spojrzenie. Do Jaya zaczęło w tym momencie docierać, że turyści nie występowali w Lansquenet w obfitych ilościach. No cóż. W takim razie będzie musiał jechać do Agen.

– A czy mógłbym skorzystać z pani telefonu, żeby zamówić taksówkę?

– Taksówkę?! – Tym razem roześmiała się w głos. – Taksówkę? W niedzielny wieczór?

Jay zauważył, że nawet jeszcze nie minęła szósta, ale Joséphine tylko pokręciła głową i ponownie wybuchnęła śmiechem. Wyjaśniła, że o tej porze wszystkie taksówki w Agen zjeżdżają już do domu. Nikt nie pojedzie tak daleko po klienta. Poza tym swego czasu chłopcy z okolicy często dzwonili po taksówkę dla kawału, tłumaczyła. Po taksówkę, po pizzę... Uważali, że to zabawne.

– Ach tak.

Oczywiście, miał jeszcze dom. Swój dom. Ostatecznie spędził tam już jedną noc, więc ze śpiworem i świecami zapewne da radę przespać się tam jeszcze raz. Kupi żywność w kawiarni. Zbierze trochę drewna i napali w kominku. W walizce miał świeże ubranie. Następnego rana przebierze się i pojedzie do Agen, żeby podpisać wszystkie konieczne dokumenty i odebrać klucze.

– Kiedy spałem pojawiła się obok mojego domu kobieta. Madame d'Api. Chyba sądziła, że wdarłem się do domu nielegalnie.

Joséphine rzuciła mu szybkie spojrzenie.

– Zapewne tak sądziła. Ale jeżeli dom należy teraz do pana...

– Myślałem, że jest kimś w rodzaju dozorcy. Stała na straży. – Jay uśmiechnął się szeroko. – Szczerze mówiąc, nie zachowała się zbyt przyjaźnie.

Joséphine potrząsnęła głową.

– Wyobrażam sobie.

– Zna ją pani?

– Nie, nie najlepiej.

Wzmianka o Marise d'Api wyraźnie wzmogła czujność Joséphine. Znów na jej twarzy pojawił się wyraz niepewności i zaczęła z wystudiowaną nadgorliwością wycierać szmatką jakąś niewidzialną plamę na kontuarze.

– Przynajmniej mam teraz pewność, że była rzeczywista – rzucił Jay pogodnie. – W środku nocy wydawało mi się, że ujrzałem widmo. Mam nadzieję, że ona pokazuje się także w ciągu dnia?

Joséphine bez słowa kiwnęła głową, nie przestając polerować kontuaru. Jaya zdumiała jej nagła małomówność, był jednak zbyt głodny, aby dalej drążyć temat.

Menu w kawiarni nie przedstawiało się nadzwyczaj imponująco, ale *plat du jour* – który okazał się potężnym omletem serwowanym z sałatą i smażonymi ziemniakami – smakował wyśmienicie. Jay kupił jeszcze paczkę gauloise'ów, zapalniczkę, a potem Joséphine zaopatrzyła go dodatkowo w bagietkę z serem owiniętą woskowym papierem, trzy piwa i torbę jabłek. Wyszedł z kawiarni przed zapadnięciem zmierzchu i niespiesznie powędrował w stronę swojego *château*, niosąc zakupy w plastikowej siatce.

Z przydrożnych krzaków wyjął bagaże, by je zataszczyć do domu. Mimo że był już bardzo zmęczony, a zraniona kostka zaczynała się buntować, zaciągnął walizę pod próg, nie pozwalając sobie na chwilę odpoczynku. Teraz słońce już zaszło. Niebo powoli pogrążało się w mroku. Jay znalazł za domem stos drewna, którego część zabrał ze sobą i złożył obok ziejącego czernią paleniska. Polana wyglądały na świeżo porąbane – leżały starannie ułożone w sąg i przykryte kawałem papy dla osłony przed deszczem. Kolejna zagadka. Oczywiście to Marise mogła porąbać drewno, jednak Jay zupełnie nie widział powodu, dla którego miałaby coś podobnego robić. Nie sprawiała wrażenia uczynnej sąsiadki. Przy okazji Jay zauważył pustą butelkę po winie z kwiatu bzu wetkniętą do kosza na śmieci stojącego w drugim końcu pokoju. Zupełnie nie mógł sobie przypomnieć, by ją tam wrzucał, ale ostatecznie poprzedniego wieczoru był w stanie usprawiedliwiającym luki w pamięci. Wczoraj przecież nie myślał racjonalnie. Halucynacje, w których Joe zdawał się tak rzeczywisty i namacalny, że Jay niemal uwierzył w jego obecność, były tego najlepszym dowodem. Pojedynczy pet na posadzce pokoju, w którym spędził noc, wyglądał na bardzo stary. Mógł tam leżeć od dobrych dziesięciu lat. Jay skruszył go w palcach i wyrzucił na dwór, zamykając potem okiennice starannie od wewnątrz.

Zapalił kilka świec, a następnie zajął się rozpalaniem ognia w kominku za pomocą starych gazet, które znalazł złożone w kartonowym pudle na piętrze i polan przyniesionych spod domu. Kilkakrotnie papier strzelał gwałtownym płomieniem, ale natychmiast gasł, w końcu jednak i drewno chwyciło ogień. Jay dokładał polana powoli i ostrożnie, znajdując zaskakującą przyjemność w tym zajęciu. W owym prostym akcie rozpalania ognia było coś fundamentalnie pierwotnego, przywodzącego na myśl westerny, które z takim upodobaniem oglądał, kiedy był jeszcze chłopcem.

Jay otworzył walizkę, wyjął z niej maszynę do pisania, ustawił na stole obok butelek z winem, po czym przez chwilę napawał się tym widokiem. Nagle niemal nabrał pewności, że tego wieczoru mógłby coś napisać – coś nowego i dobrego. Żadnych opowiadań SF. Jonathan Winesap został oddelegowany na zasłużone wakacje. Dzisiaj okaże się, do czego zdolny jest Jay Mackintosh.

Usiadł do maszyny. Był to nieporęczny przedmiot z klawiszami na sprężyny, wymagający silnego uderzenia palców. Jay trzymał ją ze względów sentymentalnych – nie używał jej już od bardzo wielu lat. Teraz palce ułożyły mu się wygodnie na klawiszach. Napisał kilka linijek na próbę, „na sucho", tylko na samej taśmie.

Spodobały mu się własne zdania. Ale bez papieru...

Niedokończony manuskrypt „Niezłomnego Corteza" spoczywał w kopercie na dnie walizki. Jay chwycił pierwszą stronę i wkręcił niezadrukowaną stroną w maszynę, która nagle zdała mu się wspaniałym samochodem wyścigowym, niezniszczalnym czołgiem, międzygwiezdną rakietą. Powietrze w pokoju zapieniło się i zamusowało niczym mroczny szampan. Pod palcami Jaya klawisze zafurczały gorączkowo. Jay niespodziewanie zatracił poczucie czasu. A właściwie poczucie wszystkiego.

24

Pog Hill, lato 1977

Dziewczyna miała na imię Gilly. Po incydencie z Zethem Jay widywał ją dość często w Nether Edge. Czasami nawet bawili się razem nad kanałem, zbierali rupiecie i kolekcjonowali skarby, zrywali dziki szpinak i mlecze na kolację dla całego obozowiska. Gilly oznajmiła mu pogardliwie, że wcale nie byli Cyganami, ale wędrowcami – ludźmi, którzy nie mogli usiedzieć długo na jednym miejscu, i którzy pogardzali kapitalistyczną gospodarką. Matka Gilly, Maggie, długo mieszkała w namiocie tipi gdzieś w Walii, ale po urodzeniu Gilly stwierdziła, że dziecko wymaga bardziej ustabilizowanych warunków. Stąd ten samochód kempingowy – odnowiony stary van handlarza rybami, przerobiony tak, by mogły w nim zamieszkać dwie osoby i pies.

Gilly nie miała ojca. Oznajmiła Jayowi, że Maggie nie uznaje mężczyzn, ponieważ to oni właśnie są twórcami i gorącymi orędownikami judeochrześcijańskiego patriarchatu – systemu społecznego dążącego za wszelką cenę do uciemiężenia kobiet. Podobne rozmowy zawsze wzbudzały w Jayu niepokój. Na wszelki wypadek był nadzwyczaj uprzejmy w kontaktach z Maggie, aby przypadkiem nie uznała go za swojego wroga. Ona jednak, chociaż niekiedy wzdychała ciężko nad męskim rodzajem, tak jak można by wzdychać nad umysłowo niedorozwiniętym dzieckiem, nigdy otwarcie nie miała mu za złe tego, że był chłopcem.

Gilly i Joe natychmiast znaleźli wspólny język. Jay przedstawił ich sobie dokładnie tydzień po bitwie na kamienie i od razu poczuł ukłucie zazdrości na widok ich doskonałego wzajemnego porozumienia. Joe znał wielu wędrowców odwiedzających te rejony, a do tego już zaczął prowadzić handel wymienny z Maggie – za świeże jarzyny, dżemy i marynaty dawała mu własnoręcznie dziergane szale z włóczki kupowanej na wyprzedażach. Joe wykorzystywał je do ochrony delikatnych roślinek przed chłodami nocy – przynajmniej tak oznajmił z wesołością w głosie, wywołując tym u Maggie dziki atak śmiechu. Ona też wiedziała wiele o roślinach i obie z Gilly w idealnej harmonii i pogodzie ducha przyjmowały od Joego magiczne talizmany i uczestniczyły w odprawianych przez niego na terenie obozowiska rytuałach ochrony terytorium, jakby to dla nich był chleb powszedni. Kiedy Joe pracował na działce, Jay i Gilly wyręczali go w innych zajęciach, a on coś im opowiadał bądź śpiewał razem z radiem, podczas gdy oni sortowali nasiona czy wszywali amulety do czerwonych flanelowych woreczków. Niekiedy też wybierali się w okolice torowiska, skąd przynosili stare, zużyte palety, na których Joe składował dojrzałe owoce.

Zdawało się, że obecność Gilly w pewnym sensie roztkliwia Joego. W sposobie, w jaki się do niej zwracał, było coś szczególnego, wykluczającego Jaya z ich kręgu, i choć Joe nie czynił tego specjalnie, aby zrobić Jayowi przykrość, Jay bardzo wyraźnie to wyczuwał. Może działo się tak dlatego, że ona – jak i Joe – też była prawdziwym podróżnikiem. A może po prostu dlatego, że była dziewczyną.

Chociaż Gilly w żaden sposób nie przystawała do wyobrażeń Jaya na temat dziewczyn. Wykazywała się wojowniczą niezależnością, zawsze przewodziła pomimo jego starszeństwa, nie znała strachu, i do tego miała radośnie niewyparzoną buzię, tak że niekiedy konserwatywnie wychowywany Jay czuł się wstrząśnięty jej słownictwem – ale zawsze skrzętnie to ukrywał. Poza tym wyznawała wiele dziwacznych wierzeń i poglądów skleconych z bujnych zasobów światopoglądowych Maggie. Kosmici, ruchy feministyczne, alternatywne ruchy religijne, różdżkarstwo, numerologia, ochrona środowiska – wszystkie te zagadnienia znajdowały się w centrum zainteresowania Maggie, a Gilly akceptowała je bez najmniejszych zastrzeżeń. To od niej Jay dowiedział się o warstwie ozonowej i bochenkach chleba w cudowny sposób przybierających kształt Chrystusa, o szamaniźmie i ochronie wielorybów. Ona natomiast stanowiła wymarzone audytorium dla jego literackich poczynań. Spędzali razem wiele dni, niekiedy pomagając Joemu, ale często po prostu włócząc się nad kanałem, rozmawiając i poszukując interesujących łupów.

Po wielkiej bitwie na kamienie jeszcze raz widzieli Zetha z pewnej odległości, gdy urzędował w okolicach wysypiska, ale postanowili ominąć go szerokim łukiem. O dziwo, Gilly w ogóle się go nie bała, to Jay czuł przed nim strach. Nie zapomniał, co Zeth wykrzykiwał, gdy rozgromili go niedaleko śluzy, i dlatego najchętniej nie oglądałby go już nigdy w życiu. Oczywiście, okazało się, że nie jest aż takim szczęściarzem.

25

Lansquenet, marzec 1999

Następnego dnia wcześnie rano udał się do Agen. Dowiedział się od Joséphine, że w tamtą stronę odchodzą z Lansquenet tylko dwa autobusy dziennie, więc po pospiesznie wypitej kawie i croissantach w „Café des Marauds" udał się w podróż, by jak najszybciej odebrać wszelkie niezbędne dokumenty. Zajęło mu to jednak dużo więcej czasu, niż się spodziewał. Formalności prawne zostały już co prawda dopełnione, ale wciąż jeszcze do domu nie podłączono z powrotem gazu ani elektryczności, a do tego agencja nie była skora do wręczenia mu kluczy przed otrzymaniem wszystkich papierów z Anglii. Na domiar złego kobieta w agencji powiedziała mu, że pojawiły się dodatkowe komplikacje. Otóż Jay złożył swoją ofertę w czasie, gdy już rozważano przyjęcie innej oferty – oferty jakoby zaakceptowanej przez dawnego właściciela, na co jednak nie istniały żadne oficjalne dokumenty. Oferta Jaya – wyższa od pierwotnej o około 5000 funtów – sprawiła, że tamtą odrzucono, ale osoba, której obiecano tę posiadłość, zadzwoniła dzisiaj rano z awanturą i pogróżkami.

– Proszę zrozumieć, monsieur Mackintosh – kajała się agentka. – Te małe społeczności, obietnice przekazania ziemi... oni nie chcą zrozumieć, że okazjonalnie rzucone słowo nie ma żadnej wiążącej mocy prawnej. – Jay pokiwał głową ze współczuciem. – Poza tym – ciągnęła kobieta – sprzedający, który mieszka w Tuluzie, jest młodym człowiekiem z rodziną na utrzymaniu. Odziedziczył posiadłość po swoim stryjecznym dziadku. Od dłuższego czasu nie miał żadnego kontaktu ze starszym panem i nie ponosi żadnej odpowiedzialności za jego obietnice złożone przed śmiercią.

Jay wykazał zrozumienie. Zostawił wszystko w rękach agentki, a sam udał się na zakupy. Potem siedział w bistro po drugiej stronie ulicy, w czasie gdy z Londynu nadchodziły faksem wszystkie niezbędne dokumenty. Na koniec był jeszcze świadkiem gorączkowej wymiany telefonów. Bank. Prawnik. Agencja. Bank.

– A więc jest pani pewna, że osoba, która złożyła pierwotną ofertę, nie ma żadnych formalnych praw do tej posiadłości? – zapytał, kiedy agentka wreszcie wręczyła mu klucze.

– Tak, monsieur. Układ pomiędzy dawnym właścicielem a madame d'Api być może został zawarty dawno temu, jednak nie ma on żadnej mocy prawnej. Nawiasem mówiąc, na dowód tego, że starszy pan przyjął tę ofertę, mamy tylko jej słowo i nic poza tym.

– D'Api?

– Tak. Niejaka madame Marise d'Api. Miejscowa bizneswoman. I pańska sąsiadka – jej ziemia graniczy z zakupioną przez pana posiadłością.

To wiele wyjaśniało: wrogość Marise d'Api, zaskoczenie, gdy dowiedziała się, że kupił dom, a nawet tę świeżą farbę w pokoju na parterze. Ona po prostu z góry założyła, że obejmie wszystko w posiadanie i zrobiła dokładnie to samo co i on: wprowadziła się trochę za wcześnie, jeszcze przed dopełnieniem wszystkich formalności. Nic dziwnego, że była tak wzburzona! Jay postanowił, że spotka się z nią najszybciej jak to możliwe i spróbuje wyjaśnić całą sytuację. Zwróci koszty poniesione na rzecz domu. Ostatecznie, jeżeli mieli być sąsiadami...

Wszystkie formalności dobiegły końca późnym popołudniem. Jay był już porządnie zmęczony. Gorączkowe negocjacje doprowadziły do tego, że dopływ gazu miał być przywrócony jeszcze tego samego dnia, ale na ponowne podłączenie elektryczności nie należało liczyć wcześniej niż za jakieś pięć dni. Agentka zasugerowała, by Jay zatrzymał się w hotelu do czasu, aż dom będzie nadawał się do zamieszkania, on jednak odmówił. Nie potrafił się oprzeć nostalgicznej atmosferze swojego opustoszałego, zapuszczonego domu. Poza tym pojawiła się poważna kwestia jego nowego manuskryptu – dwudziestu stron zapisanych na odwrocie „Niezłomnego Corteza". Przeniesienie się w sterylne hotelowe mury mogło zabić jego pomysł, jeszcze zanim się narodził na dobre. Nawet w tej chwili, gdy załadowaną zakupami taksówką wracał do Lansquenet, a w głowie huczało mu ze zmęczenia – czuł, jak silnie ciągną go ku sobie te zapisane strony, nie mógł się wyzwolić od przymusu kontynuowania pracy, uderzania palcami w ciężko chodzące klawisze starej maszyny, podążania w obszary, w jakie prowadziła go nowa opowieść.

Kiedy znalazł się w domu, spostrzegł od razu, że śpiwór zniknął – podobnie jak świece oraz karton z puszkami farb. Wszystko inne pozostało nietknięte. Zrozumiał, że Marise zjawiła się w czasie jego nieobecności, by zatrzeć wszelkie ślady swego nielegalnego przebywania w tym domu. Było już zbyt późno, by ją odwiedzić, ale Jay obiecał sobie, że na pewno zrobi to nazajutrz. Ostatecznie powinien zachowywać jak najlepsze stosunki ze swoją jedyną bliską sąsiadką.

Skrzesał ogień w kominku i zapalił lampę naftową – jeden ze swoich najświeższych nabytków – po czym ustawił ją na stole. Jay kupił także nowy śpiwór, kilka poduszek i składane, kempingowe łóżko. Z ich pomocą stworzył sobie całkiem wygodny kącik do spania. Ponieważ jeszcze nie zapadła noc, zapuścił się w głąb domu – aż do kuchni. Znajdował się tam piec gazowo-węglowy, stary, ale wciąż działający, i kominek. Nad kominkiem wisiał poczerniały, żelazny hak na rondle, pierzasty od oblepiających go pajęczyn. Staromodny emaliowany piec zajmował połowę ściany, ale jego piekarnik był zapchany miałem węglowym, na wpół spalonym drewnem i setkami pokoleń martwych owadów, więc Jay postanowił, że wstrzyma się z używaniem go do chwili, aż zdoła to wszystko dokładnie uprzątnąć. Palniki na gaz zapalały się jednak lekko, bez problemu i Jay zdołał nawet zagrzać odpowiednią ilość wody do mycia i na kawę. Potem z kubkiem w dłoni wybrał się na wyprawę po domu. Dom okazał się o wiele większy, niż wcześniej mu się zdawało. Kilka dużych pokoi, jadalnia, spiżarnie, pomieszczenia gospodarcze, wnęki wielkie jak magazyny, składziki przepastne niczym jaskinie. Do tego trzy piwnice – ale panująca w nich ciemność zniechęciła Jaya do eskapady w dół wyszczerbionych drewnianych schodów. Na piętrze kilka sypialni, strychy i spichlerzyki. W całym domu mnóstwo rozmaitych mebli – wiele z nich mocno sfatygowanych z powodu deszczu i zaniedbania, ale wiele wciąż jeszcze zdatnych do użytku. Długi stół z poczerniałego od starości drewna, poznaczony bliznami i spaczeniami; kredens w tym samym surowym stylu; krzesła i stołeczek pod nogi. Wypolerowane i odrestaurowane wyglądałyby przepięknie – identycznie jak te wszystkie meble stojące w eleganckich sklepach z antykami w Knightsbridge, do których tak wciąż wzdychała Kerry.

W kartonach upchniętych po kątach całego domu znajdowało się mnóstwo innych przydatnych rzeczy: naczynia stołowe na strychu, narzędzia w szopie na drewno, cały kufer obrusów i pościeli, jakimś cudem zachowanej w nietkniętym stanie pod pudłem pełnym potłuczonych fajansów. Jay wyciągnął sztywne od krochmalu prześcieradła, pożółkłe na brzegach, każde z wyhaftowanym zawiłym monogramem, w którym inicjały D.F. splatały się ponad girlandą róż. Zapewne była to wyprawa ślubna jakiejś panny młodej sprzed stu czy nawet dwustu lat.

Na górze Jay znalazł też i inne skarby: sandałowe puzderka z chusteczkami do nosa; miedziane rondle zmatowione szlachetną patyną; stare radio – jeszcze zapewne przedwojenne z lekko uszkodzoną obudową i pokrętłami wielkimi niczym gałki u drzwi. Najwspanialszy jednak wydał mu się olbrzymi kredens na przyprawy, wykonany z czarnego dębu, z szufladami wciąż jeszcze opisanymi zblakłym atramentem w kolorze ochry – *Cannelle, Poivre Rouge, Lavende, Menthe Verte.* Ich wnętrza – przysypane pyłem ziół i przypraw – nadal wydzielały aromatyczne wonie i barwiły palce kolorami cynamonu, imbiru, papryki czy tamaryszku. Był to nadzwyczaj fascynujący mebel. Zasługiwał na lepsze miejsce, niż ten pusty, na wpół zrujnowany dom. Jay obiecał sobie solennie, że przy najbliższej okazji zniesie kredens na dół i starannie odrestauruje.

Joe z miejsca zakochałby się w tym meblu.

Niepostrzeżenie zapadły ciemności i Jay, acz niechętnie, zrezygnował z dalszej eksploracji domu. Zanim położył się na nowym posłaniu, jeszcze raz starannie zlustrował stan swojej kostki: był zaskoczony i bardzo uradowany, gdy ujrzał w jak niezwykłym tempie zranione miejsce się goi. Teraz w zasadzie nawet nie potrzebował już maści z arniki, po którą przezornie wstąpił do apteki w Agen.

Pokój nagrzał się przyjemnie, żar z kominka tańczył ciepłym refleksem na pobielonych ścianach. Wciąż jeszcze było wcześnie – nie później niż ósma – ale już bardzo dokuczało mu zmęczenie, położył się więc na łóżku i, wpatrzony w ogień, zaczął snuć plany na nadchodzący dzień. Zza zamkniętych okiennic dobiegał poświst wiatru w ogrodzie, ale dzisiejszego wieczoru ten dźwięk nie niósł ze sobą niczego złowieszczego. Wręcz przeciwnie – w jakiś niesamowity sposób wszystkie odgłosy wydały mu się teraz swojsko znajome: szum bryzy, niedalekiej rzeki, stworzeń nocy nawołujących się w mroku, a także płynący ponad bagniskami dźwięk kościelnego dzwonu. Ogarnęła go nagłą falą nostalgia – za Gilly, za Joem, za Nether Edge i tym ostatnim dniem na torowisku poniżej Pog Hill Lane; za tymi wszystkimi przeżyciami, których nigdy nie opisał w „Ziemniaczanym Joe", ponieważ były zbyt naznaczone rozczarowaniem, by umiał je ubrać w słowa.

Wydał z siebie senny, chrapliwy śmiech. Sytuacje przedstawione w „Ziemniaczanym Joe" niewiele miały wspólnego z faktycznymi wydarzeniami. Były czystym wymysłem, tęsknym marzeniem, naiwnym odtworzeniem owych magicznych, strasznych miesięcy. Nadawały znaczenie czemuś, co było tego znaczenia całkowicie pozbawione.

W powieści Jaya Joe był rubasznym, przyjaznym staruszkiem, wprowadzającym go w dorosłe życie, natomiast Jay stanowił uosobienie swawolnego chłopca, uroczo niewinnego. Podkoloryzował własne dzieciństwo, okres dojrzewania przedstawił jako czarowny czas. W zapomnienie poszły wszystkie te chwile, gdy starszy pan śmiertelnie go nudził, męczył, doprowadzał do wściekłości. W zapomnienie poszły te momenty, które kazały Jayowi wierzyć w szaleństwo Joego. Nie wspomniał też słowem o jego zniknięciu, zdradzie i kłamstwach; wszystko zostało przyklepane, wygłuszone przez nostalgię. Nic dziwnego, że każdy zachwycał się tą powieścią. Ucieleśniała triumf oszustwa, zwycięstwo fanaberii nad rzeczywistością, przedstawiała dzieciństwo, jakie każdy chciałby mieć, ale którego nikt tak naprawdę nigdy nie miał. „Ziemniaczany Joe" to była książka, którą mógłby napisać sam Joe. Stanowiła kwintesencję najgorszego kłamstwa: treści pełnej półprawd, ale zafałszowanej w swej istocie.

– Trzeba ci było wrócić, wiesz? – oznajmił Joe rzeczowym tonem. Rozsiadł się na stole tuż obok maszyny do pisania, trzymając w dłoni kubek z herbatą. Tym razem zamiast koszulki z logo Thin Lizzy miał na sobie T-shirt z trasy koncertowej Pink Floydów promującej płytę „Animals".

– Czekała wtedy na ciebie, ale żeś się nie pojawił. A ona nie zasługiwała na coś takiego, chłopcze. Nawet piętnastolatek powinien zdawać sobie z tego sprawę.

Jay wpatrywał się w niego wytrzeszczonymi oczami. Joe robił wrażenie istoty z krwi i kości. Jay przytknął dłoń do czoła, ale było chłodne.

– Joe.

Oczywiście zdawał sobie sprawę, o co chodzi. To rezultat tego ciągłego rozmyślania o starym przyjacielu, podświadomego pragnienia odnalezienia go w tym miejscu, urzeczywistnienia najżarliwszego pragnienia Joego.

– Nigdy nie próbowałeś się dowiedzieć, dokąd pojechały, hę?

– Nie.

Czuł się idiotycznie, przemawiając do wytworu własnej wyobraźni, ale jednocześnie ogarniało go szczególne ukojenie. Joe zdawał się słuchać jego słów nadzwyczaj uważnie, z głową lekko przechyloną na jedną stronę, z kubkiem trzymanym miękko w palcach.

– I kto to mówi! Ty, który mnie opuściłeś. Po tym wszystkim, co obiecałeś. Zostawiłeś mnie i nawet nie powiedziałeś słowa na pożegnanie. – Mimo że był to tylko sen, Jay usłyszał gniew wrzący we własnym głosie. – I teraz to właśnie ty mi mówisz, że ja powinienem był wrócić.

Joe wzruszył ramionami, nieporuszony.

– Ludzie ruszają przed siebie – stwierdził ze spokojem. – By się odnaleźć, by się zatracić – nieważne. Wybrać swoje przeznaczenie. Czyżeż ty nie robisz tego właśnie w tej chwili? Czy nie uciekasz?

– Nie wiem – odparł Jay. – Sam nie wiem, co robię.

– Ta Kerry, i w ogóle – ciągnął Joe, jakby wcale nie słyszał słów Jaya. – Ona była całkiem inna. Nigdy nie wiedziałeś, gdzie twoje szczęście. – Uśmiechnął się szeroko. – Czy wiesz, że ona nosi zielone szkła kontaktowe?

– Co takiego?

– Szkła kontaktowe. Jej oczy tak naprawdę są niebieskie. Tyle czasu, a ty nie miałeś pojęcia.

– To jakiś idiotyzm – wymamrotał Jay. – Poza tym ciebie tutaj wcale nie ma.

– Tutaj? Tutaj? – Joe zwrócił się ku niemu, odsuwając czapkę na tył głowy swoim charakterystycznym gestem, który Jay tak świetnie pamiętał. I do tego szczerzył zęby w znamiennym uśmiechu, pojawiającym się na jego twarzy zawsze wtedy, gdy zmierzał powiedzieć coś bulwersującego.

– A któż to wie, co to znaczy tutaj? Kto ci powiedział, że ty sam jesteś w tym miejscu?

Jay zamknął oczy. Sylwetka Joego zamajaczyła na jego siatkówce niczym ćma bijąca o szybę.

– Zawsze nienawidziłem takich twoich tekstów.

– Jakich?

– Tego całego mistycznego szamaństwa.

Joe zaśmiał się pod nosem.

– Filozofia prosto z Orientu, chłopcze. Poznałem ją wśród mnichów w Tybecie, w czasach gdy tak wiele podróżowałem.

– Ty nigdy nie podróżowałeś – żachnął się Jay. – W każdym razie nie dalej niż do autostrady M1.

I zaraz potem zapadł w sen przy akompaniamencie śmiechu Joego.

26

Pog Hill, lato 1977

W pierwszej połowie lata Joe był w doskonałej formie. Wydawał się dużo młodszy niż kiedykolwiek przedtem – pełen nowych pomysłów i planów. Większość czasu spędzał na swojej działce, chociaż zachowywał teraz większą ostrożność, dlatego na przykład przerwę na herbatę urządzali zawsze w kuchni, wśród krzaczków pomidorów. Gilly zjawiała się na Pog Hill przynajmniej co drugi dzień i wówczas razem z Jayem chadzali na torowisko w poszukiwaniu skarbów, które potem taszczyli w górę nasypu, ku domowi Joego.

Całe obozowisko, jak wyjaśniła Gilly, przeniosło się poza Monckton Town w maju, kiedy to grupa miejscowych dzieciaków zaczęła przysparzać im kłopotów.

– Sukinsyny – rzuciła od niechcenia, zaciągając się papierosem, którego palili na spółkę. – Rozpoczęło się od wyzwisk. Ale to było drobne, nic nieznaczące gówno. Potem zaczęli walić nocami do drzwi, rzucać kamieniami w okna, a jeszcze potem odpalać petardy pod samochodami. W końcu otruli naszego psa i wtedy Maggie zdecydowała, że tego już za wiele.

W tym roku Gilly rozpoczęła naukę w lokalnym gimnazjum. Twierdziła, że z większością ludzi jej stosunki układały się jak najlepiej, z wyjątkiem pewnej grupy dzieciaków. Gilly opowiadała o tym w dość nonszalancki sposób, jednak Jay zdawał sobie sprawę, że dla Maggie przeniesienie samochodu tak daleko musiało stanowić poważny problem.

– Najgorsza z nich, prowodyrka, to dziewucha o imieniu Glenda. Chodzi do mojej szkoły, o klasę wyżej. Już kilka razy się z nią biłam. Nikt inny nie ma odwagi z nią zadzierać z powodu jej brata.

Jay rzucił jej czujne spojrzenie.

– Ty go znasz – oświadczyła Gilly, po raz kolejny głęboko się zaciągając. – To ten wielki sukinsyn z tatuażami.

– Zeth.

– Aha. Przynajmniej on już przestał chodzić do szkoły. Widuję go jedynie od czasu do czasu w Edge, jak strzela do ptaków. – Wzruszyła ramionami. – Chociaż teraz rzadko tam chodzę – dodała nieco rozżalonym tonem. – Naprawdę rzadko. Już nie lubię.

A więc Nether Edge przeszło we władanie bandy kilku dzieciaków w wieku od dwunastu do piętnastu lat pod wodzą siostry Zetha, tak przynajmniej wywnioskował Jay. W weekendy zapewne chodzą do centrum miasteczka i podżegają się nawzajem do drobnych kradzieży w sklepie – głównie słodyczy i papierosów – a potem włóczą się po Nether Edge, bądź odpalają petardy nad kanałem. Przypadkowi przechodnie starają się ich unikać, by nie narażać się na nieprzyjemne zaczepki. Nawet właściciele psów, wyprowadzający swoje czworonogi na spacery w okolice Edge, zaczęli unikać tego miejsca.

Jaya ogarnęło dziwne poczucie straty. Po bitwie na kamienie sam nieufnie poruszał się po tym terenie, zawsze ściskając trzymany w kieszeni amulet od Joego, zawsze czujnie się rozglądając, by przypadkiem nie wpaść w tarapaty. Zaczął unikać kanału, śluzy i popieliska, które teraz wydawały mu się terenem zbyt niebezpiecznym do zabaw. Za każdą cenę zamierzał uniknąć ponownego spotkania z Zethem. Za to Gilly nie czuła strachu. Ani przed Zethem, ani przed Glendą. Bała się natomiast o Jaya.

Gdy to zrozumiał, natychmiast ogarnęło go oburzenie.

– Kto jak kto, ale ja nie zamierzam stać z boku i patrzeć na to wszystko spokojnie – rzucił krewko. – Nie przestraszę się jakiejś tam bandy dziewczyn. A ty?

– Oczywiście, że nie!

To gorące zaprzeczenie potwierdziło jego podejrzenia. Jay poczuł potrzebę natychmiastowego udowodnienia, że potrafi być równie waleczny, jak i ona – tym bardziej że od czasu walki na kamienie miał niejasne poczucie, że gdy chodzi o wrodzoną agresję, Gilly zdecydowanie nad nim góruje.

– Możemy pójść tam jutro – zaproponował. – Pójdziemy na popielisko i poszukamy butelek.

Gilly uśmiechnęła się szeroko. W ostrym świetle jej włosy błyszczały niemal równie jaskrawo, jak żarzący się koniuszek papierosa. Miała też zaróżowiony nos od zbyt długiego wystawiania na słońce. I nagle Jaya zalała fala jakiegoś uczucia, którego nie potrafił określić, jednak tak silnego, że aż zrobiło mu się niedobrze. Jak gdyby nagle coś wywróciło się w jego wnętrzu, nastrajając jego ciało na niespotykaną do tej pory częstotliwość. Poczuł nagłą, nieprzepartą ochotę dotknięcia jej włosów. Gilly spojrzała na niego wyzywająco.

– Jesteś pewien, że sobie poradzisz? – spytała. – Nie jesteś tchórzem? Nie jesteś, Jay? – Napięła ramiona niczym kulturysta i wydała z siebie parę wojowniczych okrzyków. – Nie boisz się choćby ociupinkę?

To dziwne uczucie, chwila tajemniczego objawienia przeminęła. Gilly strzeliła petem w pobliskie krzaki, wciąż uśmiechając się szeroko. Jay chwycił ją mocno i zaczął targać za włosy, aż wrzasnęła i kopnęła go z całej siły w łydkę. W ten sposób stan normalności – a przynajmniej uchodzący między nimi za taki – został przywrócony.

Tej nocy spał źle. Długo wpatrywał się w ciemność i rozmyślał o włosach Gilly – ich cudownym, wyzywającym odcieniu, plasującym się gdzieś pomiędzy jesiennym liściem a marchewką – potem o czerwonej smudze osypiska ponad popieliskiem i o głosie Zetha szepczącym: „Mogę poczekać" i „Jużeś trup", aż w końcu musiał wstać i wyjąć czerwony, flanelowy talizman Joego z plecaka, w którym go zazwyczaj przechowywał. Chwycił amulet w mocnym uścisku – kawałek szmatki znoszony i wybłyszczony po trzech latach miętoszenia w dłoniach – i od razu poczuł się lepiej.

Bać się? A czemuż miałby się bać!

Przecież ostatecznie magia była po jego stronie.

27

Lansquenet, marzec 1999

Przez te wszystkie lata bardzo polubiłam Jaya. Razem dojrzewaliśmy i pod wieloma względami jesteśmy do siebie podobni. O wiele bardziej skomplikowani, niżby się to mogło wydawać na pierwszy rzut oka. Dla niewyrafinowanowanego podniebienia mamy zbyt kwaśny posmak i zbyt bogaty bukiet, by wyczuć prawdziwe aromaty głębszych uczuć. Proszę wybaczyć, jeżeli staję się zbyt pretensjonalna wraz z wiekiem, ale właśnie tak samotność wpływa na wino, a dalekie podróże i niezbyt delikatne traktowanie nie poprawiają tego stanu. Niektóre rzeczy nie powinny znajdować się zbyt długo w zamknięciu.

Natomiast gdy chodzi o Jaya, sprawy mają się, oczywiście, nieco inaczej. Jayem bowiem rządzi gniew.

Nie pamięta już czasów, kiedy nie pożerało go to uczucie. Najpierw wściekał się na rodziców. Potem na szkołę. I na samego siebie. A także – i może przede wszystkim – na Joego. Joego, który zniknął bez ostrzeżenia, bez żadnego namacalnego powodu, zostawiając po sobie jedynie paczkę nasion, niczym stwór z jakiejś groteskowej baśni. Ten gniew Jaya – to destruktywny czynnik. Destruktywny dla ducha – jego i mojego. „Specjały" doskonale to czuły. Pozostałe cztery butelki, ustawione na stole, czekały na rozwój wydarzeń w pokornym, złowrogim milczeniu, z brzuchami wypełnionymi czarnym ogniem.

Gdy Jay zbudził się następnego ranka, Joe wciąż był obok. Siedział przy stole pochylony nad kubkiem herbaty, wsparty łokciami o stół, w czapce na bakier i wąskimi okularami do czytania zsuniętymi na czubek nosa. Promień słoneczny naznaczony smugą kurzu przedarł się przez szczelinę w okiennicy i wyzłocił jedno z jego ramion do stanu niemal niewidzialności. Joe zdawał się utkany z tej samej ulotnej materii co napój wypełniający jego butelki; gdy światło padało wprost na niego, byłam w stanie przeszyć go na wskroś, chociaż Jayowi zdawał się stuprocentowo namacalny, gdy tak siedział wyprostowany, przemieszczając się pomiędzy jednym a drugim marzeniem.

– Dzień dobry – powiedział starszy pan.

– Teraz już nie mam wątpliwości, co się dzieje – stwierdził Jay. – Popadam w szaleństwo.

Joe uśmiechnął się szeroko.

– Zawsze byłeś lekko szurnięty – zawyrokował. – Cóżeż cię opętało, by rozrzucać te nasiona wzdłuż linii kolejowej! Miałeś je starannie przechować. Skorzystać z nich w należyty sposób. Gdybyś był tak uczynił, nie wydarzyłoby się nic, czego byś sam sobie nie życzył.

– Co chcesz przez to powiedzieć?

Joe zignorował jego pytanie.

– Wiesz, pod tą kładką wciąż się przepięknie rozwija *tuberosa rosifea*. To już pewnie ostatnie miejsce na ziemi, gdzie można by zebrać tak zacne plony. Kiedyś powinieneś pojechać i zobaczyć to na własne oczy. A potem zrobić sobie z nich wino.

– Co to znaczy „skorzystać w należyty sposób"? To były jedynie nasiona.

– Jedynie nasiona? – Joe potrząsnął głową w geście rozdrażnienia. – I ty tak mówisz, po tym wszystkim, czego cię uczyłem? Te „tubery" to były „Specjały", kładłem ci to w głowę po wielokroć. Nawet napisałem o tym na opakowaniu.

– Ja nie dojrzałem w nich nic szczególnego – oznajmił Jay, wciągając dżinsy.

– Tyś pewien? Więc powiem ci coś, chłopcze. Włożyłem kilka nasion „tuber" do każdej jednej butelki mojego wina. Każdej jednej bez wyjątku, wyprodukowanej od czasu, gdy przywiozłem owe nasiona z Ameryki Południowej. Zabrało mi pięć lat, by odpowiednio przygotować glebę. Powiadam ci...

– Daruj sobie – przerwał mu Jay ostrym głosem. – Ty nigdy nie byłeś w Ameryce Południowej. Bardzo byłbym zdziwiony, gdyby się okazało, że zawędrowałeś chociażby do południowego Yorkshire.

Joe zaśmiał się głośno i wyjął z kieszeni paczkę playersów.

– Może być, że nie, chłopcze – przyznał lekkim tonem, zapalając papierosa. – Ale tak czy owak, wszystko to widziałem. Widziałem na własne oczy wszystkie te miejsca, o których ci opowiadałem.

– Akurat, widziałeś.

Joe potrząsnął nostalgicznie głową.

– Podróż astralna, chłopcze. Astralna wędrówka. Bo jak inaczej, według ciebie, mógłbym tego dokonać, jeżeli połowę swego pioruńskiego życia spędziłem pod ziemią?

Głos Joego niemal pobrzmiewał gniewem. Jay z utęsknieniem spojrzał na papierosa w jego dłoni. Wydzielał taki zapach, jak palący się papier w noc obrzędów świętojańskich.

– Nie wierzę w coś takiego, jak podróże astralne.

– Więc jak, w takim razie, zamierzasz wyjaśnić sobie moją tu obecność?

Noc świętojańska, lukrecja, smażony tłuszcz, dym i Abba śpiewająca „The Name of the Game" – numer jeden na liście przebojów przez cały tamten miesiąc. Wtedy przesiedział mnóstwo czasu w dormitorium, paląc papierosy – nie dlatego, że sprawiało mu to jakąś niezwykłą przyjemność, ale dlatego, że było zakazane. Joe nie przysłał mu żadnego listu. Ani kartki. Czy choćby nowego adresu.

– Ciebie tutaj wcale nie ma. A poza tym nie mam ochoty na podobne rozmowy.

Joe wzruszył ramionami.

– Zawsze był z ciebie uparty osioł. I do tego wciąż zgłodniały wyjaśnień. Nigdy nie umiałeś przyjmować rzeczy, jakimi są. Musiałeś wiedzieć, skąd się biorą i dlaczego.

Zapadła cisza. Jay zabrał się za zawiązywanie butów.

– Pamiętasz Romów, co onegdaj przechytrzyli wodomierz w Nether Edge?

Jay momentalnie podniósł wzrok.

– Pamiętam.

– Udało ci się kiedykolwiek zmiarkować, jak oni to zrobili?

Jay przecząco pokręcił głową.

– Alchemia. Tak mi powiedziałeś.

Joe uśmiechnął się szeroko.

– Alchemia dla laika – mówiąc to, znowu zapalił playersa z bardzo zadowoloną z siebie miną. – Widzisz, oni zrobili sobie formy w kształcie pięćdziesięciopensówek. A potem zalewali je wodą i mrozili. A te głupki z magistratu pomyślały, że pieniądze wyparowały.

Wybuchnął niepohamowanym śmiechem.

– Tak naprawdę było w tym wiele racji, hę?

28

Nether Edge, lato 1977

Jay wybrał się do Edge z talizmanem Joego spoczywającym w kieszeni. Słońce okrywała mgła – jak zazwyczaj tego lata – ale niebo było rozżarzone i blade, drenujące powietrze z tlenu, a krajobraz z koloru. Pola, drzewa, kwiaty – wszystko nabrało odcienia szarości, jak obraz na ekranie przenośnego czarno-białego telewizora Maggie. Tuż nad Nether Edge prześwitywała niewielka zamazana plama jasności niczym mrugające światło. Być może ostrzegawcze.

Tego dnia Gilly nosiła na sobie szorty z obciętych dżinsów i pasiasty T-shirt. Włosy związała do tyłu kawałkiem czerwonej wstążki. Jadła lody sorbetowe i miała język czarny od lukrecji.

– Nie byłam pewna, czy się w końcu zdecydujesz – oznajmiła.

Jay pomyślał o talizmanie w kieszeni i wzruszył ramionami. Przecież są bezpieczni, powiedział sobie. Bezpieczni. Chronieni. Niewidzialni dla wrogich oczu. Ostatecznie magia działała już tak wiele razy.

– A czemu miałbym się nie zdecydować?

Gilly wzruszyła ramionami.

– Mają tam coś w rodzaju kryjówki – powiedziała, wskazując głową w stronę kanału. – Jakiś domek na drzewie, gdzie trzymają wszystkie swoje rzeczy. Kilka razy widziałam, jak tam wchodzili. Idź tam, jeżeli nie jesteś tchórzem.

– Ja się nie bawię w dziecinne wyzwania – oznajmił Jay.

Gilly posłała mu kpiący uśmieszek.

– Ich tam nie będzie – przekonywała. – O tej porze wciąż urzędują w miasteczku, podkradają różne rzeczy na bazarze. To tylko jakiś głupi domek na drzewie, Jay. Jeżeli nie jesteś tchórzem, to tam pójdziesz.

W jej oczach błyskały łobuzerskie ogniki – zielone, kocie, odbijające bezbarwną jasność nieba. Skończyła swoje lody i wrzuciła efektownym łukiem opakowanie do kanału. W ustach wciąż jednak trzymała kawałek lukrecji, niczym dopalające się cygaro.

`–No, chyba nie jesteś cykor – rzuciła, całkiem nieźle naśladując ton Lee Marvina.

– No dobra. To chodźmy.

Znaleźli kryjówkę w pobliżu śluzy. Nie był to podniebny domek, ale niewielka szopa sklecona z materiałów znalezionych na wysypisku: tektury falistej, kawałków papy i włókna szklanego. Miała okna z płacht plastiku i drzwi najwyraźniej będące kiedyś drzwiami jakiejś starej altany. Miejsce wyglądało na opuszczone.

– No już – poganiała go Gilly. – Ja stanę na czatach.

Jay zawahał się przez moment. Gilly wyszczerzyła zęby w zuchwałym uśmiechu; teraz jej twarz wydawała się tylko jednym gigantycznym piegiem. Gdy spojrzał na nią, poczuł lekki zawrót głowy.

– Pospiesz się, dobra? – przynagliła.

Łapiąc za talizman w kieszeni, Jay zdecydowanie ruszył w stronę szopy, która okazała się większa, niż mogłoby się wydawać, gdy patrzyło się na nią ze ścieżki. Pomimo dziwacznej konstrukcji była całkiem solidna zaś na drzwiach wisiała potężna, ciężka kłódka, prawdopodobnie pochodząca z czyjejś piwnicy na węgiel.

– Spróbuj przez okno – powiedziała Gilly za jego plecami. Jay gwałtownie obrócił się do tyłu.

– Zdawało mi się, że miałaś stać na czatach!

Gilly wzruszyła ramionami.

– Och, przecież tutaj nie ma żywej duszy – rzuciła. – No już, spróbuj tam wejść przez okno.

Okno było akurat tak duże, że udało mu się przez nie wpełznąć. Gilly odciągnęła plastik i Jay wcisnął się do środka. Wewnątrz panowały ciemności i unosił się kwaśny zapach ziemi oraz zatęchłego dymu tytoniowego. Ponad paroma skrzynkami leżał stos koców. Stało pudełko z wycinkami prasowymi. Na ścianie wisiał plakat z oślimi uszami wycięty z jakiegoś pisma dla dziewczyn. Gilly wsunęła głowę w okno.

– Coś ciekawego? – spytała impertynenckim tonem.

Jay pokręcił głową. Zaczynał się tam czuć bardzo nieswojo i oczami wyobraźni widział już siebie złapanego w potrzask tej szopy przez Zetha i jego kumpli.

– Zajrzyj do skrzynek – zarządziła Gilly. – To tam trzymają swoje rzeczy. Czasopisma i fajki, wszystko, co podwędzą.

Jay przesunął jedną ze skrzynek. Na ziemię posypały się rozmaite śmieci: przybory do makijażu, puste butelki po lemoniadzie, komiksy. Poobijane radio tranzystorowe i słodycze w szklanym słoiku. Papierowa torba pełna petard i rac. Ze dwa tuziny jednorazowych zapalniczek Bica. Cztery nienapoczęte paczki playersów.

– Zabierz coś – rozkazała Gilly. – Zabierz im coś. Tak czy owak, wszystko to jest kradzione.

Jay podniósł pudełko z wycinkami prasowymi. Raczej bez większego przekonania rozsypał je po klepisku szopy. Potem zrobił to samo z czasopismami.

– Weź fajki – ponaglała Gilly. – I zapalniczki. Damy je Joemu.

Jay spojrzał na nią z zakłopotaniem, ale myśl o tym, że zacznie nim pogardzać, stała się dla niego nie do zniesienia. Wpakował więc do kieszeni papierosy i zapalniczki, a potem, na wyraźne żądanie Gilly, także słodycze i petardy. Podniecony jej entuzjazmem zdarł ze ściany plakat, podeptał płyty gramofonowe i porozbijał słoiki. Mając żywo w pamięci, jak Zeth zniszczył jego radio, zabrał także tranzystor, tłumacząc sobie, że mu się on święcie należy. Potem porozrzucał dookoła przybory do makijażu, zdeptał pod butami szminki do ust i rozbił pudełko z pudrem o ścianę. Gilly przyglądała się temu wszystkiemu i zaśmiewała na całe gardło.

– Szkoda, że nie możemy zobaczyć ich min, jak tu wrócą – wykrztusiła. – Gdybyśmy tylko mogli to zobaczyć.

– Ale nie możemy – przypomniał jej Jay, szybko wypełzając z szopy. – Chodź, zbierajmy się stąd, zanim wrócą.

Złapał ją za rękę i zaczął ciągnąć za sobą z całych sił w górę ścieżki prowadzącej do popieliska. Teraz nagle wszystko przewracało mu się w żołądku na myśl o tym, co zrobili. Jednak nie było to całkiem niemiłe uczucie i już po chwili oboje wybuchnęli nieokiełzanym śmiechem, jakby w upojeniu, przywierając do siebie, gdy tak się pięli ścieżką.

– Och, jak żałuję, że nie mogę zobaczyć miny Glendy – wyrzuciła z siebie Gilly. – Następnym razem musimy zabrać ze sobą aparat fotograficzny, żeby mieć pamiątkę na wieczne czasy.

– Następnym razem? – Ta myśl sprawiła, że śmiech zamarł mu na ustach.

– Oczywiście – powiedziała to w najbardziej naturalny sposób. – Wygraliśmy pierwsze starcie. Teraz nie możemy tego tak po prostu zostawić.

Podejrzewał, że w tym momencie powinien jej powiedzieć: „Gilly, na tym już koniec. To zbyt niebezpieczne”. Jednak ją pociągało właśnie to niebezpieczeństwo, a on był zbyt upojony jej podziwem, by wyrazić na głos swoje obawy. To spojrzenie jej oczu...

– Czego się na mnie gapisz? – spytała wojowniczo.

– Wcale się nie gapię.

– Właśnie że się gapisz.

Jay uśmiechnął się szeroko.

– Gapię się na wielkiego, olbrzymiego skorka, który przed momentem spadł z tych krzaków na twoje włosy.

– Sukinsyn! – wrzasnęła Gilly, gorączkowo potrząsając głową.

– Poczekaj! Już go mam – oznajmił, wciskając kostki palców w czubek jej głowy.

Gilly silnie kopnęła go w kostkę. A więc wrócili do normalności.

Przynajmniej na chwilę.

29

Lansquenet, marzec 1999

Pierwszą rzeczą, którą Jay zrobił następnego dnia, było udanie się na poszukiwania najbliższego przedsiębiorstwa budowlanego. Dom wymagał rozlicznych napraw i choć część z nich Jay zapewne mógł wykonać sam, większość prac powinien jednak powierzyć odpowiednim fachowcom. Miał szczęście znaleźć taki zakład na miejscu. Był pewien, że ściągnięcie ekipy z Agen kosztowałoby go dużo więcej. Przedsiębiorstwo było całkiem spore i zajmowało znaczny obszar. Na tyłach zgromadzono wiele drewna w sągach. Wzdłuż ścian stały ramy okienne i ościeżnice drzwiowe. Główny warsztat mieścił się w odpowiednio przebudowanym, niskim budynku gospodarskim. Powieszony nad drzwiami szyld głosił: CLAIRMONT – MEUNUISERIE--PANNEAUX-CONSTRUCTION.

Nieopodal drzwi leżały też fragmenty niedokończonych mebli, elementy ogrodzeń, kawały betonu, kafelki oraz dachówki. Nazwisko głównego majstra brzmiało Georges Clairmont. Był to niski, przysadzisty mężczyzna ze smętnie opadającymi wąsami, w białej koszuli gdzieniegdzie poszarzałej od potu. Mówił z silnym miejscowym akcentem, ale powoli, z namysłem, i to dawało Jayowi czas na zrozumienie jego słów. Okazało się, że w taki czy inny sposób wszyscy w Lansquenet już się dowiedzieli o jego pojawieniu w wiosce. Jay podejrzewał, że to za sprawą Joséphine. Robotnicy zatrudnieni przez Clairmonta – czterech mężczyzn w ubabranych farbą kombinezonach i z czapkami naciśniętymi na oczy dla ochrony od słońca – przyglądało mu się z zaciekawieniem, gdy przechodził przez podwórze. Z szybkiej wymiany słów w miejscowym dialekcie zdołał wyłapać słowo *Anglishe*. Praca, możliwość zarabiania pieniędzy – były ograniczonymi dobrami w wiosce. Każdy chciał uczestniczyć w renowacji Château Foudouin. Clairmont zaczął wymachiwać rękami, kiedy cztery pary oczu odprowadzały Jaya w stronę składowiska drewna.

– Do pracy, eh, natychmiast z powrotem do pracy!

Jay pochwycił wzrok jednego z robotników – mężczyzny o rudych włosach podtrzymywanych do tyłu bandaną – i uśmiechnął się szeroko. Rudzielec odpowiedział mu uśmiechem, zasłaniając dłonią połowę twarzy, by skryć jej wyraz przed Clairmontem. Zaraz potem Jay postąpił za majstrem w stronę biura.

Było to duże, przyjemnie chłodne pomieszczenie, przywodzące na myśl hangar. Niewielki stolik ustawiony w pobliżu drzwi służył za biurko – uginał się pod papierami, segregatorami i telefonem z faksem. Tuż obok telefonu stała butelka wina i dwie małe szklaneczki. Clairmont napełnił je trunkiem, po czym jedną z nich wręczył Jayowi.

– Dziękuję.

Wino było ciemnoczerwone, niemal czarne, o niezwykle bogatym bukiecie. Smakowało doskonale i Jay nie omieszkał o tym wspomnieć.

– Takie właśnie być powinno – stwierdził Clairmont. – Jest produktem naszej ziemi. Uprzedni właściciel pańskiej posiadłości, Foudouin, był doskonałym producentem wina. Hodował świetne winogrona na dobrej, żyznej glebie.

– Przypuszczam, że zechce pan przysłać kogoś na oględziny budynku – oznajmił Jay.

Clairmont wzruszył ramionami.

– Dobrze znam ten dom. Ostatni raz byłem tam nie dalej, jak w zeszłym miesiącu. Nawet przygotowałem drobny kosztorys.

Spostrzegł zaskoczenie Jaya i uśmiechnął się szeroko.

– Zabrała się za pracę już w grudniu – oznajmił. – Podmalowała co nieco, otynkowała. Taka była pewna swojej umowy ze starym.

– Marise d'Api?

– A któż by inny? Ale on potem ubił interes ze swoim bratankiem. Stały dochód – sto tysięcy franków rocznie aż do śmierci – za prawa do domu i gruntów. Był już za stary, by pracować. I zbyt uparty, by opuścić swój dom. A nikt inny nie chciał tej posiadłości – tylko ona. W dzisiejszych czasach nie ma już pieniędzy z uprawy ziemi, ale gdy idzie o dom, to ho-ho! – Clairmont wzruszył wymownie ramionami. – Tyle że z nią sprawy mają się inaczej. Jest uparta. Miała na oku tę ziemię już od lat. Czekała przyczajona. Niekiedy uszczknęła kęsek tu czy tam. Ale na niewiele jej się to zdało, a? – Clairmont wybuchnął swoim charakterystycznym krótkim, rytmicznym śmiechem. – Powiedziała, że nigdy nie zleci mi żadnych robót. Przywiezie majstra z miasta, a nie będzie nic dłużna nikomu z wioski. Chociaż wiadomo, że większość i tak chciałaby zrobić sama – mówiąc to, potarł kciukiem o środkowy palec w wymownym geście. – Nie ma za wiele oszczędności – wyjaśnił, wychylając do końca wino. – Niczego nie ma za wiele.

– Sądzę, że powinienem zaoferować jej jakąś rekompensatę pieniężną – stwierdził Jay.

– A czemuż to? – Clairmont wyglądał na rozbawionego.

– No cóż, jeżeli poniosła jakieś nakłady...

Clairmont zarechotał chrapliwie.

– Rekompensatę pieniężną! O ile znam życie, ona rabowała to miejsce. Niech się pan przyjrzy swoim ogrodzeniom, swoim żywopłotom. Wtedy zobaczy pan, jak zostały poprzesuwane. kilkanaście metrów tutaj, kilka metrów ówdzie. Podgryza pańską ziemię niczym zgłodniały szczur. Robiła tak przez wiele lat, gdy wydawało jej się, że stary tego nie zauważa, a potem, kiedy umarł... – Clairmont ponownie wzruszył wymownie ramionami. – Aaa, monsieur Mackintosh, ona to chodząca trucizna, prawdziwa żmija. Znałem jej męża biedaczynę i chociaż nigdy się na nią nie uskarżał, chcąc nie chcąc, słyszałem to i owo.

I znowu to szczególne wzruszenie ramion – filozoficzne i zdecydowane zarazem.

– Niech jej pan nic nie daje, monsieur Mackintosh. Proszę przyjść do mnie dzisiejszego wieczoru. Pozna pan moją żonę. Zjemy razem obiad i będziemy mogli omówić pańskie plany względem posiadłości Foudouin. Z tego domu można zrobić cudowne wakacyjne miejsce, monsieur. Kiedy się jest gotowym zainwestować, nie ma rzeczy niemożliwych. Ogród można całkowicie przeprojektować, wymienić wszystkie rośliny. Odbudować sad. Dodać basen. Pociągnąć ścieżki, jak w willach w Juan les Pins. Zainstalować fontanny. – Oczy Clairmonta płonęły ogniem zaangażowania.

Jay odparł na to ostrożnym głosem:

– Cóż, prawdę mówiąc, nie planowałem niczego poza najpotrzebniejszymi pracami renowacyjnymi.

– Oczywiście, oczywiście. Ale na resztę też przyjdzie czas, eh? – Poklepał Jaya przyjacielsko po ramieniu. – Mój dom stoi tuż obok głównego placu. Rue des Francs Bourgeois. Numer cztery. Moja żona marzy o tym, by pana poznać – jest pan teraz sławną osobistością w naszej wiosce. Będzie uszczęśliwiona, jeżeli zechce pan przyjąć nasze zaproszenie – jego uśmiech na wpół proszący, a na wpół pożądliwy był dziwnie zaraźliwy. – Proszę koniecznie zjeść z nami obiad. Spróbować *gésiers farcis* w wykonaniu mojej żony. Caro wie o wszystkim, co się dzieje w okolicy. Doskonale zna Lansquenet.

Jay oczekiwał prostego posiłku. Codziennej strawy w towarzystwie majstra budowlanego i jego żony – małej i nijakiej, w fartuchu, chustce na głowie lub o słodkiej różowej twarzy z jasnymi ptasimi oczami jak Joséphine z kawiarni. Z początku wszyscy zapewne będą czuć zażenowanie i mówić niewiele, żona rozleje zupę do fajansowych misek i z rumieńcami na twarzy zacznie wysłuchiwać komplementów. Potem na stole zjawi się tarta domowej roboty, czerwone wino, oliwki, a także ostre papryczki w zalewie z oliwy przyprawianej ziołami. A nazajutrz majster i jego żona opowiedzą wszystkim sąsiadom, że ten nowy Anglik okazał się *un mec sympathique, pas du tout pretentieux*, i w ten sposób wkrótce cała społeczność przyjmie go życzliwie na swoje łono.

Rzeczywistość jednak okazała się zupełnie inna.

Drzwi otwarła mu pulchna, elegancka pani, w gustownym bliźniaczku i szpilkach o kolorze pudrowego błękitu, która na jego widok wydała okrzyk radości. Jej mąż, wyglądający jeszcze żałobniej niż zazwyczaj, w ciemnym garniturze i pod krawatem, pomachał mu ponad ramieniem żony. Z głębi domu dochodziła muzyka i odgłosy rozmowy, a ostentacyjność wnętrza, które dojrzał kątem oka sprawiła, że aż zamrugał z wrażenia.

W czarnych dżinsach i T-shircie pod prostą czarną marynarką poczuł się nagle nadzwyczaj niestosownie.

Poza Jayem u Clairmontów była jeszcze trójka gości. Pani domu – Caroline – przedstawiła ich, rozdając jednocześnie drinki: „Nasi przyjaciele, Toinette i Lucien Merle oraz Jessica Mornay, właścicielka butiku w Agen", wciskając policzek w policzek Jaya, a koktajl na szampanie w jego wolną dłoń.

– Tak bardzo pragnęliśmy pana poznać, monsieur Mackintosh... A może mogę mówić ci Jay?

Gdy chciał już kiwnąć głową, został siłą wciśnięty w fotel.

– Oczywiście, musisz się zwracać do mnie per Caro. To tak cudownie mieć w wiosce kogoś nowego – kogoś kulturalnego – bo przecież kultura jest taka istotna, nieprawdaż?

– Och, tak – westchnęła Jessica Mornay, wpijając mu w ramię czerwone paznokcie, dużo za długie, by mogły być naturalne. – To znaczy, Lansquenet jest cudownie nieskażone cywilizacją, jednak niekiedy wykształcony człowiek tęskni za czymś więcej. Jay, musisz nam o sobie opowiedzieć. Georges powiedział, że jesteś pisarzem.

Jay uwolnił z uścisku swe ramię, po czym z rezygnacją poddał się nieuniknionemu. Zaczął odpowiadać na niezliczone pytania. Czy jest żonaty? Nie? Ale zapewne ma kogoś na stałe? Jessica błysnęła zębami, po czym przysunęła się bliżej. By odciągnąć jej uwagę od własnej osoby, zaczął wykazywać zainteresowanie banałami. Merle'owie, drobni i eleganccy w identycznych kaszmirowych swetrach, pochodzili z północy. On był kupcem win i pracował dla jakiejś niemieckiej firmy handlowej. Toinette pracowała dla lokalnej gazety. Jessica natomiast stanowiła filar miejscowego teatru amatorskiego – „Antygona w jej wykonaniu to był doprawdy *majstersztyk*” – a czy Jay pisze coś również dla teatru?

Streścił im fabułę „Ziemniaczanego Joe”, o którym każdy słyszał, ale nikt nie czytał. Potem wywołał piski podniecenia u Caro, gdy oznajmił, że właśnie rozpoczął pisanie nowej powieści. Kuchnia Caro, podobnie jak jej dom, była pełna ozdobników; Jay pochwalił *soufflé au champagne* i *vol-au-vents*, jak również *gésiers farcis* i *boeuf en croute* – w cichości ducha jednak tęsknił do domowej tarty i oliwek, wytworów własnej fantazji. Delikatnie zniechęcał Jessicę Mornay do coraz to śmielszych zalotów. Był umiarkowanie dowcipny i rozmowny. Przyjął z wdziękiem wiele niezasłużonych komplementów na temat swojego *français superbe*. Po obiedzie dopadł go ból głowy, który bez powodzenia próbował przytępić alkoholem. Coraz trudniej było mu się skoncentrować na bardzo szybkiej francuszczyźnie pozostałych. W ten sposób całe partie rozmowy przepływały obok niego niczym gonione wiatrem obłoki. Na szczęście pani domu należała do osób nadzwyczaj gadatliwych – i do tego egocentrycznych – tak że w naturalny sposób przyjmowała jego milczenie za oznakę ekstatycznego zainteresowania.

Zanim posiłek dobiegł końca, zrobiła się niemal północ. Przy ptifurkach i kawie ból głowy zelżał nieco i Jay mógł ponownie przyłączyć się do konwersacji. Clairmont, z poluzowanym krawatem i spoconą, pokrytą plamami twarzą, oznajmił:

– Nie ma co ukrywać, że już czas najwyższy, by Lansquenet zaistniało wreszcie w świadomości ludzi, eh? Moglibyśmy odnieść podobny sukces jak pobliskie Le Pinot, gdybyśmy się tylko odpowiednio zorganizowali.

Caro pokiwała potakująco głową. Jay rozumiał ją o wiele lepiej niż jej męża, którego akcent stawał się coraz dziwniejszy wraz z ilością opróżnionych kieliszków wina. Siedziała naprzeciwko, na poręczy fotela, ze skrzyżowanymi nogami i papierosem w dłoni.

– Jestem pewna, że teraz, gdy Jay przyłączył się do naszej małej społeczności – mówiąc to, uśmiechnęła się szeroko poprzez dym – wszystko nagle ruszy z miejsca. Zmieni się atmosfera. Ludzie zaczną dążyć do rozwoju. Bóg wie, że poświęciłam naszej miejscowości nadzwyczaj wiele pracy – udzielałam się i w kościele, i w teatrze, i w towarzystwie literackim. Jestem pewna, że wkrótce Jay zechce wygłosić pogadankę dla naszego kółka pisarskiego.

Jay uśmiechnął się niezobowiązująco.

– Jestem pewna, że tak! – wykrzyknęła promiennie Caro, jak gdyby Jay już ją o tym solennie zapewnił. – Uosabiasz to, czego Lansquenet potrzebuje najbardziej: powiew świeżego powietrza. Nie chciałbyś chyba, żeby ludzie pomyśleli sobie, że zatrzymujemy cię tylko dla siebie?

Wybuchnęła śmiechem, a Jessica zawtórowała jej zgłodniałym chichotem. Merle'owie trącili się porozumiewawczo z wyrazem zadowolenia na twarzy. Jay nabrał nagle dziwnego przekonania, że ten cały wystawny obiad był jedynie marginalnym pretekstem do spotkania, na którym – pomimo koktajli z szampana, mrożonego Sauternes i *fois gras* – to on miał stanowić główne danie wieczoru.

– Ale czemu przyjechałeś właśnie do Lansquenet? – zainteresowała się Jessica, pochylając się w przód i mrużąc swoje podłużne, niebieskie oczy w chmurze papierosowego dymu. – Jestem pewna, że o wiele lepiej czułbyś się w jakiejś większej miejscowości. Może w Agen, a nawet bardziej na południe, w Tuluzie?

Jay potrząsnął głową.

– Jestem zmęczony dużymi miastami – oznajmił. – Tę posiadłość kupiłem pod wpływem impulsu.

– Ach – wykrzyknęła Caro. – Artystyczny temperament!

– Bo zapragnąłem znaleźć się w jakimś cichym miejscu, z dala od miasta.

Clairmont potrząsnął głową.

– Taaak. To rzeczywiście bardzo ciche miejsce – stwierdził. – Dla nas aż nazbyt ciche. Ceny domów i ziemi sięgnęły już dna, tymczasem w Le Pinot, zaledwie czterdzieści kilometrów stąd...

Jego żona wyjaśniła natychmiast, że Le Pinot to wioska nad Garonną, którą upodobali sobie zagraniczni turyści.

– Georges ma stamtąd wiele zleceń, prawda, Georges? Ostatnio pewnej uroczej angielskiej parze zainstalował basen i pomagał w renowacji tego starego domu przy kościele. Och, gdybyśmy tylko my umieli wzbudzić takie zainteresowanie naszym Lansquenet.

Turyści. Baseny. Sklepy z pamiątkami. Bary serwujące hamburgery. Całkowity brak entuzjazmu musiał się jasno rysować na twarzy Jaya, ponieważ Caro kuksnęła go figlarnie w bok.

– Widzę, że z naszego monsieur Mackintosha prawdziwy romantyk, Jessico! Kocha osobliwe małe dróżki, winnice i samotne domy na pustkowiu. Jakże to angielskie!

Jay uśmiechnął się i pokiwał głową na znak, że rzeczywiście jego ekscentryczność była *tout à fait anglais*.

– Ale nasza społeczność, eh, my musimy dążyć do rozwoju. – Clairmont był pijany i bardzo poważny. – Potrzeba nam inwestycji. Pieniędzy. Teraz już nie można wyżyć z uprawy ziemi. Nasi farmerzy w tej chwili z ledwością wiążą koniec z końcem. Obecnie praca jest tylko w miastach. Młodzi stąd uciekają. Pozostają jedynie starzy ludzie i szemrany element: włóczęgi, *pied-noirs*. Ale ludzie nie chcą tego zrozumieć. Musimy iść naprzód lub przepaść z kretesem. Pójść za postępem bądź zginąć.

Caro pokiwała głową.

– Tutaj jednak jest zbyt wiele osób, które nie potrafią patrzeć perspektywicznie – mówiąc to, zmarszczyła brew. – Nie zgadzają się sprzedawać swojej ziemi pod nowe inwestycje, nawet jeżeli nie ulega wątpliwości, że sami z niej nie wyżyją. Kiedy zgodnie z planem urbanizacyjnym mieliśmy budować nowe *Intermarché* na końcu głównej ulicy, protestowali tak długo, aż inwestycję przeniesiono do Le Pinot. Tymczasem zaledwie dwadzieścia lat temu Le Pinot było dokładnie takie samo jak Lansquenet. Ale teraz...

Le Pinot stanowiło lokalny synonim sukcesu. Wioska złożona z trzystu dusz wybiła się ponad przeciętną dzięki przedsiębiorczej parze z Paryża – małżeństwu, które wykupiło i odnowiło kilka starych posiadłości z przeznaczeniem na domy letniskowe. Dzięki mocnemu funtowi i kilku doskonałym kontaktom w Londynie udało się im sprzedać bądź wynająć te domy bogatym angielskim turystom, i tak powoli ustaliła się pewna tradycja. Lokalna społeczność wkrótce spostrzegła drzemiący w turystyce potencjał. Zaczęli zakładać interesy mające służyć nowemu boomowi. W ten sposób otwarło się parę nowych kawiarni, a wkrótce potem kilka pensjonatów. Nieco później pojawił się cały wachlarz sklepów wyspecjalizowanych w sprzedaży luksusowych dóbr dla tłumu urlopowiczów, oraz restauracja notowana w przewodniku Michelina i niewielki, ale luksusowy hotel z siłownią i krytym basenem. Przeszłość wioski i okolicy została dokładnie przeczesana w poszukiwaniu interesujących wydarzeń, dzięki czemu niczym nie wyróżniający się kościół – na skutek połączenia folkloru z pobożnymi życzeniami – stał się miejscem o szczególnej historycznej wartości. Do tego całkiem niedawno w Le Pinot nakręcono telewizyjną wersję „Clochemerle" i po tym już nie sposób było zatrzymać postęp i rozkwit wioski. *Intermarché* o krótki spacer od centrum. Klub jeździecki. Letnie luksusowe domy wzdłuż rzeki. I jeszcze teraz, jakby tego wszystkiego było mało, pięć kilometrów od Le Pinot miało powstać *Aquadome* i ośrodek odnowy biologicznej, które zapewne ściągną kapitał nie tylko z Agen, ale i odleglejszych miejsc.

Caro zdawała się osobiście dotknięta sukcesem Le Pinot.

– Przecież równie dobrze mogłoby to być Lansquenet – jęknęła żałośnie, biorąc w rękę ptifurkę. – Nasza wioska jest tak samo dobra, jak tamta. Nasz kościół jest prawdziwie czternastowieczny. W Les Marauds mamy ruiny najautentyczniejszego rzymskiego akweduktu. Równie dobrze to my mogliśmy odnieść sukces. A tymczasem odwiedzają nas jedynie robotnicy sezonowi i Cyganie zakładający obóz nad rzeką. – Wojowniczo wbiła zęby w ptifurkę.

Jessica przytaknęła jej skinieniem głowy.

– To za sprawą miejscowych. Nie mają żadnych ambicji. Wydaje im się, że mogą żyć dokładnie tak samo, jak ich dziadowie.

Sukces, jaki odniosło Le Pinot – o ile dobrze zrozumiał Jay – spowodował, że produkcja gatunku winogron, od których miejscowość wzięła swoją nazwę, całkowicie zanikła.

– Twoja sąsiadka jest doskonałym przykładem takiego anachronicznego myślenia. – Pod różową szminką usta Caro rozciągnęły się w wąską kreskę. – Uprawia ponad połowę areału stąd aż do Les Marauds, a i tak jej dochód z produkcji wina ledwo wystarcza na podstawową egzystencję. Przez cały rok żyje w tym swoim domu niczym ślimak w skorupie, nigdy nie wymienia z nikim życzliwego słowa. A to biedne dziecko żyjące wraz z nią w zamknięciu...

Toinette i Jessica przytaknęły jej skinieniem głowy, natomiast Clairmont dolał wszystkim kawy.

– Dziecko? – Jay nie mógł sobie jakoś wyobrazić Marise d'Api w roli matki.

– Tak. Dziewczynka. Ale nikt jej w zasadzie nie widuje. Nie chodzi do szkoły. Nigdy nie pojawiają się w kościele. Próbowaliśmy to zmienić... – Caro wykrzywiła twarz w grymasie – ...ale grad wyzwisk, którymi zasypała nas Marise, uznaliśmy za dość odrażający.

Pozostałe kobiety wydały pomruk zgody. Jessica przysunęła się bliżej Jaya, tak że poczuł zapach perfum – o ile mu się zdawało było to Poison – płynący od jej obciętych do ramion włosów.

– To dziecko miałoby o wiele lepiej, gdyby było z babcią – oznajmiła Toinette z emfazą. – Przynajmniej doświadczyłoby odpowiedniej dozy miłości. Mireille uwielbiała Tony'ego.

Tony, jak wyjaśniła Caro, był mężem Marise.

– Ale ona nigdy nie powierzy jej swojego dziecka – stwierdziła Jessica. – Myślę, że trzyma córkę tak kurczowo przy sobie tylko dlatego, iż wie, jak bardzo rani tym Mireille. I, oczywiście, żyjemy na zbyt głębokiej prowincji, by ktokolwiek poważnie zainteresował się słowami jakiejś starej kobiety.

– Podobno to był wypadek – stwierdziła Caro ponuro. – To znaczy, przecież oni musieli tak utrzymywać, prawda? Nawet Mireille zgodziła się grać tę komedię ze względu na formalności pogrzebowe. Oznajmiła, że broń sama wypaliła, bo nabój wciąż znajdował się w komorze. Ale i tak każdy wie, że doprowadziła go do tego ta kobieta. Jedynie nie pociągnęła za cyngiel. Wierzę, że jest do wszystkiego zdolna. Absolutnie do wszystkiego.

Przebieg rozmowy zaczął nagle krępować Jaya. Powrócił ból głowy. Nie tego spodziewał się po sielskim Lansquenet – nie owego pokrywanego sztuczną elegancją jadu, radosnego posmaku okrucieństwa na tle pięknych widoków. Nie przyjechał do Lansquenet, by wysłuchiwać podobnych historii. Jego powieść – jeżeli z tego w ogóle miała się narodzić powieść – nie potrzebowała takich klimatów. Dowodziła tego łatwość, z jaką zapisał dwadzieścia stron na odwrocie „Niezłomnego Corteza". Tym, czego pragnął, były kobiety o czerstwych twarzach, hodujące zioła w swoich ogrodach. Oczekiwał francuskiej idylli, własnej wersji „Jabłecznika i Rosie", beztroski, antidotum na Jo-ego.

Mimo to fascynowało go coś dziwnie sugestywnego w twarzach trzech siedzących obok niego kobiet, twarzach ściągniętych w identycznym wyrazie przebiegłej, lisiej radości, o przymrużonych oczach, ustach grubo pomalowanych szminką ponad starannie utrzymanymi zębami. To była historia stara jak świat – nie miała w sobie nic z oryginalności – a jednak go pociągała. I uczucie, którego nagle doznał – uczucie, że jakaś niewidzialna dłoń ciągnie go za trzewia – nie było bardzo nieprzyjemne.

– Tak? – wykazał zainteresowanie, by skłonić kobiety do dalszej rozmowy.

– Zawsze go o coś beształa – teraz Jessica przejęła narrację. – Właściwie zaraz, od pierwszego dnia po ślubie. A on był takim przyjaznym, bezkonfliktowym człowiekiem. Potężnej budowy, ale przysięgnę, że się jej bał. Pozwalał jej na wszystko. Gdy zaś już urodziło się dziecko, stała się jeszcze gorsza. Nigdy ani śladu uśmiechu. Z nikim nie chciała się przyjaźnić. I te dzikie awantury z Mireille! Jestem pewna, że słychać je było w całej wiosce.

– Właśnie to w końcu doprowadziło go do śmierci. Te awantury.

– Biedny Tony.

– Znalazła go w stodole – a raczej to, co z niego zostało. Z głowy – tylko miazga. Ona tymczasem położyła dziecko do łóżeczka, a sama pojechała na motorowerze do wioski, zimna jak głaz, by sprowadzić pomoc. Na pogrzebie, gdy wszyscy rozpaczali – Caro potrząsnęła głową – pozostała lodowato chłodna. Nie wypowiedziała ani słowa, nie uroniła jednej łzy. Zapłaciła jedynie za najtańszy, najskromniejszy pogrzeb. A gdy Mireille zaproponowała, że zapłaci za lepszą ceremonię – mój Boże! – ależ wybuchła wówczas awantura!

Mireille, jak zrozumiał Jay, była teściową Marise. Teraz, niemal sześć lat po tamtych wydarzeniach Mireille, siedemdziesięciojednoletnia i dotknięta postępującym artretyzmem, nie miała kontaktu ze swoją wnuczką i widywała ją jedynie z dużej odległości.

Po śmierci męża, Marise powróciła do panieńskiego nazwiska. Do tego tak bardzo nienawidziła wszystkich ludzi z wioski, że zatrudniała jedynie sezonowych, wędrownych robotników, i to też pod warunkiem, że będą nocować na farmie tylko w czasie wykonywania konkretnej pracy. Oczywiście, w okolicy aż huczało od plotek.

– Tak czy owak, nie sądzę, byś miał okazję często ją widywać – zakończyła temat Toinette. – Ona z nikim nie rozmawia. Nawet na zakupy jeździ raz w tygodniu aż do La Percherie. Dlatego na pewno zostawi cię w spokoju.

Mimo że i Jessica, i Caro oferowały się go podwieźć, Jay uparł się wracać do domu pieszo. Dochodziła druga; nocne powietrze przepełniała świeżość, a wokół panowała cisza. Jay miał w sobie poczucie niezwykłej lekkości. Chociaż nie widział księżyca, niebo było nadzwyczaj wygwieżdżone. Kiedy przeciął główny placyk i zaczął schodzić ku Les Marauds, zdał sobie sprawę, z niejakim zdumieniem, że otaczały go nieprzeniknione ciemności. Ostatnia latarnia stała tuż obok „Café des Marauds", więc już podnóże wzniesienia, rzekę, bagnisko, małe zaniedbane domki chylące się nierówno ku wodzie spowijał nadzwyczaj gęsty cień – nagle odnosiło się przerażające wrażenie, że się niespodziewanie oślepło. Szczęśliwie jednak, zanim Jay zdołał dotrzeć do rzeki, jego oczy przywykły do ciemności. Gdy przechodził przez bród, wsłuchiwał się w szum wody ocierającej się o brzegi. Bez trudu odnalazł ścieżkę wśród pól i szedł nią aż do szosy, przy której stała długa aleja drzew – czarnych na tle ciemnofioletowego nieba. Wokół rozlegały się rozmaite odgłosy: szmer nocnych stworzeń, gdzieś w oddali pohukiwanie sowy, ale głównie poszum wiatru buszującego w listowiu – dźwięk, który często nam umyka, gdy w jasnym świetle odbieramy przede wszystkim bodźce wzrokowe.

Chłodne powietrze wywiało mu z głowy dym i alkohol, i teraz Jay czuł się rozbudzony, pełen energii, zdawało mu się, że mógłby tak wędrować całą noc. Kiedy energicznie maszerował ku domowi, przyłapał się na tym, że coraz natrętniej narzuca się jego pamięci temat ostatniej rozmowy wieczoru. W tej historii, tak skądinąd niechlubnej, było coś niezmiernie pociągającego. Siermiężnego. Płynącego z trzewi. Kobieta żyjąca samotnie ze swoimi sekretami; martwy mężczyzna w stodole; ponury trójkąt – matka, babka, córka... I to wszystko na wonnej, surowej ziemi, wśród winnic, sadów, rzek, bielonych domów, wdów w czarnych szalach na głowie, mężczyzn w roboczych kombinezonach z opadającymi, pożółkłymi od nikotyny wąsami.

W powietrzu nagle ostro zapachniało tymiankiem. Rósł dziko tuż przy szosie. Joe zwykł był mawiać, że tymianek poprawia pamięć. Nawet robił z niego specjalny syrop, który przechowywał w swojej spiżarni. Dwie pełne łyżki stołowe codziennie przed śniadaniem. Przezroczysty, zielonkawy napój pachniał identycznie jak noc nad Lansquenet: świeżo, ziemiście i nostalgicznie – niczym przyjęcie weselne w zielnym ogrodzie w ciepły letni wieczór, z muzyką z radia w tle.

Nagle Jay bardzo zapragnął znaleźć się już w domu. Świerzbiły go palce. Chciał poczuć pod opuszkami klawisze starej maszyny do pisania, usłyszeć ich klekot w wygwieżdżonej ciszy. Ale najbardziej na świecie chciał pochwycić tę historię.

Joe czekał na niego rozciągnięty na posłaniu, z rękami pod głową. Zdjął buciory i postawił tuż przy łóżku, ale za to miał na głowie górniczy kask, przekrzywiony pod zawadiackim kątem. Żółta nalepka na przodzie głosiła: „Ludzie zawsze będą potrzebować węgla".

Jay nie poczuł zdziwienia na ten widok. Jego gniew gdzieś wyparował, a w zamian pojawiło się poczucie bezpieczeństwa, niemal jakby oczekiwał pojawienia się starszego pana – ten wizualny omam stawał się tak normalny i bliski, stawał się...

Magią dnia powszedniego.

Usiadł do maszyny. Teraz już opowieść porwała go na dobre, więc pisał szybko, strzelając palcami w klawisze. Pracował nieprzerwanie przez dwie godziny, wkręcając do maszyny „Niezłomnego Corteza" arkusz po arkuszu, nasączając papier swoją własną alchemią. Słowa skakały mu przed oczami zbyt szybko, by mógł za nimi nadążyć. Od czasu do czasu zatrzymywał się na moment, na wpół świadomy obecności Joego za plecami. Starszy pan nie odezwał się słowem, w czasie, gdy Jay oddawał się twórczości. W pewnym momencie zapachniało dymem. To Joe zapalił papierosa. Około piątej nad ranem Jay wstał i poszedł do kuchni zaparzyć kawę. Gdy wrócił do maszyny, zauważył, porażony nieoczekiwanym rozczarowaniem, że Joe zniknął.

30

Nether Edge, lato 1977

Po tych wydarzeniach częściej chadzali do Edge. Przeważnie starali się nie rzucać w oczy: zjawiali się, gdy mieli względną pewność, że nikogo tam nie będzie. Mimo to doszło do kilku potyczek z Glendą i jej koleżankami – pewnego razu na wysypisku, gdy walczyli o starą zamrażarkę (wówczas wygrała Glenda), czy przy kładce przez rzekę (tym razem punkt zaliczyli Gilly i Jay). Wszystko przebiegało jednak bez poważnych konsekwencji. Trochę wyzwisk, kilka rzuconych kamieni, pogróżek czy drwin. Gilly i Jay znali Nether Edge jak własną kieszeń, o wiele lepiej od innych, pomimo że byli zamiejscowi. Wiedzieli jednak, gdzie są najlepsze kryjówki i zaskakujące drogi na skróty. A do tego wykazywali się wyobraźnią, podczas gdy Glendą i jej towarzyszkami rządziła jedynie złośliwość i tępe chojractwo. Gilly uwielbiała zastawiać pułapki. Naciągnięte młode drzewko z drutem uwiązanym u podstawy, strzelające w twarz każdemu, kto o ów drut zahaczył. Puszka po farbie pełna brudnej wody z kanału, ustawiona niebezpiecznie na krawędzi drzwi do szopy. Samą szopę przeczesali jeszcze parę razy, aż w końcu właścicielki ją opuściły. Jednak wkrótce Jay odnalazł ich nową kryjówkę – na wysypisku, pomiędzy przerdzewiałym wrakiem a starymi drzwiami do lodówki – i na nią też zrobili nalot. Wszędzie pozostawiali swoje znaki. Na wyrzuconych na śmietnisko starych piecykach. Na drzewach. Na ścianach i drzwiach kryjówek swoich wrogów. Gilly zrobiła sobie procę i ćwiczyła strzelanie do starych puszek i słoików po dżemie. Miała do tego naturalny talent. Nigdy nie chybiała. Z odległości pięćdziesięciu stóp tłukła słoik bez specjalnego celowania. Oczywiście kilka razy ledwo im się udało ujść bez szwanku. Pewnego razu dziewczyny z bandy zaskoczyły Jaya w pobliżu krzewów, w których chował swój rower, niedaleko kładki kolejowej. Zaczynało się ściemniać, Gilly już poszła do domu, ale on znalazł w zielsku jakiś zakamuflowany od zeszłego roku zapas węgla – zaledwie parę worków – i postanowił przenieść go w bezpieczne miejsce, zanim kto inny się na niego napatoczy. Był tak zajęty pakowaniem brył węgla dla Joego, że nie zauważył czterech dziewczyn nadchodzących z drugiego końca torowiska i Glenda niemal go dopadła, zanim zorientował się w sytuacji.

Była w wieku Jaya, ale bardzo duża jak na dziewczynę. Ostre, łasicze rysy Zetha w jej twarzy pokrywała niezwykła mięsistość, ściskająca oczy w małe, sierpowate szparki, a usta – w odęty ryjek. Obwisłe policzki były pokryte trądzikiem. Jay wówczas zobaczył ją po raz pierwszy z tak bliska i jej podobieństwo do brata niemal go sparaliżowało. Przyjaciółki Glendy patrzyły na niego spod oka, rozwijając się za jej plecami w tyralierę, jakby zamierzały odciąć mu drogę ucieczki. Rower leżał zaledwie dziesięć stóp od niego, ukryty w wysokiej trawie. Jay zaczął się ku niemu przekradać.

– Jezd dziś som – spostrzegła jedna z dziewczyn, chuda blondynka z petem pomiędzy zębami. – A gdzieś podział te swom narzeczonom?

Jay zaczął posuwać się w stronę roweru. Glenda ruszyła za nim, ześlizgując się po skarpie w dół, w stronę drogi. Spod jej tenisówek wystrzelił żwir. Miała na sobie T-shirt z obciętymi rękawami: jej ramiona były spieczone na czerwono od słońca. Ze swoimi grubymi rękami handlarki ryb wyglądała zatrważająco dorośle, jakby się już po prostu taka urodziła. Jay jednak udawał całkowitą obojętność. Bardzo chciał powiedzieć coś dowcipnego, błyskotliwie ciętego, lecz słowa, które bez problemu przyszłoby mu napisać w jednej ze swoich historyjek, teraz nie chciały się zjawić. Za to ruszył pędem w dół nasypu do miejsca, gdzie schował rower, mając nadzieję wyszarpać go z wysokiej trawy i umknąć drogę.

Glenda wydała z siebie skrzek wściekłości i zaczęła ześlizgiwać się ku niemu, młócąc żwir łopaciastymi rękami. W powietrze wzbił się tuman kurzu.

– Jużeś mój, skurwielu – wykrzyknęła, brzmiąc zatrważająco podobnie do swego brata. Jednak za bardzo skoncentrowała się na obserwowaniu Jaya, a zbyt mało na tym, co robiła, i nagle poleciała w dół nasypu z komiczną gwałtownością, wpadając na dno suchego rowu, gdzie właśnie zaczynały kwitnąć chaszcze pokrzyw. Zawyła z furii i zawodu. Jay, uśmiechając się szeroko, wsiadł na rower. Glenda wciąż się miotała w rowie z twarzą w pokrzywach.

Gdy jej przyjaciółki wydobywały ją z zielska, ruszył przed siebie, jednak na szczycie ulicy zatrzymał się i odwrócił. Ujrzał Glendę już na wpół wyciągniętą z rowu. Jej twarz zastygła w ciemną maskę wściekłości. Butnie machnął ręką w jej stronę.

– Jeszcze cię dorwę! – Krzyk dotarł do niego już cichy i słaby z powodu rozdzielającej ich przestrzeni. – Mój pieprzony brat się z tobą porachuje i w ogóle!

Jay machnął jej raz jeszcze, po czym zawrócił efektownym łukiem i zniknął z pola widzenia. Jadąc, zaśmiewał się jak szalony – aż kręciło mu się od tego w głowie i ściskało w żebrach. Amulet Joego, przytroczony do szlufki spodni, powiewał niczym proporzec. Przez całą drogę w dół wzgórza, do wioski, pokrzykiwał radośnie – jego głos przemykał tuż obok jego twarzy, porywany przez wiatr. Jay był niemal w ekstazie. Czuł się niepokonany.

Tymczasem sierpień miał się już ku końcowi. Na horyzoncie majaczył wrzesień, niczym widmo

Nemezis. Do ostatecznego upadku miał minąć jeszcze tylko tydzień.

31

Lansquenet, marzec 1999

Przez następny tydzień Jay pisał każdej nocy. W piątek przywrócono w końcu dopływ elektryczności, ale do tej pory Jay się już przyzwyczaił do pisania przy lampie naftowej. Takie światło było o wiele bardziej swojskie, bardziej nastrojowe. Zapisane karty nowej powieści tworzyły teraz całkiem pokaźny stosik na jego stole. Miał ich już niemal sto. W poniedziałek pojawił się Clairmont z czwórką robotników i rozpoczęli prace remontowe. Zaczęli od dachu, w którym brakowało bardzo wiele dachówek. Natychmiastowej naprawy wymagała też kanalizacja. Jay znalazł w Agen przedsiębiorstwo wynajmu samochodów i wypożyczył od nich pięcioletniego zielonego citroëna, by wozić nim zakupy i tracić jak najmniej czasu na podróże. Poza tym kupił trzy ryzy papieru i kilka taśm do maszyny. Pracował po zmierzchu, gdy Clairmont i jego brygada szli do domu. W ten sposób plik zadrukowanych arkuszy systematycznie się powiększał.

Nie czytał tego, co napisał. Prawdopodobnie ze strachu, że paraliż pisarski, na który cierpiał od tak wielu lat, mógłby czyhać przyczajony gdzieś w pobliżu. Chociaż w głębi ducha już naprawdę tak nie myślał. Po części z powodu wpływu, jaki wywierało na niego to miejsce. To powietrze. Niespodziewane poczucie swojskości, mimo faktu, że był tutaj obcy. Łączność z przeszłością – jakby nagle Pog Hill Lane powstało na nowo: tutaj, pośród sadów i winnic.

W pogodne poranki wędrował do Lansquenet po chleb. Kostka zagoiła się szybko i całkowicie – po ranie zostały jedynie drobniutkie, niemal niewidoczne blizny. Teraz więc z przyjemnością spacerował i nawet rozpoznawał po drodze niektóre twarze. Joséphine podawała mu nazwiska mieszkańców wioski, dorzucając niekiedy na ich temat garść interesujących szczegółów. Jako właścicielka jedynej kafejki w wiosce doskonale wiedziała, co się dzieje wokół. Zasuszony starszy pan w niebieskim berecie nazywał się Narcisse i był ogrodnikiem – hurtownikiem, zaopatrującym między innymi lokalny sklep spożywczy i kwiaciarnię. Pomimo pozornego dystansu, w rysach jego twarzy czaiło się jakieś specyficzne, ukryte poczucie humoru. Jay dowiedział się od Joséphine, że Narcisse przyjaźnił się z Cyganami pojawiającymi się co roku w dole rzeki. Handlował z nimi i zapewniał im sezonową pracę na swoich polach. Od wielu lat lokalni obrońcy wiary walczyli z jego tolerancją dla Cyganów, jednak Narcisse okazał się nieugięty i Cyganie pozostali w okolicy. Rudowłosy robotnik z przedsiębiorstwa Clairmonta nazywał się Michel Roux i pochodził z Marsylii. Pięć lat temu przypłynął rzeką do Lansquenet na dwa tygodnie, by już nigdy więcej nie wyjechać. Kobieta w czerwonym szalu była żoną piekarza, nazywała się Denise Poitou. Zaś blada, otyła matrona w czerni, z oczami osłoniętymi od słońca szerokim rondem kapelusza, to Mireille Faizande, teściowa Marise. Jay spróbował spojrzeć jej w oczy, gdy mijała taras kawiarni, jednak ona zdawała się go nie dostrzegać.

Za każdą z tych twarzy kryła się jedyna w swym rodzaju historia. Joséphine, pochylając się nad kontuarem z filiżanką w dłoni, opowiadała mu te historie aż nadto chętnie. Jej pierwotna nieśmiałość wobec Jaya zniknęła zupełnie i teraz witała go z wyraźną przyjemnością. Niekiedy, gdy w lokalu nie było zbyt wielu gości, prowadzili długie rozmowy. Jay niewiele wiedział na temat ludzi, o których rozmawiali. To jednak w żadnej mierze nie zniechęcało Joséphine do opowieści.

– Czyżbym naprawdę nigdy dotąd nie wspominała ci o Albercie? Ani jego córce? – I w takich momentach zdawała się szczerze zdumiona ignorancją Jaya. – Kiedyś mieszkali obok piekarni. A raczej tego, co było piekarnią, zanim stało się cukiernią. Naprzeciwko kwiaciarni.

Z początku Jay po prostu pozwalał jej mówić, nie słuchając zbyt uważnie: pozwalał, by nazwiska, dykteryjki, opisy przepływały obok niego leniwie, gdy sączył kawę i obserwował przechodzących w pobliżu ludzi.

– Czy nie opowiadałam ci o Arnauldzie i jego świni do szukania trufli? Albo o tym, jak Armande przebrał się za Niepokalane Poczęcie i zaczaił na Arnaulda na cmentarzu? To posłuchaj...

Wiele historii dotyczyło jej najlepszej przyjaciółki, Vianne, która wyjechała z wioski kilka lat temu, oraz ludzi dawno już umarłych, których nazwiska nic mu nie mówiły. Jednak Joséphine nie ustawała w swoich wysiłkach. Być może też czuła się samotnie. Poranni bywalcy kawiarni z reguły siedzieli w milczeniu – byli to głównie starzy mężczyźni. Więc pewnie obecność kogoś młodszego, kto mógłby stanowić widownię, sprawiała jej przyjemność. I w ten sposób, kawałek po kawałku, opera mydlana z życia Lansquenet-sous-Tanne zaczęła go wciągać w swoją fabułę.

Jay zdawał sobie sprawę, że jest tu wciąż swoistym dziwolągiem. Niektórzy ludzie wpatrywali się w niego z otwartą ciekawością. Inni się uśmiechali. Większość zachowywała dystans – gdy go mijali, byli uprzejmie chłodni, pozdrawiali go krótkim skinieniem głowy i spojrzeniem spod oka.

Zazwyczaj przychodził do „Café des Marauds" na kufelek małego jasnego bądź filiżankę *café-cassis* w drodze z piekarni Poitou. Odgrodzony murkiem kawiarniany *terrasse* był mały, nie większy niż szerokość chodnika na wąskiej ulicy, ale było to wspaniałe miejsce do obserwacji wioski budzącej się do życia. Usytuowany tuż obok głównego placyku, stanowił punkt, z którego można zobaczyć wszystko, co najważniejsze: długie wzgórze opadające w stronę bagnisk; parawan z drzew ponad Rue des Francs Burgeois; kościelną wieżę codziennie o siódmej rano wybrzmiewającą niosącymi się ponad polami kurantami; kwadratowy, różowy budynek szkolny stojący na rozwidleniu dróg. U podnóża zbocza rzeka Tannes pokryta lekkim oparem błyskała matowo, tak że leżące poza nią pola stawały się niemal niewidoczne. Na tym tle poranne słońce zdawało się bardzo jaskrawe, niemal brutalne, ostro odcinające białe fronty domów od ich brunatnego cienia. Na brzegu rzeki, nieopodal zapuszczonych, chylących się ku wodzie domów na drewnianych palach, stała przycumowana mieszkalna łódź. Z jej komina wydobywała się smużka dymu pachnącego smażoną rybą.

Między siódmą a ósmą obok kawiarni przechodziło sporo osób, głownie kobiet, niosących bochenki chleba lub papierowe torby pełne croissantów z piekarni Poitou. O ósmej dzwon kościelny wzywał wiernych na mszę. Jay bez trudu ich rozpoznawał. Mieli na twarzach uroczysty wyraz niechęci do swoich odświętnych, wiosennych płaszczy, wypolerowanych butów, kapeluszy i beretów, które wyróżniały ich z tłumu. Zawsze wśród nich była Caro Clairmont z mężem; on – niezdarny w wyjściowych, ciasnych butach, ona – elegancko spowita w jedwabne szale. Kiedy przechodzili obok, pozdrawiała Jaya wylewnym machnięciem dłoni i okrzykiem: „Jak się posuwa książka?". Natomiast jej mąż witał go krótkim skinieniem głowy, po czym spieszył naprzód, przygarbiony, pokorny. W czasie gdy odprawiała się msza, na tarasie kawiarni zbierało się coraz więcej starszych mężczyzn, by pić *café-crème* i grać w szachy, czy po prostu ze sobą porozmawiać. Jay rozpoznawał wśród nich Narcisse'a, ogrodnika, który sadowił się co dzień w tym samym miejscu, tuż przy drzwiach. W kieszeni miał zawsze wystrzępiony katalog nasion, który przeglądał w milczeniu przy kawie. W niedzielę Joséphine miała zazwyczaj rogaliki z czekoladą i wtedy starszy pan niezmiennie brał dwa, po czym swoimi wielkimi, brązowymi dłońmi w zdumiewająco delikatny sposób unosił ciastka do ust. Rzadko cokolwiek mówił, zadowalając się suchym skinieniem głowy w stronę pozostałych gości kawiarni, zanim zasiadał na swoim miejscu.

O wpół do dziewiątej zaczynały się pojawiać dzieci idące do szkoły, niepasujące do otoczenia w swoich barwnych kurtkach i polarach – procesja różnych logo na tle fioletu, szkarłatu, żółtości, turkusu i ostrej zieleni. Dzieci przyglądały się Jayowi z otwartą ciekawością. Niektóre z nich wybuchały śmiechem i wołały z radosną drwiną: „Rosbif! Rosbif!”, gdy pędem przebiegały obok. W Lansquenet było około dwudziestki dzieci w wieku wczesnoszkolnym, które uczyły się w dwóch klasach; starsze zawoził do Agen autobus z lepkimi od wypisywanych palcami grafitti szybami, do których dzieciarnia przyklejała nosy.

W ciągu dnia Clairmont dozorował prace remontowe w domu Jaya. Parter już wyglądał dużo lepiej, a dach był niemal ukończony, jednak Jay świetnie wyczuwał, jak bardzo Georges był rozczarowany jego brakiem ambicji. Clairmontowi marzyły się oranżerie i kryte baseny pływackie, jacuzzi i projektowane przez architektów krajobrazu trawniki. Trzeba jednak przyznać, że wykazał się filozoficznym spokojem, gdy Jay oznajmił mu, że nie zamierza mieszkać w willi jakby żywcem wyjętej z Saint-Tropez.

– *Bof, ce que vous aimez, a ce que je comprends, c'est le rustique* – oznajmił Jayowi, wzruszając ramionami. I już w tym momencie w jego oczach pojawił się spekulacyjny błysk. Do Jaya dotarło nagle, że jeżeli nie przyjmie sztywnego stanowiska wobec tego człowieka, niemal na pewno zostanie zarzucony niechcianymi przedmiotami – uszczerbionymi fajansami, taboretami do dojenia krów, marnymi podróbkami starych mebli, popękanymi kaflami, deskami do krojenia i siekania oraz mnóstwom innych wiejskich utensyliów; tymi wszystkimi niechcianymi, skazanymi na śmierć rupieciami trzymanymi na strychach – cudownie ocalonymi od ognia przez nagłe zapotrzebowanie na *le rustique* – które on będzie zmuszony kupić. Powinien powściągnąć Clairmonta natychmiast. Jednak w spojrzeniu Georges'a, w jego ciemnych oczach lśniących ponad opadającymi wąsami było coś wzruszającego – jakaś absurdalna nadzieja, niepozwalająca Jayowi na rozsądne zachowanie.

Wzdychając ciężko, postanowił więc ze spokojem poddać się nieuniknionemu.

W czwartek zobaczył Marise po raz pierwszy od czasu ich nocnego, krótkiego spotkania. Wracał do domu z porannego spaceru z bochenkiem chleba wetkniętym pod ramię. W miejscu gdzie stykały się ich grunty, rósł żywopłot z tarniny, a wzdłuż niego biegła ścieżka. Żywopłot był młody, trzynajwyżej czteroletni, tak że świeży marcowy odrost w zasadzie nie tworzył jeszcze odpowiednio gęstej zasłony. Stąd też Jay mógł wyraźnie dojrzeć linię dawnego, wyciętego żywopłotu – nierówny rządek karczu nieudolnie pokryty świeżą skibą. Podświadomie oszacował dzielącą żywopłoty odległość. A więc Clairmont miał rację. Przesunęła granicę o mniej więcej pięćdziesiąt stóp. Zapewne wtedy, gdy stary Foudouin po raz pierwszy zapadł na zdrowiu. Jay zaczął uważniej przezierać przez tarninę, lekko zaintrygowany. Różnica pomiędzy jej stroną pola a jego była uderzająca. U niego winorośl, od dawna nieprzycinana, rozrastała się zdziczała, niemal niepuszczająca nowych pędów poza kilkoma brunatnymi pączkami na wąsach. Jej została starannie przycięta, na dwanaście cali od gruntu, w oczekiwaniu na lato. Po stronie Marise nie było ani śladu chwastów; pomiędzy skibami równymi i wyrazistymi biegła aleja wystarczająco szeroka, by zmieścił się tam mały ciągnik. Po stronie Jaya rzędy wpadały jedne na drugie, zaniedbane pędy winorośli wyciągały się i oplątywały między sobą lubieżnie ponad alejkami. Z tej plątaniny wychylały się radośnie czubki starców, mięty i arniki. Gdy Jay spojrzał w głąb posiadłości Marise, dojrzał szczyt jej domu na skraju pola, osłaniany przez rząd topoli. Rosły tam też drzewa owocowe – morze białych kwiatów jabłoni odcinało się wyraźnie od ciemnych gałęzi – i coś, co prawdopodobnie było warzywnikiem. Poza tym zobaczył stos drewna, traktor i jakieś zabudowanie – zapewne nic innego jak osławioną stodołę.

A więc musiała usłyszeć wystrzał z domu. Położyła dziecko do łóżeczka. Wyszła na zewnątrz. Nie spieszyła się. Obraz w jego wyobraźni był tak żywy, że Jay niemal naprawdę widział jej ruchy: wciąganie wielkich butów na wełniane skarpetki, za duża kapota na jej ramionach, a ponieważ działo się to zimą – ziemia zapewne skrzypiała pod jej stopami. Twarz miała pozbawioną wszelkiego wyrazu – pewnie wyglądała tak samo, jak wtedy gdy się spotkali tamtej nocy. Ten widok go prześladował. W owym przebraniu Marise przewinęła się już wiele razy przez karty jego nowej powieści; Jay miał wrażenie, że ją zna, mimo że prawie nie zamienili słowa. Coś w niej jednak szalenie go pociągało, prawdopodobnie ten nimb tajemniczości. Z jakiegoś bliżej niewytłumaczalnego powodu jej widok przywodził mu na myśl

Joego. Być może za sprawą tej za dużej kapoty czy męskiego kaszkietu nasuniętego zbyt głęboko na oczy. W każdym razie odniósł takie niepokojące wrażenie, gdy spostrzegł tę na wpół znajomą sylwetkę w nocy, w załomie muru. Oczywiście nic w rysach jej twarzy nie przypominało Joego. Joe nigdy nie umiałby przywołać na swe oblicze takiego pustego, pozbawionego wszelkich emocji wyrazu.

Gdy już miał się ruszyć z miejsca i skierować w stronę domu, pochwycił kątem oka ruch po drugiej stronie żywopłotu – jakaś postać przesuwała się szybko około stu metrów od miejsca, w którym się znajdował. Osłaniany przejrzystą zielenią tarniny dojrzał ją, zanim ona zdołała go zobaczyć. Poranek był ciepły i Marise zrzuciła ciężkie odzienie na rzecz dżinsów i pasiastej, marynarskiej bawełnianej koszulki. Ta zmiana stroju sprawiła, że wyglądała na chłopięco szczupłą. Rude włosy miała nierówno obcięte na wysokości podbródka – Jay domyślił się, że najprawdopodobniej zrobiła to sama. W momencie gdy nie zdawała sobie sprawy, że ktokolwiek na nią patrzy, jej twarz nabrała żywego, niemal zgłodniałego wyrazu. Jay z ledwością zdołał ją rozpoznać.

Ale już po chwili obróciła wzrok w jego stronę i nagle jakby na jej twarz opadła nieprzepuszczająca światła roleta, tak błyskawicznie, że Jay zaczął się zastanawiać, czy przypadkiem widok Marise sprzed kilku sekund nie był jedynie wytworem jego wyobraźni.

– Madame...

Przez ułamek chwili zawahała się i spojrzała na niego z niemal bezczelną obojętnością. Miała bardzo zielone oczy, zadziwiająco trawiaste w kolorze. W swojej książce nadał im ciemną barwę. Uśmiechnął się i wyciągnął dłoń ponad żywopłotem.

– Madame d'Api. Nie chciałem pani przestraszyć. Ja tylko...

Ale zanim zdążył dorzucić coś jeszcze, odwróciła się gwałtownie i pospieszyła alejką pomiędzy rzędami winorośli bez jednego spojrzenia wstecz, posuwając się szybko i wdzięcznie w stronę domu.

– Madame d'Api! – zakrzyknął. – Madame!

Musiała go usłyszeć, ale zignorowała jego wołania. Jay przez kilka minut przyglądał się jej oddalającym plecom, a potem, wzruszając ramionami, ruszył w stronę swego domu. Przez całą drogę wmawiał sobie, że poczucie rozczarowania, którego niespodziewanie doznał, było całkowicie absurdalne. Bo w zasadzie czemuż ona miałaby mieć ochotę na jakiekolwiek z nim pogawędki? Jay po prostu pozwalał, by ponosiła go własna wyobraźnia. Ostatecznie w ostrym świetle dnia Marise ani trochę nie przypominała chłodnookiej heroiny jego powieści. Postanowił więc przestać o niej myśleć.

Gdy dotarł do domu, zastał czekającego na niego Clairmonta z samochodem pełnym rozmaitości. Georges mrugnął porozumiewawczo, gdy ujrzał Jaya skręcającego za róg domu i odsunął granatowy beret znad oczu.

– Hola, monsieur Jay! – wykrzyknął z kabiny swojej ciężarówki. – Znalazłem dla ciebie kilka interesujących rzeczy!

Jay westchnął z rezygnacją. A więc intuicja go nie zawiodła. Co parę tygodni będzie teraz zadręczany, by uwalniać Clairmonta od pewnej ilości *brocan-*

te występujących jako rustykalny szyk po paskarskiej cenie. Z tego co zdołał dojrzeć, ładunek ciężarówki stanowiły połamane krzesła, stare miotły, odrapane drzwi, prawdziwie obrzydliwa głowa smoka z papier-mâché pozostała po jakimś bliżej nieokreślonym festynie. I w tym momencie zrozumiał, że jego podejrzenia nawet nie zbliżyły się do straszliwej rzeczywistości.

– No cóż, bo ja wiem... – oznajmił.

Clairmont uśmiechnął się szeroko.

– Tylko zobacz. Zakochasz się w tych rzeczach – stwierdził stanowczo i wyskoczył z szoferki. W tej samej chwili Jay spostrzegł, że Georges dzierży w dłoni butelkę wina. – Mam coś, by wprawić cię w odpowiedni nastrój, eh? A potem pogadamy o interesach.

Jay nie potrafił się oprzeć natarczywości tego człowieka. W tej chwili miał największą ochotę na spokojną kąpiel i chwilę ciszy. W zamian czekała go godzina targów w kuchni, przy winie, którego wcale nie chciał pić, a potem jeszcze dodatkowy problem pozbycia się przywiezionych przez Clairmonta *objets d'art* bez urażenia jego uczuć. Ale nie miał wyjścia – musiał się temu poddać.

– Za dobre interesy – powiedział Clairmont, napełniając dwie szklaneczki. – Twoje i moje – dorzucił z uśmiechem. – A więc wyszło na to, że zajmuję się antykami, eh? W Le Pinot i Montauban można na tym zrobić dobre pieniądze. Teraz, przed sezonem, skupować tanio, a potem wyprzedawać turystom.

Jay skosztował wina, które okazało się naprawdę dobre.

– Mógłbyś wybudować ze dwadzieścia domków letniskowych na tej swojej winnicy – ciągnął Clairmont radosnym głosem. – Albo hotel. Jak ci się widzi pomysł posiadania własnego hotelu, eh?

Jay pokręcił głową.

– Mnie się tu podoba dlatego, że jest tak, jak jest – oznajmił.

Clairmont westchnął głęboko.

– Ty i *La Païenne* d'Api – westchnął ponownie. – Żadne z was nie ma dostatecznie szerokiej wizji. Te grunty oddane w odpowiednie ręce warte byłyby fortunę. Szaleństwem jest trzymanie ich w takim stanie, podczas gdy kilka domków letniskowych...

Jay z trudem przebijał się przez jego wymowę i akcent.

– *La Païenne?* Bezbożnica? – przetłumaczył z wahaniem.

Clairmont rzucił głową w stronę sąsiedniej farmy.

– Marise w pełnej krasie. Kiedyś mówiliśmy na nią *La Parisienne*. Ale to drugie określenie pasuje do niej dużo lepiej, eh? Nigdy nie pojawia się w kościele. Nigdy nie ochrzciła dziecka. Nigdy z nikim nie rozmawia. Nigdy się nie uśmiecha. Trzyma się pazurami tej swojej ziemi z uporczywej złośliwości, a tymczasem kto inny... – Wzruszył gwałtownie ramionami. – *Bof*, to nie moja sprawa, eh? Ale na twoim miejscu, monsieur Jay, trzymałbym zawsze drzwi zamknięte na klucz. Ona jest szalona. A od lat miała oko na tę ziemię. Jeżeli tylko zdoła, zrobi ci coś złego.

Jay ściągnął brwi na wspomnienie potrzasków rozłożonych wokół domu.

– Pewnego razu omal nie złamała nosa Mireille – ciągnął Clairmont. – I to tylko dlatego, że starsza pani podeszła do jej córeczki. Po tym incydencie Marise już nigdy nie pokazała się w wiosce. Jeździ do La Percherie na motorze. Widziałem też, jak jeździła do Agen.

– A kto wówczas opiekuje się jej córką?

Clairmont wzruszył ramionami.

– Nikt. Przypuszczam, że po prostu zostawia ją samą w domu.

– A co na to służby socjalne?

– *Bof.* W Lansquenet? Musieliby tu przyjechać z Agen czy Montauban, a może nawet z Tuluzy. Kto by się fatygował taki szmat drogi? Mireille już kiedyś próbowała ich ściągnąć. Nawet parę razy. Ale d'Api jest sprytna. Zbiła ich wszystkich z pantałyku. Mireille najchętniej adoptowałaby dziecko, gdyby tylko mogła. Jest bogata. Poparłaby ją rodzina. Ale w jej wieku, na dodatek z dzieckiem, które jest głuche, myślę, że...

Jay wbił w niego wzrok.

– Głuche dziecko?

Clairmont wyglądał na zdziwionego.

– O, tak. Nie wiedziałeś? Od maleńkości. Dlatego niby to tylko ona ma wiedzieć, jak się z nią obchodzić. – Pokręcił głową. – To ją tu trzyma. Dlatego też nie może wrócić do Paryża.

– Dlaczego? – spytał Jay prawdziwie zaciekawiony.

– Z powodu pieniędzy – oznajmił sucho Clairmont, opróżniając szklankę.

– Ależ farma na pewno jest wiele warta.

– Och, oczywiście – zgodził się Clairmont. – Tyle że do niej nie należy. Jak myślisz, czemu tak bardzo zależało jej na ziemi Foudouina? Ona przecież tylko dzierżawi ten grunt. Gdy dzierżawa wygaśnie – będzie się musiała stąd wynieść. Chyba że przedłuży umowę, ale po tym wszystkim nie ma wiele szans.

– Czemu? Od kogo to zależy?

Clairmont opróżnił kolejną szklaneczkę i oblizał z ukontentowaniem usta.

– Od Pierre-Emile'a Foudouina. Człowieka, który sprzedał ci tę posiadłość. Stryjecznego wnuka Mireille.

Chwilę później wyszli na podjazd, by przyjrzeć się przedmiotom przywiezionym przez Clairmonta. Były tak ohydne, jak Jay się spodziewał. Jednak w owej chwili jego umysł zaprzątało zupełnie co innego. Zaoferował Clairmontowi 500 franków za cały transport; majster na moment wybałuszył oczy, ale szybko dał się przekonać do ceny. Chytrze przymrużył oko:

– Ma się nos do dobrych interesów, eh?

Po czym schował banknot w brunatnej, stwardniałej dłoni tak błyskawicznie, jakby wykonał jakąś efektowną karcianą sztuczkę.

– Nic się nie martw. Znajdę ci dużo więcej podobnych okazów!

I zaraz odjechał. Wyziew z jego rury wydechowej wzniecił na podjeździe różowy pył. Teraz Jay musiał zabrać się za sortowanie pozostawionego szmelcu.

Nawet po tak wielu latach nauka Joego nie poszła w las: Jay wciąż nie potrafił się zdobyć na wyrzucenie czegoś, co mogłoby się okazać przydatne. Mimo że jeszcze chwilę temu był pewien, że cały ładunek ciężarówki Clairmonta posłuży mu jedynie za materiał opałowy, złapał się nagle na zastanawianiu nad użytecznością poszczególnych przedmiotów. Z tych oszklonych drzwi, pękniętych pośrodku, zapewne udałoby się zrobić całkiem sensowny inspekt. Zaś te wszystkie słoiki, postawione do góry nogami nad młodymi roślinkami, chroniłby je od wiosennych, przygruntowych przymrozków. W ten sposób, powoli, rupiecie przywiezione przez Clairmonta znajdowały swoje miejsce w ogrodzie czy winnicy. Jay nawet znalazł zastosowanie dla festynowej głowy smoka. Osadził ją na paliku płotu odgradzającego jego ziemię od ziemi Marise i skierował pyskiem w stronę jej domu. Z otwartej paszczy wylewał się czerwony jęzor, a żółte ślepia zdawały się świecić w promieniach słońca. Magiczne zaklinanie na odległość – tak nazwałby to Joe – podobne umieszczaniu gargulców na dachach gotyckich katedr. Jay zastanawiał się przez chwilę, co o tym pomyśli *La Païenne.*

32

Pog Hill, lato 1977

Wspomnienia Jaya z tego ostatniego lata były tak zamazane, jak z poprzednich lat ostre i wyraziste. Złożyło się na to wiele rzeczy – na przykład blade, niespokojne niebo, o dziwnym świetle, które kazało mu mrużyć oczy i przyprawiało o ból głowy. Joe zdawał się dość odległy duchem, a do tego obecność Gilly sprawiała, że nie prowadzili już długich dyskusji, jak poprzedniego roku. No i sama Gilly... Kiedy lipiec przeszedł w sierpień, Gilly wciąż gościła w jego podświadomości. Jay coraz częściej łapał się na rozmyślaniach o niej. Przyjemność przebywania w jej obecności była mącona niepewnością, zazdrością i jeszcze innymi uczuciami, których nie potrafił nazwać. Znajdował się w stanie nieustannego pomieszania. Często ogarniał go niemalże wściekły gniew, choć zupełnie nie wiedział dlaczego. Nieustająco kłócił się z matką, która drażniła go o wiele bardziej niż zazwyczaj – wszystko tego lata drażniło go bardziej – odnosił wrażenie, że ma na wierzchu żywe ciało, które ostro reaguje każdym odkrytym nerwem. Kupił płytę Sex Pistols „Pretty Vacant" i odsłuchiwał ją na cały regulator w swoim pokoju, wywołując tym przerażenie dziadków. Marzył o przekłuciu sobie uszu. Chodził wraz z Gilly do Edge, gdzie toczyli wojny z gangiem Glendy i napełniali worki użytecznymi rupieciami, by je zawlec do domu Joego. Niekiedy pomagali Joemu w pracach na działce, a on opowiadał im wówczas o swoich podróżach, pobycie w Afryce wśród Masajów i wędrówkach po Andach. Jednak wówczas jego opowieści nagle wydały się Jayowi powierzchowne, sztucznie wydumane, jakby tak naprawdę myśli Joego koncentrowały się zupełnie na czym innym. Rytuał ochrony terenu też niespodziewanie uległ drastycznemu skróceniu – zaledwie do paru minut sprowadzających się do zapalenia kadzidełka i rozrzucenia małej saszetki ziół. W owym czasie nie przyszło mu do głowy się nad tym zastanawiać, ale potem nagle wszystko zrozumiał. Joe już wtedy wiedział co i jak. Już wtedy podjął ostateczną decyzję.

Pewnego dnia zabrał Jaya do swojego pokoju i ponownie pokazał mu kredens z nasionami. Od czasu gdy zrobił to po raz ostatni, minął ponad rok. Teraz ponownie pokazał mu tysiące nasion opakowanych w koperty czy zwitki gazet, opatrzonych odpowiednimi napisami, gotowych do wysiania. W półmroku – okna wciąż były zabite deskami – kredens wyglądał na zakurzony, zaniedbany, a opakowania z wyblakłymi nalepkami na skruszałe z powodu wieku.

– Nie wygląda imponująco, hę? – zagaił Joe, przesuwając palcem po zakurzonym blacie kredensu.

Jay pokręcił głową. Pokój pachniał stęchlizną i wilgocią, jak kuchnia, w której rosły pomidory. Joe uśmiechnął się raczej smutno.

– Nigdy nie daj się nabrać na pozory, chłopcze. Każde jedno z tych nasion jest doskonałe. Możesz je wysiać w dowolnej chwili, a wyrośnie z niego piękna roślina. Wystrzeli w górę niczym strzała. Z każdego jednego. – Położył rękę na ramieniu Jaya. – Zapamiętaj me słowa, pozory nic nie znaczą. Liczy się to, co we wnętrzu. Magia zawarta w samej istocie rzeczy.

Ale Jay już go wówczas nie słuchał. Tego lata w zasadzie w ogóle nikogo nie słuchał dość uważnie – był zbyt zajęty własnymi myślami, zbyt pewny, że to, co ma przed sobą, będzie trwać w nieskończoność. I dlatego potraktował tę nostalgiczną dygresję Joego jak kolejne kazanie osoby dorosłej; kiwał niezobowiązująco głową, ale naprawdę czuł się zgrzany i znudzony. Dusił się w zatęchłym powietrzu i tylko marzył o tym, by się stamtąd wydostać.

Dopiero jakiś czas później dotarło do niego, że być może w ten sposób Joe próbował się z nim pożegnać.

33
Lansquenet, marzec 1999

Gdy wszedł do domu, zobaczył, że Joe czeka na niego i krytycznym wzrokiem zerka przez okno na zapuszczony warzywnik.

– Powinieneś coś z tym zrobić, chłopcze – oznajmił Jayowi, gdy ten tylko otworzył drzwi. – Jeśli się zaraz nie zabierzesz za ogród, tego lata już nic z niego nie będzie. Musisz go przekopać i odchwaścić, póki jeszcze czas. Zadbać o jabłonie, i w ogóle. Sprawdzić, czy nie dusi ich jemioła. Jeżeli się nie zatroszczysz o swoje drzewa – jemioła je zabije.

Przez ostatni tydzień Jay niemal przyzwyczaił się do nagłych wizyt starszego pana. W pewien niewytłumaczalny sposób zaczął nawet ich wyczekiwać, wmawiając sobie, że to nieszkodliwe majaki – wynajdując błyskotliwe, postjungowskie wytłumaczenia na ich ciągłe nawroty. Dawny Jay – Jay z 1975 roku – rozkoszowałby się podobnym doświadczeniem. Ale tamten Jay skłonny był wierzyć we wszystko. *Chciał* we wszystko wierzyć. W byty astralne, kosmitów, zaklęcia, szczególne rytuały, w magię. Niezwykłe objawienia były dla owego Jaya chlebem powszednim. Tamten Jay w nie wierzył – ufał w ich moc. Obecny Jay wiedział swoje.

A mimo to wciąż widywał starszego pana – chociaż już nie wierzył w zjawiska nadprzyrodzone. Wmawiał sobie, że to częściowo wynik samotności, a częściowo nowej książki – obcego tworu powstającego na kartach „Niezłomnego Corteza". Proces tworzenia po trosze przypomina stan popadania w szaleństwo – staje się obsesją, i to wcale nie zawsze łagodną i nieszkodliwą. W czasach pisania „Ziemniaczanego Joe" Jay wciąż mówił sam do siebie, nerwowo chodził tam i z powrotem po swoim jednopokojowym mieszkanku w Soho, z kieliszkiem w dłoni, dyskutując zażarcie z samym sobą, z Joem, z Gilly, z Zethem i Glendą, niemal spodziewając się, że ujrzy ich na własne oczy, gdy tylko podniesie znużony wzrok znad klawiatury, z ciężko bolącą głową od radia rozkręconego na cały regulator.

Przez całe tamto lato zachowywał się odrobinę niepoczytalnie. Ale jego obecna książka będzie inna. W pewnym sensie o wiele łatwiejsza do napisania. Wszystkie postaci miał bowiem niemal fizycznie tuż obok siebie. Lekko maszerowały przez strony jego powieści: Clairmont, majster budowlany; Joséphine, właścicielka kawiarni; Michel z Marsylii, rudowłosy, skory do uśmiechu. Caro w szalu od Hermesa. Marise. Joe. Marise. Książka w zasadzie nie miała wyraźniej fabuły. W zamian zawierała wiele anegdot luźno powiązanych ze sobą nawzajem: niektóre z nich zostały zaczerpnięte z opowieści Joego i przeniesione na grunt Lansquenet, inne – zasłyszane od Joséphine w czasie jej monologów ponad kontuarem w „Café des Marauds", a jeszcze inne – utkane ze strzępów rozmów. Jay lubił myśleć, że w swoim tekście uchwycił szczególną aurę, świetlistość tego miejsca. Może coś z pogodnego, gawędziarskiego stylu Joséphine. Jej ploteczki nigdy nie miały złośliwego zabarwienia. Jej dykteryjki były zawsze ciepłe, często bardzo zabawne. Jay zaczął z niecierpliwością wyczekiwać wizyt w kawiarni i odczuwał niejasne rozczarowanie, gdy Joséphine była zbyt zajęta, by pogadać. Nagle odkrył, że wędruje do kawiarni co dzień, nawet wtedy, kiedy nie ma nic do załatwienia w wiosce. I wciąż pilnie notuje wszystko w pamięci.

Po upływie mniej więcej trzech tygodni od przyjazdu do Lansquenet, Jay udał się do Agen i wysłał pierwsze 150 stron nowej, wciąż niezatytułowanej powieści do Nicka Horneliego, swojego agenta w Londynie. Nick zajmował się interesami Jonathana Winesapa, jak również pilnował wpływów tantiem z „Ziemniaczanego Joe". Jay zawsze lubił tego faceta o specyficznym poczuciu humoru, mającego w zwyczaju wysyłać mu najrozmaitsze wycinki prasowe w nadziei zainspirowania jego twórczej weny. Jay nie podał mu swojego adresu, ale poprosił o odpowiedź na poste restante w Agen.

Z wielkim rozczarowaniem zrozumiał w końcu, że Joséphine nie będzie z nim rozmawiać na temat Marise. Było też kilkoro innych ludzi, o których wspominała niechętnie: Clairmontowie, Mireille Faizande, Merle'owie. Bardzo rzadko też opowiadała o sobie. Ilekroć próbował ją nakłonić do rozmowy na temat którejkolwiek z tych osób, natychmiast okazywało się, że miała coś nadzwyczaj pilnego do roboty w kuchni. Jay nabierał coraz silniejszego przekonania, że życie wioski skrywa jakieś sekrety, o których ona nie ma ochoty opowiadać.

– Więc jak to jest z moją sąsiadką? Czy ona kiedykolwiek przychodzi do kawiarni?

Joséphine natychmiast pochwyciła ścierkę i zaczęła polerować błyszczącą powierzchnię baru.

– Ja jej nie widuję. I prawie nie znam.

– Słyszałem, że nie najlepiej układają się jej stosunki z ludźmi w wiosce.

Wzruszenie ramion.

– Caro Clairmont robi wrażenie osoby, która wie bardzo wiele na jej temat.

Ponowne wzruszenie ramion.

– Caro uważa, że jej powołaniem jest wiedzieć wszystko o wszystkich.

– Jestem tym zaintrygowany.

Joséphine na to beznamiętnie:

– Przepraszam cię. Mam coś do roboty.

– Przecież musiałaś to i owo słyszeć...

Przez chwilę patrzyła mu w oczy z płonącymi policzkami. Ramiona oplotła ciasno wokół ciała, wpijając kciuki w żebra w obronnym geście.

– Monsieur Jay. Niektórzy ludzie uwielbiają wścibiać nos w nie swoje sprawy. Jeden Pan Bóg wie, jak wiele plotek krążyło kiedyś na mój temat. Pewne osoby uważają, że wolno im sądzić innych.

Jaya poruszyła niespodziewana gwałtowność reakcji Joséphine. Ze ściągniętą, wąską twarzą, ni stąd, ni zowąd stała się kimś zupełnie innym. Uderzyła go nagła myśl: ona najwyraźniej boi się.

Później, tego samego wieczoru, już w domu, Jay wrócił myślami do rozmowy z Joséphine. Joe na wpół leżał na swoim miejscu na łóżku, z rękami splecionymi pod głową. Z radia płynęła lekka muzyka. Ale klawisze maszyny wydawały się lodowate i martwe pod palcami. Błyskotliwa nić narracji w końcu się urwała.

– Nic z tego – westchnął Jay i dolał kawy do wciąż nieopróżnionej filiżanki. – To droga donikąd.

Joe przyglądał mu się leniwie spod czapki nasuniętej na oczy.

– Nie zdołam skończyć tej książki. Złapałem blok. Wszystko, co teraz piszę, nie ma żadnego sensu. Utknąłem w martwym punkcie.

Historia, tak wyraziście jawiąca się w jego umyśle jeszcze kilka nocy temu, nagle zatraciła swój wątek. W głowie czuł jedynie pulsującą bezsenność.

– Powinieneś ją poznać – oznajmił Joe. – Zaniechaj słuchania opowieści innych ludzi, osądź ją sam. Tak czy owak, poznaj ją lepiej.

Jay odpowiedział zniecierpliwionym gestem.

– A jak niby miałbym to zrobić? Przecież ona najwyraźniej nie chce mieć ze mną nic wspólnego. Ani z kimkolwiek innym, gdy już o tym mowa.

Joe wzruszył ramionami.

– Zrobisz, co zechcesz. Ostatecznie, nigdy nie chciało ci się zbytnio wysilać, hę?

– Nieprawda! Kiedyś próbowałem...

– Będziecie mieszkać obok siebie przez dziesięć lat i żadne z was nie odważy się na pierwszy krok.

– To co innego.

– Doprawdy?

Joe podniósł się z łóżka i podszedł do radia. Przez moment manipulował przy pokrętłach, zanim znalazł czysty sygnał. W jakiś niezrozumiały sposób Joe zawsze potrafił wynaleźć stację nadającą stare przeboje, bez względu na to, gdzie się znajdował. Teraz Rod Stewart śpiewał „Tonight's the Night".

– Tym razem mógłbyś jednak spróbować.

– Może ja już nie chcę próbować.

– Może i nie chcesz.

Głos Joego nagle stał się bardzo odległy, a kontur jego postaci zaczął blaknąć, tak że teraz Jay był niemal w stanie zobaczyć pobieloną ścianę przeświecająca przez jego ciało. W tym samym momencie radio zacharczało głucho i sygnał zanikł. W jego miejsce pojawił się głuchy szum.

– Joe?

Teraz głos starszego pana był niemal zbyt nikły, by go usłyszeć.

– To na razie.

Zawsze tak mówił, gdy chciał wyrazić dezaprobatę bądź oznajmić, że koniec dyskusji.

– Joe?

Ale Joe już zniknął.

34

Pog Hill, lato 1977

Tak naprawdę wszystko zaczęło się od śmierci Elvisa. Elvis zmarł gdzieś w połowie sierpnia i matka Jaya wpadła w tak gorączkową żałobę, że w swym bólu wydawała się niemalże szczera i prawdziwa. Być może dlatego, że Elvis i ona byli dokładnie w tym samym wieku. Na Jayu to smutne wydarzenie też wywarło pewne wrażenie, mimo że nie należał do zbyt zagorzałych fanów króla rock and rolla. Niemniej ogarnęło go wszechogarniające poczucie nieuchronności losu, wrażenie, że wszystko się nagle rozpada, pomniejsza niczym rozplątywana cienka nić z grubego motka sznurka. Tego sierpnia w powietrzu wisiał opar śmierci, na obrzeżach chmur niebo nabrało ciemnego kolorytu, a w powietrzu unosił się niezidentyfikowany aromat. Tego lata pojawiło się też o wiele więcej os niż kiedykolwiek przedtem – długich, o wygiętych odwłokach, brązowych, które zdawały się doskonale wyczuwać nadchodzący koniec radosnej egzystencji i wcześniej niż zazwyczaj stały się agresywne. Jaya ukąsiły aż dwanaście razy – pewnego dnia nawet w podniebienie, gdy nieuważnie podniósł butelkę coli do ust (niewiele brakowało, a wylądowałby na pogotowiu). Razem z Gilly spalili siedem gniazd. Tego lata podjęli krucjatę przeciwko osom. W gorące, lepkie od wilgoci popołudnia, gdy owady były ospałe i łagodniejsze niż zwykle, udawali się na eksterminację os. Znajdowali gniazdo, zatykali wlot ścinkami gazet, po czym przytykali zapalniczkę do papieru i wszystko buchało płomieniem. Gdy ogień zaczynał pożerać gniazdo, a dym wdzierał się do wnętrza, osy zaczynały wylatywać na zewnątrz – niektóre z nich płonące niczym niemieckie samoloty wojenne na starych czarno-białych filmach – i z gorączkowym bzykaniem, niesamowitym, mrożącym krew w żyłach dźwiękiem – rozlatywały się na wszystkie strony, wściekłe i otumanione. Tymczasem Gilly i Jay leżeli przyczajeni w jakiejś pobliskiej kotlince, w bezpiecznej odległości od strefy bezpośredniego zagrożenia, ale na tyle blisko, by bez paniki oglądać rozgrywające się wydarzenia. Oczywiście, wszystkie rozwiązania taktyczne pochodziły od Gilly. W owych chwilach miała zwyczaj przykucać z oczami rozszerzonymi i błyszczącymi z podniecenia, najbliżej jak to tylko możliwe niszczonego gniazda. Nigdy nie użądliła jej żadna osa. Gilly wydawała się na nie równie odporna, jak miodożer na ukąszenia pszczół, i równie dla nich śmiercionośna. Jay był w głębi ducha ciężko przerażony, kucał w zagłębieniu z nisko pochyloną głową i sercem walącym w niszczycielskim podnieceniu. Strach jest jednak uczuciem zaraźliwym, tak że po jakimś czasie udzielał się i Gilly, a wówczas przytulali się do siebie i zaśmiewali z przerażenia i radosnego podniecenia. Pewnego razu, podżegany przez Gilly, Jay podłożył dwa sztuczne ognie pod gniazdo obok kamiennego koryta kanału, po czym zapalił lonty. Gniazdo rozpadło się w drobny mak, ale nie zapaliło, i w ten sposób rozjuszone osy znalazły się wszędzie wokół. Jedna z nich jakimś cudem dostała się pod T-shirt Jaya i zaczęła wściekle żądlić. Miał wrażenie, że został wielokrotnie postrzelony – zaczął wrzeszczeć i tarzać się po ziemi. Ta osa jednak zdawała się nieśmiertelna, miotała się i żądliła nawet wtedy, gdy przyciskał ją swoim ciałem miotanym konwulsjami. W końcu zabili ją, ściągając z Jaya T-shirt i zalewając owada płynnym gazem do zapalniczek. Wówczas Jay naliczył aż dziewięć użądleń.

Nadchodziła jesień. W powietrzu unosił się zapach dymu i spalenizny.

35

Lansquenet, kwiecień 1999

Po raz kolejny zobaczył ją nazajutrz. Gdy kwietniowe dni powoli przechodziły w początek maja, a winorośl zaczęła się rozrastać w górę, Jay od czasu do czasu spostrzegał ją oporządzającą uprawy – opryskującą rośliny środkiem grzybobójczym, sprawdzającą jakość nowych przyrostów, badającą kwaśność gleby. Ona jednak nigdy nie odzywała się do niego słowem. Zdawała się zamknięta pod kloszem wyobcowania, z głową zawsze pochyloną w dół, w stronę ziemi. Jay widział ją w rozmaitych kombinezonach roboczych, w za dużych swetrach, męskich koszulach, dżinsach, wielkich butach, z włosami – tak soczystymi w kolorze – zawsze ascetycznie upchniętymi pod beretem. Pod tą odzieżą nie umiał wyobrazić sobie jej prawdziwych kształtów. Nawet jej dłonie wyglądały jak z satyrycznych kreskówek – zatopione w zbyt wielkich roboczych rękawicach. Jay kilkakrotnie próbował nawiązać z nią rozmowę, jednak bez skutku. Pewnego razu nawet poszedł do jej domu, ale nikt nie odpowiedział na jego stukanie, mimo że był pewien, iż słyszy kogoś krzątającego się za drzwiami.

– Na twoim miejscu nie chciałabym mieć z nią nic wspólnego – oznajmiła Caro Clairmont, gdy wspomniał jej o tej historii. – Nie chce rozmawiać z nikim z wioski. Doskonale wie, co każdy o niej myśli.

Siedzieli na tarasie „Café des Marauds". Caro nabrała zwyczaju przyłączania się do niego po kościele, w czasie gdy jej mąż kupował ciastka u Poitou. Pomimo okazywanej mu wylewnej przyjacielskości Jay uważał, że Caro ma w sobie coś odpychającego – coś, czego nie potrafił precyzyjnie określić. Być może wynikało to z jej nad wyraz chętnego mówienia źle o bliźnich. Gdy Caro się do niego przysiadała, Joséphine zazwyczaj trzymała się z daleka, zaś Narcisse zaczynał jeszcze pilniej studiować swój katalog nasion, chociaż silił się na obojętność. Niemniej Caro była jedną z nielicznych osób w wiosce, które chętnie odpowiadały na jego pytania. A do tego była prawdziwą kopalnią rozmaitych wiadomości.

– Powinieneś porozmawiać z Mireille – poradziła mu pewnego ranka, wsypując przy tym nadzwyczajne ilości cukru do kawy. – Jest jedną z moich najdroższych przyjaciółek. Oczywiście, całkiem inne pokolenie. Ale to, co musiała znosić ze strony tej kobiety! Nawet nie jesteś sobie w stanie wyobrazić. – Zanim pociągnęła pierwszy łyk kawy, starannie starła serwetką pomadkę z ust. – Pewnego dnia będę cię musiała jej przedstawić.

Tak się jednak złożyło, że pośrednictwo Caro okazało się całkiem zbędne. Mireille Faizande we własnej osobie postarała się o spotkanie z Jayem, kompletnie go tym zaskakując. Było ciepło. Kilka dni wcześniej Jay rozpoczął porządki w swoim warzywniku i teraz, gdy już najważniejsze prace remontowe przy domu zostały ukończone, co dzień poświęcał kilka godzin na urzędowanie w ogrodzie. W pewnym sensie miał nadzieję, że fizyczny wysiłek pomoże mu odzyskać inspirację, której potrzebował, by ukończyć książkę. Na gwoździu wbitym w ścianę domu zawiesił tranzystorowe radio nastawione na stację nadającą stare przeboje. Wyniósł też z kuchni do warzywnika kilka butelek piwa, które trzymał w wiadrze z zimną wodą, by się nie zagrzały. Sam nagi do pasa, osłaniając twarz od słońca słomkowym kapeluszem, który znalazł gdzieś wśród domowych rupieci, nie oczekiwał żadnych gości.

A tymczasem gdy usiłował motyką wydobyć z ziemi jakiś uporczywie tkwiący weń korzeń, zobaczył Mireille stojącą w pobliżu. Najwyraźniej czekała, by podniósł wzrok.

– Och, przepraszam – rzekł Jay, prostując kręgosłup. – Nie zauważyłem pani wcześniej.

Była potężną, bezkształtną kobietą, która powinna wyglądać mamuśkowato, ale z jakichś względów wcale tak nie wyglądała. Z wielkimi, przelewającymi się piersiami i biodrami niczym potężne głazy wyglądała bardzo solidnie – jej miękkie pokłady tłuszczu zdawały się skamieniałe w coś o wiele twardszego niż ludzkie ciało. Poniżej szerokiego ronda kapelusza, kąciki jej ust opadały nisko, niczym wykrzywione w ciągłej żałobie.

– Daleko tu od wioski – oznajmiła. – Już nie pamiętałam, jak daleko.

Mówiła z silnym lokalnym akcentem i przez chwilę Jay miał trudności ze zrozumieniem jej słów. Za jego plecami z radia płynęło „Here Comes the Sun", a ponad ramieniem Mireille widział cień Joego i refleks słońca odbijający od jego łysiny na czubku głowy.

– Madame Faizande...

– Och, proszę, odłóżmy na bok te formalności. Mów mi Mireille, dobrze? Mam nadzieję, że nie przeszkadzam, eh?

– Ależ skąd. Oczywiście, że nie. Właśnie w tej chwili miałem kończyć.

– Ach tak – szybko powiodła wzrokiem po zagospodarowanym do połowy warzywniku. – Nigdy bym nie przypuszczała, że masz ogrodnicze zacięcie.

Jay wybuchnął śmiechem.

– Jestem jedynie amatorem entuzjastą – oświadczył.

– Więc nie zamierzasz zająć się na poważnie winnicą? – Rzuciła tę uwagę ostrym głosem.

Jay pokręcił głową.

– Obawiam się, że to daleko wykracza poza moje możliwości.

– A więc zamierzasz sprzedać ziemię?

– Nie. Nie sądzę.

Mireille skinęła głową.

– Myślałam, że może zawarłeś już jakąś umowę. Z tą kobietą. – Jej słowa brzmiały niemal beznamiętnie. Na spódnicy ciemnej sukni jej artretyczne ręce podrygiwały w dziwnym drżeniu.

– Z pani synową?

Mireille ponownie skinęła głową.

– Zawsze miała oko na tę ziemię – stwierdziła. – Leży dużo wyżej ponad bagniskiem niż jej grunty. Jest lepiej zdrenowana. Zimą nigdy nie stoi tu woda, a latem nie wysycha gleba. To dobry grunt.

Jay rzucił jej niepewne spojrzenie.

– Rozumiem, że w tej sprawie zaszło... pewne nieporozumienie – zaczął ostrożnym tonem. – Wiem, że Marise spodziewała się... Gdyby zechciała ze mną porozmawiać, być może doszlibyśmy...

– Przebiję każdą cenę, którą ona panu oferuje – rzuciła Mireille szorstko. – Już i tak wystarczy, że póki co ma w posiadaniu winnicę mojego syna. Nie musi do tego porywać się na ziemię mojego ojca, eh? Ziemia mojego ojca – powtórzyła głośniej – która powinna należeć do mojego syna, i na której powinien wychowywać swoje dzieci.

I tak by się stało, gdyby ona nie doprowadziła go do zguby.

Jay wyłączył radio i sięgnął po koszulę.

– Przykro mi – oznajmił. – Nie zdawałem sobie sprawy z istnienia tak głębokich powiązań rodzinnych.

Mireille powiodła niemal miłosnym wzrokiem po fasadzie domu.

– Nie przepraszaj – rzuciła. – To wszystko nie wyglądało tak dobrze już od wielu lat. Nowa farba, nowe okna, nowe okiennice. Po śmierci matki mój ojciec całkiem zaniedbał to miejsce. Pozwolił, by popadło w ruinę. Wszystko – z wyjątkiem ziemi. Winnicy. Potem zaś, gdy mój biedny Tony... – urwała nagle, a jej dłonie wpadły w jeszcze gwałtowniejsze drżenie. – Nie życzyła sobie zamieszkiwać w rodzinnym domu. Nie życzyła. Madame zażądała własnego gospodarstwa, bliżej rzeki. Tony przebudował dla niej jedną ze stodół. A potem madame zapragnęła własnego ogrodu kwiatowego, własnego patio, własnej szwalni. Za każdym razem, gdy już się zdawało, że dom został ukończony, madame wymyślała coś nowego. Jakby chciała zyskać na czasie. Aż on w końcu sprowadził ją na miejsce. Sprowadził ją do mnie.

– Więc ona nie pochodzi z Lansquenet?

To by wyjaśniało owo fizyczne niepodobieństwo do okolicznej ludności: jasne oczy, drobne rysy, niezwykły koloryt skóry i poprawną, choć zabarwioną obcym akcentem, angielszczyznę.

– Nie. Jest z Paryża – ton Mireille oddawał w całej pełni jej niechęć i nieufność do stolicy. – Tony spotkał ją, gdy był tam na wakacjach. Miał wówczas zaledwie dziewiętnaście lat.

Musiała być wówczas kilka lat od niego starsza – dwudziestotrzy- może dwudziestoczteroletnia. Czemu za niego wyszła? Za tego chłopaka z głębokiej prowincji? Mireille musiała wyczytać te pytania w jego twarzy:

– Wyglądał na starszego, monsieur Jay. I był bardzo przystojny, o tak. Aż za bardzo – na swą własną zgubę. Mój jedyny syn. Miał przejąć dom, ziemię, wszystko. Jego ojciec nigdy mu niczego nie odmawiał. Każda dziewczyna z okolicy uznałaby się za najszczęśliwszą, gdyby tylko zechciał na nią spojrzeć. Ale mój Tony chciał czegoś lepszego. Uważał, że należy mu się coś lepszego... – urwała i potrząsnęła głową. – Ale starczy już o tym. Nie przyszłam tutaj, by rozmawiać o Tonym. Chciałam się jedynie dowiedzieć, czy zamierzasz sprzedać swoją winnicę.

– Nie, nie zamierzam – zapewnił ją stanowczo. – Podoba mi się idea posiadania ziemi, mimo że zapewne nigdy nie zostanę producentem wina. Daje mi poczucie prywatności.

Mireille zdawała się usatysfakcjonowana.

– Ale powiesz mi, gdybyś kiedykolwiek zmienił zdanie?

– Oczywiście. Proszę posłuchać, zapewne jest pani gorąco. – Teraz, gdy już tu przyszła, Jay nie chciał żeby odeszła, nie opowiedziawszy mu więcej o Tonym i Marise. – W piwnicy mam jakieś wino. Może zechciałaby się pani ze mną napić?

Mireille spojrzała na niego bystro, po czym kiwnęła głową.

– No, może małą szklaneczkę – odparła. – Choćby tylko po to, by znów znaleźć się w domu mojego ojca.

– Mam nadzieję, że spodoba się pani to, co zobaczy – powiedział Jay, prowadząc ją przez drzwi.

Trudno by było nie zaaprobować wyglądu wnętrza. Jay pozostawił dom w zasadzie w takim stanie, w jakim go zastał – zastąpił jedynie starą kanalizację nowymi urządzeniami, ale i tak zatrzymał porcelanowy zlew, a do tego piec do opalania drewnem, sosnowe szafki i poznaczony bliznami kuchenny stół. Jayowi odpowiadała patyna wieku pokrywająca te przedmioty – za każdą rysą, każdym okaleczeniem drewna kryła się jakaś historia. Podobały mu się także błyszczące, wytarte kamienne płyty posadzki, którą zamiatał regularnie, ale której nie zamierzał pokrywać żadnymi chodnikami.

Mireille rozejrzała się wokół krytycznie.

– I co? – spytał Jay z uśmiechem.

– Eh, mogło być dużo gorzej. Spodziewałam się plastikowych szafek i zmywarki do naczyń.

– Pójdę po wino.

W piwnicy panowały ciemności. Nowa instalacja nie została tu jeszcze założona, więc jedynym źródłem światła była na razie słaba żarówka zwisająca z wystrzępionego drutu. Jay sięgnął po butelkę z małego stojaka tuż przy schodach.

Zostało tam już jedynie pięć butelek. Oferował gościnę tak gorączkowo, że już zapomniał o stanie swoich zasobów; wczoraj w nocy, gdy siedział przy maszynie, wypił ostatnie słodkie Sauternes. Teraz też jego umysł zaprzątały zupełnie inne sprawy. Rozmyślał o Marise i Tonym, i o tym, jak by nakłonić Mireille do zwierzeń. Palce Jaya przez chwilę zacisnęły się na mojej szyjce, ale po chwili przesunęły się dalej. Musiał zapomnieć, że trzymał tu i „Specjały". Był przekonany, że gdzieś ma jeszcze jedną butelkę Sauternes, tylko że gdzieś się zawieruszyła. Obok mnie „Specjały" poruszyły się niemal niedostrzegalnie, otarły miękko o siebie niczym śpiące koty, zamruczały. Butelka leżąca tuż obok mnie – jej nalepka głosiła „Dzika róża, 1974" – zaczęła z cicha grzechotać. Bogaty, złocisty aromat cukru i kwietnego syropu doszedł nozdrzy Jaya. Z wnętrza butelki dobiegł mnie cichy, stłumiony śmiech. Jay, oczywiście, nie mógł go słyszeć. Ale i tak jego dłoń zacisnęła się na butelce różanego trunku. Słyszałam, jak spomiędzy jego palców wydobywa się zachęcający, zniewalający szept, jak szkło zdaje się zmieniać kształt, a nalepka zanika gdzieś pod spodem. „Sauternes – mruczało wino z róży uwodzicielsko – cudowne, żółte Sauternes z regionu po drugiej stronie rzeki". Idealny trunek, by rozwiązać język starej kobiety, by orzeźwić wysuszone podniebienie, łagodnie i słodko spłynąć po gardle. Jay pochwycił butelkę z cichym okrzykiem triumfu.

– Wiedziałem, że jeszcze ją tu mam.

Nalepka była zamazana. Zresztą w mdłym świetle piwnicy i tak nie usiłowałby jej przeczytać. Wszedł z butelką po schodach do kuchni, otwarł ją, zaczął rozlewać napój. Gdy wino spływało do szklanek, z gardła butelki wyrwał się cichy, niski chichot.

36

– Mój ojciec robił najlepsze wino w tym regionie – oznajmiła Mireille. – Kiedy zmarł, jego brat,

Emile, przejął winnicę. Potem miała ona przejść w ręce Tony'ego.

– Tak, wiem. Bardzo mi przykro.

Wzruszyła ramionami.

– Przynajmniej gdy Tony'ego zabrakło, ziemia wróciła w ręce męskiej linii rodziny. Ciężko byłoby mi przeżyć, gdyby dostała się jej.

Jay uśmiechnął się zażenowany. W tej kobiecie zdawało się tkwić coś o wiele żarliwszego niż smutek i żal. To coś płonęło w jej oczach. Jednak twarz miała kamienną. Spróbował wyobrazić sobie, co się czuje po stracie jedynego syna.

– Dziwię się, że tu została – powiedział. – Po tym wszystkim...

Mireille parsknęła ironicznym śmiechem.

– A pewnie, że została – rzuciła ostrym głosem. – Nie znasz jej wcale, eh? Została ze złości i uporu. Wiedziała, że to tylko kwestia czasu, kiedy mój stryj umrze, a ona przejmie posiadłość dla siebie, tak jak zawsze pragnęła. Ale on nie był w ciemię bity. Stary wyga zwodził ją i zwodził. Pozwolił myśleć, że dostanie wszystko tanim kosztem.

Ponownie parsknęła śmiechem.

– Ale czemu ona w ogóle chce tę ziemię? Czemu nie zostawi tego wszystkiego i nie wróci do Paryża?

Mireille wzruszyła ramionami.

– Kto wie? Może, by zrobić mi na złość? – mówiąc to, pociągnęła łyczek wina, po czym ze zdziwieniem spojrzała na szklankę.

– Co to takiego?

– Sauternes... Och, szlag by to trafił!

Jay nie mógł pojąć, jakim cudem tak pomylił butelki. Rozmazana, ręcznie wypisana nalepka. Żółty sznureczek wokół szyjki. Owoc róży, 1974.

– Jasna cholera. Przepraszam bardzo. Chwyciłem nie tę butelkę.

Pociągnął łyk ze swojej szklanki. Poczuł niesłychaną słodycz, syropowatą konsystencję i cząsteczki osadu. Skonsternowany obrócił się w stronę Mireille.

– Otworzę inną butelkę. Proszę mi wybaczyć. W życiu nie pozwoliłbym sobie na świadome poczęstowanie pani czymś podobnym. Nie wiem, jakim cudem pomyliłem te butelki...

– Nic się nie stało – stwierdziła Mireille, zaciskając dłoń na szklance. – To wino mi smakuje. Coś mi przypomina. Tylko nie wiem co. Może zapach lekarstwa, które podawałam Tony'emu w dzieciństwie... – Ponownie pociągnęła łyk, i Jaya dobiegł miodowy aromat wydobywający się z jej szklanki.

– Proszę, madame. Ja naprawdę...

– Smakuje mi – oznajmiła stanowczo.

Przez okno, ponad jej ramieniem, Jay dostrzegł Joego wciąż stojącego wśród jabłoni, ze słońcem odbijającym jaskrawo od jego pomarańczowego kombinezonu. Gdy Joe pochwycił wzrok Jaya, zamachał mu dłonią, po czym podniósł kciuk w triumfalnym geście. Jay zakorkował ponownie butelkę różanego wina, pociągnął potężny łyk ze swojej szklanki i nagle zrozumiał, że nie ma najmniejszej ochoty wylewać tego trunku. Wino miało ohydny smak, ale aromat cudowny i przebogaty – przywodzący na myśl woskowe czerwone jagody, ciężarne nasionami, puszczające obficie soki do rondla, oraz Joego w swojej kuchni, gdzie z radia rozkręconego na pełen regulator płynęło „Kung Fu Fighting" – numer jeden przez cały tamten miesiąc. Ów bogaty aromat przypominał Joego przerywającego od czasu do czasu pracę, by zademonstrować szczególne *atemi* wyuczone podczas podróży po Oriencie, a także październikowe słońce skrzące oślepiającymi błyskami na pęknięciach szyb...

Na Mireille wino zdawało się mieć podobny wpływ, chociaż jej podniebienie było niewątpliwie o wiele bardziej wyczulone na winny bukiet. Sączyła trunek małymi łyczkami, wyraźnie zdumiona tym, co czuła, za każdym razem rozkoszując się smakiem. A potem sennie oznajmiła:

– Eh, smakuje, jak... różana woda. A może nie. Właściwie smakuje jak róże. Jak czerwone róże.

A więc nie tylko Jay doświadczał niezwykłego działania wina uwarzonego przez Joego. Jay przyglądał się uważnie starej kobiecie, gdy wysączała płyn, z obawą doszukując się w jej twarzy pierwszych oznak niepożądanych skutków. Ale szczęśliwie nie dojrzał nic niepokojącego. Wręcz przeciwnie, jej rysy jakby zatraciły swój niezwykle stężały wygląd, zaś usta rozciągnęły się w pogodnym uśmiechu.

– Coś podobnego. Róże. Wiesz, kiedyś miałam tu własny ogród różany. Zaraz za sadem jabłoniowym. Ale nie mam pojęcia, co się z nim w końcu stało. Gdy zmarł mój ojciec, wszystko w zasadzie popadło w ruinę. Moje róże były czerwone, a jak pachniały! Opuściłam ten dom, gdy wyszłam za mąż za Hugue'a, ale jeszcze długo potem, co niedziela, przychodziłam gdy kwitły, by je ścinać. Hugue i mój ojciec zmarli jednego roku – tego samego, w którym narodził się Tony. Straszny był to rok. Nie przeżyłabym, gdyby nie mój mały chłopiec. Natomiast było to wprost wymarzone lato dla róż. Obrastały cały dom, aż po szczyty dachu. Eh, mocne to wino. Przyprawia o zawrót głowy.

Jay spojrzał na nią uważnie, mocno zaniepokojony.

– Odwiozę panią do domu. Sądzę, że nie powinna pani wracać taki kawał drogi na piechotę. Nie w takim skwarze.

Mireille pokręciła głową.

– Mam ochotę na spacer. Nie jestem jeszcze aż tak stara, by wzdragać się przed przejściem paru kilometrów. Poza tym – kiwnęła energicznie głową w stronę sąsiedniej farmy – lubię patrzeć na dom mojego syna. A do tego, jeżeli dopisze mi szczęście, niekiedy udaje mi się zobaczyć jego córeczkę. Oczywiście z daleka.

Oczywiście. Jay niemal zupełnie zapomniał, że w grę wchodziło jeszcze dziecko. On sam nigdy nie widział tej dziewczynki – ani na terenie winnicy, ani w drodze do szkoły.

– Moja maleńka Rosa. Skończyła siedem lat. Nie miałam z nią bliższego kontaktu od czasu śmierci Tony'ego. Ani razu. – W tym momencie jej usta zaczęły znów nabierać owego charakterystycznego zgorzkniałego wyrazu, zaś w fałdach ciemnej spódnicy jej duże, zniekształcone dłonie ponownie zaczęły drżeć w niekontrolowany sposób. – Och, ona dobrze wie, jak mnie zranić. Wie dobrze. A ja zrobiłabym wszystko dla dziecka mojego syna. Mogłabym odkupić dla nich te farmę, eh? Dać im dużo pieniędzy. Jeden Pan Bóg wie, że nie ma nikogo innego, komu mogłabym je zostawić.

Zaczęła z wielkim wysiłkiem podnosić się z krzesła, podpierając się dłońmi o blat stołu, by wydźwignąć swoje potężne ciało.

– Ona dobrze wie, że w tym celu musiałaby mi pozwolić na widywanie się z wnuczką – ciągnęła Mireille. – Ale ja już dobrze zmiarkowałam, o co tutaj chodzi. Gdyby tylko odpowiednie władze wiedziały, jak ona traktuje moją Rosę; gdybym tylko umiała dowieść jej postępowania...

– Bardzo proszę, niech się pani nie denerwuje – zaczął uspokajać ją Jay, podtrzymując jednocześnie pod łokieć. – Proszę się tak nie ekscytować. Jestem pewien, że Marise opiekuje się Rosą najlepiej, jak potrafi.

Mireille posłała mu gwałtowne, pogardliwe spojrzenie.

– A co ty możesz o niej wiedzieć? Byłeś tu, gdy działo się, co najważniejsze? A może chowałeś się za drzwiami stodoły, gdy umierał mój syn? – Jej głos brzmiał krucho. Pod jego palcami jej ramię zdawało się rozpalone do czerwoności.

– Tak mi przykro. Gdybym tylko mógł...

Mireille pokręciła z wysiłkiem głową.

– Nie, to ja powinnam przepraszać. To z powodu ostrego słońca i mocnego wina, eh? Rozpuściłam język, jak nieokrzesana. Ale tylko dlatego, że na myśl o niej, wszystko się we mnie gotuje.

Uśmiechnęła się niespodziewanie i wówczas pod szorstką, nieprzystępną fasadą Jay ujrzał błysk inteligencji i nadzwyczajnego uroku.

– Zapomnij owe słowa, monsieur Jay. I przyjmij proszę moje zaproszenie. Każdy w tej wiosce bez trudu wskaże ci drogę do mojego domu.

Ton jej głosu wykluczał wszelką odmowę.

– Przyjdę z przyjemnością. Pani nawet nie może sobie wyobrazić, jak jestem szczęśliwy, że ktoś chętnie będzie znosił moją fatalną francuszczyznę.

Przez ułamek chwili Mireille mierzyła go bardzo uważnym wzrokiem, po czym się uśmiechnęła.

– Jesteś obcokrajowcem, ale masz serce Francuza. Dom mego ojca znalazł się w dobrych rękach.

Jay przyglądał się, gdy odchodziła sztywnym krokiem zarośniętą ścieżką wyznaczającą granicę jego posesji, aż do chwili gdy zniknęła mu z oczu za linią drzew na końcu sadu. Patrząc na nią, zastanawiał się, czy gdzieś wciąż jeszcze rosły jej róże.

Wlał pozostałość różanego wina ze swojej szklanki z powrotem do butelki i ponownie ją zakorkował. Umył szklanki i odłożył narzędzia ogrodnicze do szopy. I dopiero wtedy pojął, co się dzieje. Po kilku dniach niemocy twórczej, ciężkiej walce, by odnaleźć rozproszone kawałki nieskończonej powieści, ponownie dojrzał jej wątek, równie oczywisty jak przedtem, niczym błyszczącą monetę poniewierającą się na piaszczystej drodze.

Bez zastanowienia pobiegł ku maszynie do pisania.

– Po mojemu, mógłbyś je odtworzyć, gdybyś tylko się do tego przyłożył – oznajmił Joe, mierząc wzrokiem plątaninę różanych krzewów. – Sporo wody upłynęło od czasu, gdy je ostatni raz przycinano, niektóre pędy już zdziczały, ale jeżeli się postarasz, uda ci się je odrodzić.

Joe zawsze udawał obojętność wobec kwiatów. Zdecydowanie przekładał nad nie drzewa owocowe, zioła, jarzyny – wszystko to, co przynosiło plon, co można było przechowywać, suszyć, marynować, butelkować, przerabiać na musy i, oczywiście, na wino. Ale mimo to w jego ogrodzie, jakimś dziwnym trafem, zawsze były kwiaty. Jakby zasadzone od niechcenia: dalie, maki, lawenda, malwy. Pomiędzy ziemniakami pięły się róże, a wśród fasoli – pachnący groszek. Oczywiście, częściowo miał być to kamuflaż, a częściowo przynęta dla pszczół. Ale tak naprawdę sprowadzało się to do jednego: Joe w gruncie rzeczy kochał kwiaty i nawet niechętnie wyrywał kwitnące chwasty.

Jay nigdy nie dostrzegłby ogrodu różanego, gdyby nie wiedział, w którym miejscu szukać. Mur, po którym onegdaj pięły się róże, został częściowo wyburzony – pozostała po nim jedynie nieregularnie poszarpana ściana z cegieł długości mniej więcej piętnastu stóp. Aż do jej szczytu porastało gęste zielsko, wśród którego trudno było dojrzeć róże. Za pomocą sekatora Jay oczyścił z chwastów kilka różanych pędów i wówczas zobaczył pojedynczy, czerwony kwiat, niemal dotykający koroną gruntu.

– Stara róża – zauważył Joe, przyglądając się bliżej płatkom. – Najlepsza do przetworów. Powinieneś spróbować uwarzyć nieco dżemu z płatków róż. To prawdziwy delikates.

Jay znowu zabrał się do sekatora – zaczął odcinać wąsy chaszczy ciasno oplatające różane pędy. Teraz dojrzał więcej kwiatowych pąków, ścisłych i zielonych z braku dostępu słońca. Aromat wydobywający się z otwartego kwiatu był lekki i nieco ziemisty.

Potem przez pół nocy pisał nową powieść. Mireille dostarczyła mu dość materiału na następne dziesięć stron, które pięknie wkomponowały się w resztę tekstu, jakby Jay potrzebował jedynie tej pożywki, by pociągnąć dalej swą historię. Bez tego centralnego wątku jego książka byłaby jedynie luźnym zbiorem anegdot, natomiast postać i przeżycia Marise stanowiły czynnik wiążący je w spójną całość i czyniły z jego powieści gęstą, absorbującą prozę. Gdyby tylko on sam wiedział, dokąd go ta opowieść zaprowadzi.

W Londynie zwykł był chodzić na siłownię, gdy musiał coś przemyśleć. Tutaj – zabierał się za pracę w ogrodzie. Pielęgnowanie roślin oczyszczało umysł. Jay świetnie pamiętał owe letnie miesiące na Pog Hill Lane, gdy pod uważnym okiem Joego obcinał i trymował to i owo, rozczyniał żywicę konieczną do szczepienia drzew, w wielkim moździerzu rozcierał zioła do napełnienia flanelowych woreczków. Teraz, tutaj, robił podobne rzeczy i czuł się wspaniale – zawiązywał na drzewach czerwone wstążeczki dla odstraszania ptaków i rozwieszał mocno pachnące, ziołowe saszetki dla obrony przed szkodnikami.

– Będą wymagać dokarmienia i w ogóle – stwierdził Joe, pochylając się nad różami. – Musisz nalać im na korzenie nieco tego różanego wina. Nic nie zrobi im lepiej. A zaraz potem trzeba zwalczyć te mszyce.

Rzeczywiście, róże zostały poważnie zaatakowane przez szkodniki – łodygi aż lepiły się od insektów. Jay uśmiechnął się szeroko.

– Może tego roku opryskam je po prostu czymś chemicznym – oznajmił.

– Ani się waż robić coś podobnego! – wykrzyknął Joe. – Paskudzenie wszystkiego chemią. Chyba nie po to tu przyjechałeś?

– A w takim razie po co?

Joe wydał z siebie dźwięk oburzenia.

– Tyś nie zdolny pojąć cokolwiek.

– Tym razem pojmuję wystarczająco wiele, by się już nie dać złapać na twoje sztuczki – odparował Jay. – Ty i te magiczne saszetki. Talizmany. Podróże po Oriencie. Nieźle mnie nabierałeś, co? Musiałeś aż pękać wtedy ze śmiechu.

Joe posłał mu surowe spojrzenie ponad wąskimi okularami do czytania.

– Nigdy nie pękałem ze śmiechu – odparł. – Gdybyś miał tylko na tyle rozumu, by spojrzeć dalej własnego nosa...

– Doprawdy? – Teraz już Jay zaczął popadać w irytację i szarpać z niepotrzebną zapalczywością za pędy jeżyn porastające wśród róż. – W takim razie dokąd wyjechałeś? I to bez słowa pożegnania? Czemu, gdy pojechałem do Pog Hill, musiałem zastać dom całkowicie opuszczony?

– Och, a więc znów do tego wracamy, hę?

Joe oparł się o jabłoń i zapalił playersa. Z radia leżącego w trawie rozległo się „I Feel Love" – numer jeden owego sierpnia.

– No, nie. Tylko nie to – rzucił gniewnie Jay.

Joe wzruszył ramionami. Radio zajęczało i umilkło.

– Gdybyś tylko zasiał owe „tubery", tak jak powinieneś – westchnął Joe.

– Wówczas potrzebowałem czegoś więcej niż garści głupich nasion – burknął Jay.

– Z ciebie był zawsze ciężki przypadek – Joe precyzyjnie strzelił petem poza żywopłot. – Nie mogłem ci powiedzieć, że wyjeżdżam, bo wtenczas sam o tym jeszcze nie wiedziałem. Nagle poczułem, że znów muszę ruszyć w drogę, odetchnąć morską bryzą, zobaczyć przed oczami wijącą drogę. Poza tym zdawało mi się, że zostawiam cię dobrze zabezpieczonego. Mówiłem ci, gdybyś tylko wysiał one nasiona. Gdybyś wykazał nieco wiary.

Jay poczuł, że ma już dość. Odwrócił się i spojrzał Joemu w oczy. Jak na halucynację, Joe był zadziwiająco realny – nawet miał ziemię wżartą pod paznokciami. Z jakiegoś nieokreślonego powodu to tym bardziej rozjuszyło Jaya.

– Nigdy nie prosiłem, byś się tu zjawił! – Teraz już wrzeszczał. Czuł się tak, jakby miał znowu piętnaście lat i stał samotnie w piwnicy Joego wśród potrzaskanych słoików i butelek. – Nie chcę twojej pomocy! Po co tu w ogóle tu jesteś? Czemu w końcu nie zostawisz mnie w spokoju!

Joe spokojnie czekał, aż Jay się wykrzyczy.

– Skończyłeś? – spytał, gdy Jay zamilkł. – Skończyłeś, do pioruna?

Jay znowu zabrał się za krzewy róż i nie patrzył na starszego pana.

– Wynoś się, Joe – mruknął niemal niedosłyszalnie.

– Do pioruna, może to zrobię, i w ogóle – odparł ostro Joe. – Myślisz, że nie mam nic lepszego do roboty? Ciekawszych miejsc do odwiedzenia? Zdaje ci się, że wygrałem czas na jakiejś pioruńskiej loterii? – Mówił z silnym akcentem, jak zawsze w tych rzadkich przypadkach, gdy był zirytowany. Aż trudno go było zrozumieć. Jay odwrócił się do niego plecami.

– W porządku więc – w jego głosie zabrzmiała tak ostateczna nuta, że Jay najbardziej na świecie zapragnął na niego spojrzeć. Jednak tego nie zrobił. – Jak tam chcesz. To na razie.

Przez kilka następnych minut Jay zmuszał się do pracy przy krzewach róż. Za plecami nie słyszał nic poza ćwierkiem ptaków i poszumem ożywczej bryzy ponad polami. Joe zniknął. I tym razem Jay wcale nie miał pewności, że jeszcze kiedykolwiek go zobaczy.

37

Gdy następnego ranka Jay pojechał do Agen, zastał tam notkę od swojego agenta. Nick zdawał się niezwykle podekscytowany; podkreślił grubą krechą parę wyrazów, by wyraźnie zaznaczyć ich wagę. *Skontaktuj się ze mną jak najszybciej, to pilne.* Jay zadzwonił do niego z kawiarni Joséphine. Nie miał w domu telefonu i wcale nie zamierzał go instalować. Głos Nicka dochodził do niego z wielkiej oddali, niczym sygnał słabej stacji radiowej. Jay o wiele wyraźniej słyszał kawiarniane dźwięki – pobrzękiwanie szklanek, przesuwanie warcabów po planszy, śmiech, podniesione głosy – niż słowa Nicka.

– Jay! Jay! Tak się cieszę, że cię słyszę. Tu zapanowało istne szaleństwo. Nowa książka jest wspaniała. Rozesłałem ją po kilku wydawcach. I...

– Ja jeszcze jej nie skończyłem – wtrącił rzeczowo Jay.

– To nieważne. Na pewno będzie wspaniała. Najwyraźniej nowy klimat ci służy. To, czego teraz potrzeba mi najbardziej...

– Słuchaj, zaczekaj chwilę – Jay poczuł się nagle mocno zdezorientowany. – Nie jestem jeszcze gotowy.

Nick musiał dosłyszeć jakąś szczególną nutę w jego głosie, ponieważ natychmiast spuścił z tonu.

– Hej, spokojnie. Nikt nie zamierza cię poganiać ani wywierać żadnej presji. Nikt nawet nie wie, gdzie jesteś.

– Bardzo się z tego cieszę – odparł Jay. – Muszę dłużej pobyć w samotności. Czuję się tu bardzo szczęśliwy; pracuję w ogrodzie i rozmyślam o nowej książce.

Jay niemal słyszał, jak umysł Nicka zaczyna buzować od szybkiej kalkulacji.

– OK, jeżeli tak chcesz, będę trzymać innych z daleka od ciebie. Wszystko trochę przystopuję. Co jednak mam powiedzieć Kerry? Wydzwania do mnie praktycznie co dzień i domaga się...

– Kerry jest osobą, której w żadnym razie nie powiesz, gdzie jestem – odparł Jay z naciskiem. – Ją ostatnią miałbym ochotę tu oglądać.

– Ho, ho – rzucił Nick.

– Co „ho, ho"?

– A więc przy okazji uprawiasz również *cherchez la femme*, tak? – powiedział rozbawionym głosem. – Oceniasz miejscowe talenty?

– Nie.

– Jesteś pewien?

– Absolutnie.

Jay pomyślał, że nawet nie skłamał. Od tygodni praktycznie nie myślał o Marise. Poza tym kobieta, która wkroczyła na strony jego powieści, bardzo odbiegała od rzeczywistej samotnicy z sąsiedniej posiadłości. Jay nie był zainteresowany nią jako taką, ale jej historią.

Po usilnych naleganiach Nicka, Jay podał mu w końcu numer telefonu Joséphine na wypadek gwałtownej potrzeby kontaktu. Nick jeszcze raz zapytał, kiedy będzie mógł przeczytać całość. Jay nie potrafił mu powiedzieć. Prawdę mówiąc, nawet nie miał ochoty się nad tym zastanawiać. W zasadzie czuł się nieswojo na myśl, że Nick bez jego zgody pokazał komuś pierwsze strony maszynopisu, mimo że przecież na tym polegała jego praca. Gdy odłożył słuchawkę, spostrzegł, że Joséphine podała świeży dzbanek kawy do jego stolika. Siedzieli tam Roux i Poitou oraz Popotte, listonoszka. Jay był przez chwilę całkiem otumaniony. Nigdy przedtem Londyn nie wydawał mu się równie daleki.

Wracał do domu, jak zwykle, na przełaj przez pola. W nocy lało i ścieżka była bardzo śliska, bo wciąż jeszcze kapało na nią z żywopłotów. Zszedł więc z drogi i wędrował wzdłuż rzeki aż do granicy posiadłości Marise, rozkoszując się ciszą i widokiem drzew przygiętych od deszczu. W winnicy ani śladu Marise. Jay dojrzał niewielki obłok dymu nad kominem jej domu i w owej chwili to był jedyny, dostrzegalny ruch w przyrodzie. Nawet ptaki nie wydawały najlżejszego odgłosu. Jay zamierzał przekroczyć rzekę w najwęższym, najpłytszym miejscu, tam gdzie ziemia Marise stykała się z jego gruntami. Oba brzegi rzeki były nieco wzniesione, porośnięte na górze drzewami: owocowymi po jej stronie i bezładną plątaniną głogów oraz dzikiego bzu – po jego. Przechodząc obok, Jay spostrzegł, że czerwone wstążeczki, które poprzyczepiał do gałęzi zniknęły – prawdopodobnie zdmuchnięte wiatrem. A więc będzie musiał obmyślić pewniejszy sposób ich mocowania. W miejscu, do którego zmierzał, rzeka się znacznie wypłycała, a brzegi były niższe. Jednak w czasie deszczu woda przybierała, tworząc z kęp trzcin maleńkie wysepki. Podmywała przy tym czerwoną glinę brzegów i żłobiła w niej wymyślne wzory, które potem słońce utwardzało na kamień. Przy brodzie zbudowano schodki, wybłyszczone falami rzeki i niezliczoną ilością onegdaj depczących je stóp, chociaż teraz tamtędy chadzał jedynie Jay. A przynajmniej tak mu się zdawało.

Tymczasem, gdy doszedł do brodu, dojrzał dziewczynkę kucającą ryzykownie na skraju brzegu, mącącą patykiem cichą wodę. Tuż obok niej stała mała, brązowa kózka i wybałuszała łagodnie oczy. Jego nadejście spłoszyło dziecko, które teraz lekko zesztywniało. Zobaczył jasne oczy, równie ciekawskie, co oczy kozy.

Przez moment wpatrywali się w siebie nawzajem: ona – przymurowana do miejsca, w którym kucała, z szeroko otwartymi oczami, Jay – osłupiały z powodu najniezwyklejszego przypadku *déjà vu*, jakiego kiedykolwiek doświadczył w życiu.

Niespodziewanie ujrzał Gilly.

Miała na sobie pomarańczowy sweter i zielone spodnie podwinięte do kolan. Buty, zrzucone z nóg, leżały obok w trawie. Niedaleko stał też mały, czerwony plecak z otwartą klapą – niczym z szeroko rozdziawionymi ustami. Naszyjnik na szyi dziecka, spleciony z czerwonych wstążeczek, wyjaśniał jednoznacznie, co się stało z talizmanami Jaya.

Gdy przyjrzał się jej uważniej zrozumiał, oczywiście, że to nie Gilly. Jej kręcone włosy miały bardziej kasztanowy niż marchewkowy odcień, a poza tym była młodsza – najwyżej ośmio- czy dziewięcioletnia. Mimo to podobieństwo aż zapierało dech w piersiach. Miała równie żywą, piegowatą buzię, szerokie usta i podejrzliwe, zielone oczy. Spoglądała dokładnie w taki sam sposób i podobnie wykrzywiała kolana. Nie, nie Gilly, ale tak podobna, że aż poczuł skurcz serca. Zrozumiał jednocześnie, że tą dziewczynką może być tylko Rosa.

Rzuciła mu przeciągłe, poważne spojrzenie, po czym gwałtownie złapała w rękę buty i zaczęła uciekać. Kózka podskoczyła nerwowo i bryknęła miękko w stronę Jaya, po czym zatrzymała się, by poskubać troki porzuconego plecaka. Tymczasem dziewczynka ruszała się tak zręcznie, jakby sama była kózką. Gdy wdrapywała się na szczyt śliskiego brzegu, pomagała sobie żwawo rękami.

– Zaczekaj! – krzyknął za nią Jay, ale go zignorowała. Zwinna niczym łasica, w mgnieniu oka znalazła się na górze, po czym odwróciła się tylko na moment, by pokazać mu język w milczącym akcie wyzwania.

– Zaczekaj! – wykrzyknął ponownie, rozkładając pokojowo ręce, aby uświadomić jej, że nie ma żadnych złych zamiarów. – Wszystko w porządku. Nie uciekaj.

Z głową lekko pochyloną w bok dziewczynka wpatrywała się w niego skoncentrowana, ale czy z ciekawością, czy wrogością – nie był w stanie orzec. Nie miał pojęcia, czy zrozumiała jego słowa.

– Witaj, Roso – powiedział.

Dziecko wciąż tylko mu się przyglądało.

– Mam na imię Jay. Mieszkam po tamtej stronie. – Wskazał na swój dom, ledwie widoczny spomiędzy drzew.

Teraz zauważył, że nie patrzyła dokładnie na niego, ale lekko w lewo i w dół od miejsca, gdzie stał. Była spięta, w każdej chwili gotowa czmychnąć. Jay zaczął gorączkowo szukać w kieszeni czegoś, co mógłby jej dać – cukierka czy herbatnika – ale znalazł jedynie zapalniczkę, jednorazówkę z taniego plastiku świecącego w słońcu jaskrawym kolorem.

– Możesz ją dostać, jeśli chcesz – zaoferował, wyciągając rękę ponad wodą. Nie zareagowała. Pomyślał, że być może nie potrafi czytać z ruchu warg.

Tymczasem pozostająca po jego stronie rzeki koza zaczęła beczeć i lekko trykać go łbem w nogi. Rosa spojrzała na niego, a potem na kozę wzrokiem, w którym lekceważenie mieszało się z niepokojem. Jay zauważył, że Rosa wciąż spogląda na porzucony plecak. Schylił się i go podniósł. Koza tymczasem przerzuciła swoje zainteresowanie z nóg Jaya na rękaw jego koszuli, który teraz skubała z niepokojącą gwałtownością. Jay wyciągnął rękę z plecakiem.

– Jest twój?

Na przeciwległym brzegu dziewczynka postąpiła krok do przodu.

– Wszystko w porządku. – Jay mówił teraz bardzo powoli, na wypadek gdyby ona rzeczywiście nie czytała z ruchu warg. Cały czas się uśmiechał. – Poczekaj, zaraz ci go przyniosę, dobrze?

Skierował się w stronę głazów stanowiących przeprawę przez rzekę, trzymając w dłoni ciężki plecak. Koza przyglądała mu się z cynicznym wyrazem pyska. Jay, z ciężkim plecakiem w wyciągniętym ręku, poruszał się dość nieudolnie. Spojrzał w górę, by posłać dziewczynce uśmiech, pośliznął się na mokrym od deszczu kamieniu i – niewiele brakowało – aby się przewrócił. Koza, podążająca za nim po kamieniach, nieoczekiwanie tryknęła go od tyłu; Jay niekontrolowanie postąpił w przód i nieoczekiwanie wylądował w rzece.

I Rosa, i koza przypatrywały się temu w milczeniu. Ale obie wyglądały na szczerze ubawione.

– Szlag by to trafił!

Jay niezdarnie zaczął brnąć w stronę brzegu. Prąd rzeki okazał się dużo silniejszy, niżby podejrzewał, i teraz zataczał się w wodzie, ślizgając po kamieniach i błocie dna. Jedyną suchą rzeczą, jaką miał przy sobie, był już w tej chwili tylko plecak.

Rosa uśmiechała się szeroko.

To ją całkowicie odmieniło. Miała niezwykle słoneczny, nagle pojawiający się uśmiech, ukazujący jej nadzwyczaj białe zęby, odbijające ostro od pokrytej ciemnymi piegami twarzy. Śmiała się niemal bezgłośnie i tupała bosymi stopami w pantomimicznym geście wesołości. Jednak chwilę później już umykała – podniosła z ziemi buty i pobiegła w stronę wzniesienia prowadzącego do sadu. Kózka ruszyła za nią, skubiąc czule zwisające luźno sznurowadło. Gdy znalazły się na samej górze, Rosa odwróciła się i pomachała w jego stronę ręką, jednak czy był to gest wojowniczego wyzwania, czy przyjaznych uczuć, Jay nie umiał zdecydować.

Gdy uniknęła mu z pola widzenia, zorientował się, że wciąż ma jej plecak. Gdy go otworzył, znalazł przedmioty, które jedynie dla dziecka mogły stanowić szczególną wartość: słoik pełen ślimaków, kilka kawałków drewna, rzeczne otoczaki, kłębek sznurka oraz jego talizmany splecione razem czerwoną wstążką, układające się w jaskrawą girlandę. Jay umieścił wszystkie skarby z powrotem w plecaku, a potem powiesił go na furtce w pobliżu żywopłotu – tuż obok miejsca, gdzie dwa tygodnie temu umieścił głowę smoka. Nie miał żadnych wątpliwości, że tutaj Rosa znajdzie go bez najmniejszego trudu.

– Nie widziałam jej od wielu miesięcy – oznajmiła Joséphine. – Marise nie posyła jej do szkoły. A szkoda. Dziewczynka w jej wieku potrzebuje towarzystwa koleżanek.

Jay pokiwał głową.

– Kiedyś chodziła do grupy przedszkolnej – przypomniała sobie Joséphine. – Miała wtedy ze trzy lata, a może nawet mniej. Wówczas jeszcze trochę mówiła, ale sądzę, że już nie słyszała.

– Tak? – w tonie Jaya zabrzmiała ciekawość. – Sądziłem, że się urodziła głucha.

Joséphine pokręciła głową.

– Nie. Złapała jakąś infekcję. W tym samym roku, kiedy zmarł Tony. Mieliśmy wówczas fatalną zimę. Rzeka wylała i połowa gruntów Marise przez trzy miesiące znajdowała się pod wodą. A do tego jeszcze ta sprawa z policją...

Jay posłał jej pytające spojrzenie.

– A tak. Mireille za wszelką cenę starała się dowieść, że Marise ponosi odpowiedzialność za śmierć Tony'ego. Utrzymywała, że tuż przed tą tragedią gwałtownie się pokłócili. Że Tony nigdy nie popełniłby samobójstwa. Usiłowała dać wszystkim do zrozumienia, że w całą tę sprawę był wplątany inny mężczyzna, który razem z Marise uknuł spisek na życie Tony'ego – Joséphine pokręciła głową, marszcząc brwi. – Mireille zachowywała się jak niespełna rozumu. Oszalała z rozpaczy. Była w stanie wymyślić każdą bzdurę. Oczywiście, w końcu do niczego poważnego nie doszło. Policjanci się u nas zjawili, zadali kilka pytań i odjechali. Sądzę, że natychmiast zorientowali się w stanie psychicznym Mireille. Niemniej ona spędziła następne trzy czy cztery lata na pisaniu donosów, petycji, prowadzeniu osobliwej krucjaty. Raz czy dwa ktoś się tu zjawił w wyniku jej działań. To wszystko. Sprawa spełzła na niczym. Tyle że Mireille zaczęła rozpowszechniać plotki, iż Marise trzyma dziecko zamknięte w komórce, czy coś podobnego.

– Myślę, że to nonsens. – Żywe, piegowate dziecko, które Jay ujrzał na własne oczy, w żadnym wypadku nie robiło wrażenia, by kiedykolwiek było gdziekolwiek zamykane.

Joséphine wzruszyła ramionami.

– Ja też tak uważam – oznajmiła. – Ale co się miało złego stać, to się już stało. Hordy ludzi zaczęły zbierać się u bramy posiadłości Marise i po jej stronie rzeki. W większości w jak najlepszych intencjach względem dziecka, ale Marise nie mogła być tego pewna, więc zaszyła się w domu. Wówczas na jej podwórku zapłonęły pochodnie, ludzie odpalali tam petardy i rzucali kamieniami w okiennice. – Ponownie potrząsnęła głową. – Zanim wszystko się wyjaśniło, było już za późno – wyjaśniła. – Marise doszła do przekonania, że każdy jest przeciwko niej. A jeszcze potem do tego wszystkiego zaginęła Rosa...

Joséphine wlała sobie do kawy miarkę koniaku.

– Przypuszczam, że uznała, iż cała wioska maczała w tym palce. W takim miejscu jak to, nic nie da się ukryć, więc każdy wiedział, że Rosa jest u Mireille. Dziecko miało wówczas trzy lata, wszyscy uważaliśmy, że one powinny jakoś załatwić tę sprawę między sobą i że Rosa tylko odwiedza babkę. Oczywiście, Caro Clairmont wiedziała swoje, jak i Joline Drou – w owym czasie jej najlepsza przyjaciółka – a także Cussonnet, lekarz. Ale reszta z nas... Cóż, nikt nie zadawał żadnych pytań. Ludzie uznali, że po tym wszystkim powinni raczej pilnować własnego nosa. A poza tym nikt tak naprawdę nie znał Marise.

– Ona zdecydowanie tego nie ułatwia – zauważył Jay.

– Rosa zniknęła na mniej więcej trzy dni. Mireille zabrała ją do siebie z grupy przedszkolnej. Wszyscy słyszeli krzyki tego dziecka – dochodziły aż do Les Marauds. Nie wiem, co tak naprawdę dolegało temu maleństwu, ale jedno nie ulega żadnej wątpliwości – miała parę nadzwyczaj silnych płuc. Nic nie było w stanie jej uspokoić: ani słodycze czy prezenty, ani pieszczoty bądź krzyki. A próbowały wszystkie – Caro, Joline, Toinette – mimo to dziecko wciąż nie przestawało wrzeszczeć. W końcu Mireille bardzo się zaniepokoiła i zawołała lekarza. Rada w radę, postanowili zawieźć dziewczynkę do specjalisty w Agen. Uznali, że to nienormalne, by dziecko w jej wieku wciąż się darło. Uznali, że cierpi na zaburzenia psychiczne, być może na skutek złego traktowania. – Joséphine ponownie zmarszczyła brew. – Tego samego dnia Marise zjawiła się, by odebrać Rosę z grupy przedszkolnej, i wtedy dowiedziała się, że Mireille wraz z lekarzem zabrali ją do Agen. Nigdy przedtem ani potem nie widziałam nikogo doprowadzonego do takiej furii. Pojechała za nimi na swoim motorowerze, ale dowiedziała się jedynie, że Mireille zabrała Rosę do szpitala. Na badania, jak oznajmiła. Osobiście nie wiem, czego tak naprawdę Mireille usiłowała wówczas dowieść.

Wzruszyła ramionami raz jeszcze.

– Gdyby chodziło o kogoś innego, a nie o Marise, cała wioska na pewno stanęłaby po jej stronie. Ale ona nigdy się nie odezwała słowem, jeżeli nie musiała, nigdy się do nikogo nie uśmiechnęła. Ludzie postanowili więc nie wtrącać się w nie swoje sprawy. Myślę, że tak naprawdę właśnie do tego wszystko się sprowadzało. Nie było w tym ani odrobiny prawdziwie złej woli. Marise chciała, by nikt nie wtrącał się w jej życie, i tak właśnie się stało. A do tego ludzie rzeczywiście wcale nie wiedzieli, dokąd Mireille zabrała Rosę – no, może z wyjątkiem Caro Clairmont. Naturalnie, słyszeliśmy rozmaite opowieści. Ale dopiero po fakcie. Jak to Marise wkroczyła do gabinetu Cussonneta z bronią w ręku i zmusiła go, by wsiadł do samochodu. Gdy się słyszało, jak ludzie o tym rozprawiali, można by przypuszczać, że przynajmniej połowa Lansquenet widziała to na własne oczy. Tu wszystko zawsze ma się tak samo, eh! Ja mogę jedynie powiedzieć, że mnie przy tym nie było. I chociaż Rosa wróciła do domu nie dalej jak po tygodniu, już nigdy więcej nie ujrzeliśmy jej w wiosce – ani w szkole, ani na pokazie sztucznych ogni z okazji 4 lipca, ani nawet na festiwalu czekolady w okresie Świąt Wielkanocnych.

Joséphine jednym haustem wypiła swoją kawę, po czym otarła dłonie w fartuch.

– I tak się właśnie miały sprawy – oznajmiła na zakończenie. – Od tamtego czasu nie ujrzeliśmy tu ani Marise, ani Rosy. Niekiedy zdarza mi się je przyuważyć – mniej więcej raz w miesiącu – na drodze do Agen, czy jak idą do Narcisse'a lub urzędują na polu po drugiej stronie rzeki. I to wszystko. Marise nie wybaczyła ludziom z wioski tego, co się wydarzyło po śmierci Tony'ego – zaakceptowania opowieści Mireille i obojętności, gdy zniknęła Rosa. Nie da się jej wytłumaczyć, że ktoś mógł nie mieć z tym wszystkim nic wspólnego. I tak by nie uwierzyła.

Jay pokiwał głową. To wydawało mu się całkowicie zrozumiałe.

– Muszą się obie czuć bardzo samotne – oznajmił po chwili. W tym momencie pomyślał o Maggie i Gilly – o tym, jak zawsze potrafiły szybko znaleźć przyjaciół w każdym miejscu, do którego się udały; jak handlowały i wykonywały rozmaite użyteczne prace, gdziekolwiek się znalazły; jak umiały stawić czoło uprzedzeniom i obelgom – reagując na nie radosnym buntem. Owa zimna, podejrzliwa kobieta, gospodarująca po drugiej stronie rzeki, tak niezwykle różniła się od przyjaciół Joego z Nether Edge. A tymczasem jej dziecko uderzająco przypominało wyglądem Gilly. W drodze powrotnej do domu Jay sprawdził, co się dzieje z plecakiem, ale, zgodnie z oczekiwaniami, nie znalazł go w miejscu, w którym go zostawił. Tkwiła tam nadal jedynie głowa smoka – z wciąż wywalonym na wierzch językiem z karbowanej bibuły – teraz przystrojona girlandą z czerwonych wstążeczek, osadzonych zawadiacko na gęstej, zielonej grzywie potwora. Gdy Jay podszedł bliżej, spostrzegł też, że pomiędzy zęby maszkarona została starannie wetknięta gliniana fajeczka, z której sterczał żółty kwiat mleczu. A do tego, kiedy przechodził obok, tłumiąc śmiech, był niemal pewien, że z drugiej strony żywopłotu coś się poruszało – dojrzał ostry pomarańczowy błysk, odcinający się od świeżej zieleni, po czym usłyszał bezczelne beczenie kozy dochodzące z niedalekiej odległości.

38

Niedługo później, pochylony nad filiżanką swojej ulubionej *grand crème* w Café des Marauds, słuchał półuchem opowieści o pierwszym festiwalu czekolady, który odbył się w wiosce pomimo poważnego oporu czynników kościelnych. Kawa smakowała wybornie – była posypana wiórkami czekolady, a obok, na spodeczku, leżał cynamonowy herbatnik. Naprzeciw Jaya siedział Narcisse z nieodłącznym katalogiem nasion w dłoni, nad swoją zwyczajową filiżanką *café-cassis*. Popołudniami w kawiarni był większy ruch, jednak Jay spostrzegł, że klientela i tak wciąż składała się głównie ze starszych mężczyzn – grających w szachy czy karty, wymieniających zdania w szybkiej, miejscowej gwarze – *patois*. Wieczorami z kolei lokal zapełniał się robotnikami rolnymi schodzącymi się z okolicznych pól i farm. Jay zaczął się na głos zastanawiać, gdzie się podziewali młodzi ludzie.

– Niewielu młodych decyduje się tu pozostać – wyjaśniła Joséphine. – W Lansquenet nie ma pracy, o ile się nie zdecyduje na zawód rolnika. Poza tym wiele farm zostało tak bardzo rozdrobnionych pomiędzy męskich potomków rodzin, że teraz ciężko z nich wyżyć.

– Zawsze synowie. Nigdy córki – zauważył Jay.

– Niewiele kobiet w tej wiosce zdecydowałoby się na samodzielne prowadzenie gospodarstwa – stwierdziła Joséphine, wzruszając ramionami. – Większość hurtowników roślin i odbiorców płodów rolnych nie miałaby ochoty współpracować z kobietami.

Jay parsknął śmiechem.

Joséphine rzuciła mu szczególne spojrzenie.

– Nie wierzysz?

Pokręcił głową.

– Jakoś nie mogę tego pojąć – oznajmił. – W Londynie...

– Lansquenet to nie Londyn – stwierdziła z rozbawieniem Joséphine. – Tutaj ludzie są przywiązani do tradycyjnych wartości. Kościół. Rodzina. Ziemia. To dlatego tak wielu młodych ludzi stąd ucieka. Chcą takiego życia, o jakim czytają w kolorowych magazynach. Marzą o wielkich miastach, szybkich samochodach, dyskotekach, wspaniałych sklepach. Na szczęście, zawsze znajdzie się ktoś, kto postanawia tu pozostać. Niektórzy zaś powracają do nas po pewnym czasie.

Nalała mu kolejną porcję *grand crème* i poczęstowała uśmiechem.

– Był taki okres w moim życiu, kiedy dałabym wszystko, by uciec z Lansquenet. Pewnego razu nawet wyruszyłam w drogę. Spakowałam walizki i wyniosłam się z domu.

– I co?

– Po drodze zatrzymałam się tu na filiżankę czekolady. I wtedy zrozumiałam, że tak naprawdę nie mogłabym żyć nigdzie indziej. W zasadzie tak naprawdę wcale nie miałam ochoty opuszczać tego miejsca. – Urwała na moment, by zebrać puste szklanki z sąsiedniego stolika. – Jeżeli pożyjesz tu dostatecznie długo, zrozumiesz. Po jakimś czasie ludziom trudno pożegnać się z Lansquenet. I nie chodzi tylko o samą wioskę jako taką. Ostatecznie każdy budynek to tylko budynek. Tutaj po prostu wszystko należy do każdego. I każdy przynależy do wspólnoty. Nawet pojedyncza osoba już coś wnosi i zmienia.

Jay skinął głową. To była jedna z rzeczy, które przede wszystkim pociągały go w Pog Hill Lane. Wciąż odczuwalna obecność sąsiadów. Dyskusje toczone przez płot. Wymienianie się przepisami kulinarnymi, koszykami owoców, butelkami wina. Ciągłe bycie wśród ludzi. Tak długo jak mieszkał tam Joe, Pog Hill Lane tętniło życiem. Wszystko umarło wraz z jego zniknięciem. Nagle Jay poczuł, że bardzo zazdrości Joséphine jej stylu życia, jej przyjaciół, widoku na Les Marauds. Jej wspomnień.

– A ja? – zaczął się zastanawiać. – Czy ja też tutaj coś wniosę?

– Oczywiście.

Nie zdawał sobie sprawy, że wypowiedział to w głos.

– Każdy wie, że tu się sprowadziłeś, Jay. Każdy mnie o ciebie rozpytuje. Ale by zostać zaakceptowanym wśród nas, potrzeba nieco czasu. Ludzie muszą wiedzieć, czy rzeczywiście zamierzasz tu pozostać na stałe. Nie chcą zaprzyjaźniać się z kimś, kto jest tu tylko przelotem. A do tego niektórzy odczuwają strach.

– Strach? Ale przed czym?

– Przed zmianami. Tobie może to się wydawać niedorzeczne, ale większość z nas chce, żeby Lansquenet pozostało takie, jakie jest. Niezmienione. Nie chcemy stać się kolejnym Montauban czy Le Pinot. Nie chcemy, by przewalały się tu masy turystów, wykupujących domy po zawrotnych cenach, pozostawiających to miejsce śmiertelnie opustoszałe zimą. Turyści są jak plaga os. Wdzierają się wszędzie. Wszystko pożerają. Rozprawiliby się z nami w rok. Po Lansquenet nic by nie pozostało. Byłyby tu jedynie pensjonaty i automaty do gry. Nasza wioska, nasze prawdziwe życie zniknęłoby bezpowrotnie.

Potrząsnęła głową.

– Ludzie cię obserwują, Jay. Widzą, jak blisko się przyjaźnisz z Caro i Georges'em Clairmontami. Sądzą, że być może ty i oni... – urwała i zawahała się przez moment. – Potem widzą, jak odwiedza cię Mireille Faizande, i dochodzą do wniosku, że pewnie zamierzasz też wykupić sąsiednią farmę, za rok, gdy wygaśnie umowa dzierżawy.

– Farmę Marise? A czemuż miałbym robić coś podobnego? – spytał szczerze zaintrygowany.

– Każdy, kto posiada tę farmę, kontroluje grunty aż do rzeki. Autostrada do Tuluzy przebiega zaledwie kilka kilometrów od jej granic. To ziemia wymarzona pod zabudowę. Podobne historie zdarzały się wielokrotnie w innych miejscowościach.

– Ale to nie ma ze mną nic wspólnego – Jay posłał jej twarde spojrzenie. – Przyjechałem tu, by pisać. To wszystko. Chcę tylko ukończyć swoją książkę. I nic innego mnie nie interesuje.

Joséphine skinęła głową, wyraźnie usatysfakcjonowana.

– Tak sądziłam. Ale zadawałeś mnóstwo pytań na jej temat. Pomyślałam więc, że być może...

– Nie! Skąd!

Narcisse posłał mu zaciekawione spojrzenie sponad katalogu nasion.

Zniżając głos, Jay odparł szybko:

– Słuchaj, jestem pisarzem. Interesują mnie różne historie. Lubię ciekawe opowieści. To wszystko.

Joséphine dolała mu kawy, po czym obsypała powstałą piankę startymi orzechami laskowymi.

– Naprawdę – przekonywał Jay. – Nie zamierzam wprowadzać tu żadnych zmian. Lansquenet podoba mi się właśnie takie, jakie jest.

Joséphine przyglądała mu się przez moment, po czym ponownie skinęła głową, najwyraźniej zadowolona z tego, co usłyszała.

– W porządku, monsieur Jay – odparła z uśmiechem. – Powiem im, że z ciebie porządny facet.

Na cześć tej decyzji wychylili toast kawą o orzechowym aromacie.

39

Od czasu spotkania przy rzece Jay widywał Rosę tylko z pewnej odległości. Kilka razy zdawało mu się, że dziewczynka obserwuje go przez żywopłot, a raz nawet był całkiem pewien, że dobiegły go ciche kroki zza rogu domu. Często też dostrzegał ślady jej działalności. Na przykład modyfikacje smoczej głowy. Miejsce girlandy z podkradzionych czerwonych wstążeczek zajmowały teraz wianki z kwiatów, liści i ptasich piór. Poza tym Jay co i rusz natykał się na rysunki – domu, ogrodu, patykowatych ludzików bawiących się pod niemożebnie fioletowymi drzewami – przyklejone do pniaków, na papierze już marszczącym się od słońca i wilgoci. Wówczas nie umiał zdecydować, czy te cuda miały być prezentami, zabawkami czy może rzucanymi mu wyzwaniami. Rosa była równie wymykająca się wszelkiej definicji jak jej matka, ale równie ciekawska jak jej kózka, a do tego ich spotkanie musiało utwierdzić ją w przekonaniu, że Jay jest całkiem nieszkodliwy.

Pewnego razu ujrzał je obie razem. Marise pracowała po drugiej stronie żywopłotu. Przez jakiś czas Jay mógł wyraźnie obserwować jej twarz i po raz kolejny zdumiał się, jak bardzo ta kobieta różni się od heroiny jego opowieści. Zdołał zauważyć wysoką, delikatną linię jej brwi, cienką ale pełną wdzięku linię ust, ostro zarysowane kości policzkowe, ledwo muśnięte opalenizną. W odpowiedniej oprawie mogłaby uchodzić za piękność. Nie miała w sobie nic z przysadzistości czy pulchnej apetyczności miejscowych kobiet w stylu Popotte. Daleko jej też było do ciemnego kolorytu młodych dziewcząt z wioski. Nie. Prezentowała surową, jasną w tonacji, północną urodę o filigranowych rysach pod burzą rudych włosów. Tego dnia Jay spostrzegł jakiś ruch za jej plecami. Marise wyprostowała się gwałtownie i w tym momencie mógł zaobserwować kolejną z jej transformacji. Ruszała się zwinniej niż kotka, odwróciła się błyskawicznie – nie w jego stronę, lecz w całkiem innym kierunku – ale nawet prędkość, z jaką to uczyniła, nie była w stanie zatrzeć na jej twarzy wyrazu... czego właściwie?

Przerażenia?

Trwało to krócej niż sekundę. Zaraz potem Rosa skoczyła na nią z rozpostartymi ramionami, z piskiem wesołości i twarzą przeciętą radosnym, urokliwym uśmiechem. Kolejny szok. Jay wyobrażał sobie, że jest to nieśmiałe dziecko, być może kryjące się wśród winorośli w ten sam sposób, w jaki on ukrywał się przed Zethem za dawnych czasów w Nether Edge. Tymczasem w jej oczach ujrzał uwielbienie dla matki w jak najczystszej formie. Patrzył jak zahipnotyzowany, gdy dziecko wspinało się na Marise niczym na drzewo, oplatało ją nóżkami w pasie, obdarzało pełnym zachwytu uśmiechem i obejmowało z całej siły za szyję. Przez chwilę Marise przyciskała ją do siebie i wówczas dojrzał skierowane ku sobie ich profile. Dłonie Rosy przesuwały się po twarzy matki, a z jej gardła wydobywała się śpiewna mowa głuchych. Marise pocierała delikatnie swoim nosem o nos córki, jej twarz zaś rozjaśniał taki blask, jakiego nigdy nie umiałby sobie wyobrazić. Nagle poczuł palący wstyd na myśl, że mógł uwierzyć, czy prawie uwierzyć Mireille sugerującej, iż Marise nieodpowiednio traktuje swoje dziecko. Ich miłość była tak wyrazista, że powietrze wokół zdawało się nabierać nowej, słonecznej jakości. Wymiana czułości pomiędzy nimi była całkowicie, idealnie bezgłośna.

Po chwili Marise postawiła Rosę na ziemi i zaczęła do niej przemawiać w języku migowym. Jay nigdy nie widział czegoś podobnego i teraz uderzyła go żywość tych gestów i towarzysząca im wielorakość wyrazów twarzy. Rosa zamigała coś w odpowiedzi, jakby natarczywie. Ruchy rąk były zbyt szybkie, by dać Jayowi jakiekolwiek pojęcie o temacie ich rozmowy. Znajdowały się w zaklętym kręgu własnej prywatności. Ich rozmowa była czymś najbardziej intymnym – Jay w całym swoim życiu nie widział równie emocjonalnej sceny.

Marise zaśmiała się bezgłośnie, podobnie jak jej córka. Uśmiech rozjaśnił jej twarz niczym promień słońca padający przez szybę. Rosa też się śmiała i jednocześnie pocierała brzuch rączkami oraz tupała nogami. Cały czas, gdy wymieniały zdania, trzymały się w uścisku, jakby każda część ich ciała czynnie uczestniczyła w rozmowie, jak gdyby zyskiwały w ten sposób więcej istotnych informacji.

Od tego wydarzenia rozmyślał o nich dużo częściej. Wykroczyło to już poza czyste zainteresowanie historią ich życia i nabrało nowej wartości, której nie umiał zdefiniować. Joséphine droczyła się z nim na ten temat, zaś Narcisse powstrzymał się od wszelkich komentarzy, niemniej gdy Jay coś wspominał na temat Marise, w jego oczach zapalało się szczególne światełko, świadczące o pełnym zrozumieniu. A Jay rozprawiał o niej wyjątkowo często. Po prostu nie umiał się pohamować. Niestety, jedyną osobą chętnie rozmawiającą z nim w nieskończoność na temat Marise, była Mireille Faizande. Jay odwiedził ją już kilkakrotnie, ale nigdy nie zdobył się na to, by opisać ową niezwykle intymną scenę pomiędzy matką a córką, której przypadkowo był świadkiem. Gdy kiedykolwiek próbował dać Mireille do zrozumienia, że być może Marise i Rosę łączą o wiele cieplejsze stosunki, niż ona mogłaby się spodziewać, starsza pani reagowała pogardą.

– A co ty możesz o tym wiedzieć? – pytała wojowniczo. – Nie masz pojęcia, jaka ona jest naprawdę. – W tej samej chwili jej wzrok powędrował ku wazonowi pełnemu świeżych róż, tkwiącemu na środku stołu. Obok stała fotografia ukazująca roześmianego chłopaka na motorze. Tony'ego.

– Ona wcale nie chce jej wychowywać – oznajmiła przyciszonym głosem. – Tak jak w gruncie rzeczy wcale nie chciała mojego syna. – Nagle jej spojrzenie gwałtownie stwardniało. – Wzięła sobie mojego chłopca, podobnie jak bierze wszystko inne w posiadanie. By to zniszczyć. Zabawić się, a następnie porzucić. I podobnie traktuje też moją Rosę. – Jej dłonie znowu zaczęły mocno drżeć. – To z jej winy dziecko jest teraz głuche – oznajmiła. – Tony był absolutnie doskonały. Nic podobnego nie mogło pochodzić od naszej rodziny. Natomiast ona jest podła. Podła i zła. Niszczy wszystko, czego się dotknie.

Ponownie spojrzała na fotografię opartą o wazon.

– Przez ten cały czas najzwyczajniej w świecie go oszukiwała. Zawsze był w jej życiu inny mężczyzna. Człowiek z jej szpitala.

– Czy była chora? – zainteresował się Jay.
Mireille prychnęła pogardliwie.
– Chora? Tak właśnie twierdził Tony. Uważał, że potrzebuje wsparcia i ochrony. Pomimo swojego młodego wieku, mój Tony był dla niej niczym opoka. Taki silny, taki prostoduszny. Wydawało mu się, że każdy jest równie prostoduszny i uczciwy jak on. – Spojrzała na róże w wazonie. – Widzę, że nie próżnowałeś – oznajmiła chłodno. – Przywróciłeś moje biedne róże do życia.
Owo zdanie zawisło między nimi niczym gęsty dym.
– Próbowałam zdobyć się wobec niej na współczucie – oznajmiła po chwili Mireille. – Ze względu na Tony'ego. Ale nawet wtedy nie przychodziło mi to łatwo. Chowała się po kątach domu, nie chciała z nikim rozmawiać – nawet z najbliższymi członkami rodziny. A potem nagle, z niewiadomych powodów, popadała w istną furię. Wrzeszczała i rzucała wokół przedmiotami. Niekiedy raniła się nożami, żyletkami, wszystkim, co wpadło jej w ręce. Musieliśmy chować wszelkie rzeczy, które mogłyby być niebezpieczne.
– Jak długo byli małżeństwem?
Mireille wzruszyła ramionami.
– Niecały rok. Dłużej trwało ich narzeczeństwo. Gdy Tony umarł, miał zaledwie dwadzieścia jeden lat.
Znowu zaczęła poruszać gwałtownie rękami – zaciskając i rozkurczając dłonie.
– Nie mogę przestać o tym myśleć – oznajmiła w końcu. – O nich obojgu. Zapewne pojechał za nią, gdziekolwiek udała się po wyjściu ze szpitala. I zamieszkał w pobliżu, by nie tracić jej z oczu

– by bez trudu mogli się spotykać. Eh, nie mogę zapomnieć o tym, że przez cały rok małżeństwa z Tonym, nawet gdy nosiła w łonie jego dziecko, ta suka w duchu się z niego naśmiewała. Naśmiewała się z mojego chłopca.

Wbiła w Jaya wojownicze spojrzenie.

– Pomyśl więc o tym, zanim zaczniesz opowiadać o sprawach, których nie jesteś w stanie zrozumieć, dobrze? Pomyśl o tym, co zrobiła mojemu synowi.

– Przepraszam, jeżeli wolałaby pani o tym nie mówić...

Mireille parsknęła pogardliwie.

– To inni ludzie nie chcą o tym mówić – oznajmiła kwaśnym głosem. – Nie chcą się nad tym zastanawiać, bo wygodniej im myśleć, że to tylko bezładna paplanina starej Mireille. Mireille, która nigdy nie pozbierała się po śmierci jedynego syna. O ileż prościej jest nie wtrącać się w te sprawy i pozwolić tej kobiecie spokojnie egzystować bez względu na fakt, że ukradła mi mojego chłopca, a potem doprowadziła go do zguby, eh? Tylko dlatego, że miała taką możliwość, podobnie jak teraz z Rosą. – W tym momencie głos się jej załamał, ale czy z powodu smutku czy wściekłości, Jay nie umiał powiedzieć. Jednak już po chwili jej twarz znów złagodniała i pojawił się na niej wyraz niemal zadowolenia.

– Tyle że ja jej jeszcze pokażę – oznajmiła. – Już w przyszłym roku, eh, gdy nagle zabraknie jej dachu nad głową. Kiedy wygaśnie dzierżawa. Będzie musiała się u mnie zjawić, jeżeli zechce tu pozostać. – Twarz Mireille nagle skamieniała w maskę przebiegłości.

– Czemu właściwie miałaby chcieć tu pozostać? – Zawsze, rozmawiając o Marise, dochodził do tego pytania. – Co ją trzyma w tej wiosce? Nie ma tu żadnych przyjaciół. Nikt się o nią nie troszczy. Jeżeli zapragnęłaby wyjechać z Lansquenet, co lub kto mogłoby ją zatrzymać?

Mireille zaśmiała się złowieszczo.

– Niech poczuje, że jest w gwałtownej potrzebie – oznajmiła sucho. – Ona mnie potrzebuje. I dobrze wie dlaczego.

Starsza pani odmówiła jednak jakichkolwiek dalszych wyjaśnień w tej sprawie, a gdy Jay odwiedził ją ponownie, okazała się mało rozmowna i bardzo spięta. Zrozumiał wówczas, że któreś z nich naruszyło nieprzekraczalną granicę intymności, postanowił więc zachować na przyszłość większą ostrożność. Tymczasem przekupywał ją różami. Ona przyjmowała je całkiem radośnie, jednak już więcej nie próbowała mu się zwierzać. Jay musiał się zadowolić tymi strzępkami informacji, które do tej pory zdołał uzyskać.

Tym, co najbardziej fascynowało go w sprawie Marise, była rozbieżność opinii na jej temat. Każdy miał w tej kwestii określone zdanie, chociaż nikt, z wyjątkiem Mireille, nie wiedział nic konkretnego. Dla Caro Clairmont Marise stanowiła uosobienie nieszczęsnej pustelnicy. Dla Mireille – niewiernej żony, świadomie wykorzystującej naiwność męża. Dla Joséphine – dzielnej kobiety, samotnie wychowującej dziecko. Dla Narcisse'a – zręcznej bizneswoman, pragnącej zachować prawo do prywatności. Natomiast Roux, który pracował u niej za dawnych lat, gdy jeszcze nieustannie podróżował w dół i w górę rzeki, zapamiętał ją jako spokojną, nad wyraz uprzejmą kobietę, nigdy nie rozstającą się ze swoim dzieckiem, trzymającą córkę w nosidle na plecach nawet w polu, przynoszącą mu zimne piwo, gdy było gorąco i zawsze płacącą gotówką.

– Niektórzy nie patrzą na nas zbyt przychylnym okiem – oznajmił z uśmiechem. – Wędrowcy rzeki, wieczni podróżnicy. Ludziom różne rzeczy przychodzą do głowy. Zamykają przed nami wszystko, co uważają za cenne. Pilnują córek. Albo silą się na sztuczną uprzejmość. Zbyt często się uśmiechają. Poklepują po plecach i nazywają *mon pote*. Ale ona była inna. Zawsze zwracała się do mnie *monsieur*. Nie mówiła wiele. Uważała, że łączy nas umowa handlowa, jak mężczyznę z mężczyzną. – Wzruszył ramionami i wysączył do dna swoją puszkę piwa.

Każdy, z kim Jay rozmawiał, miał własne, szczególne wyobrażenie na temat Marise. Popotte pamiętała poranek, tuż po pogrzebie Tony'ego, kiedy to Marise pojawiła się u Mireille z walizką i dzieckiem w nosidle. Popotte właśnie roznosiła pocztę i znalazła się pod domem Mireille w tym samym momencie, gdy Marise pukała do drzwi.

– Mireille jej otwarła i dosłownie siłą wciągnęła do środka – wspominała listonoszka. – Dziecko spało w nosidełku, ale ten gwałtowny ruch ją obudził, więc zaczęła krzyczeć. Mireille wyrwała mi listy z dłoni i zatrzasnęła drzwi przed nosem. Ale i tak słyszałam ich głosy, zza tych drzwi, a także wrzask dziecka. – Pokręciła w zamyśleniu głową. – Myślę, że tego ranka Marise zamierzała opuścić Lansquenet – wyglądała na zdeterminowaną i z pewnością była już spakowana – jednak jakimś cudem Mireille zdołała ją od tego odwieść. Po tym wydarzeniu Marise praktycznie przestała się pokazywać w wiosce. Być może obawiała się złych języków.

Wkrótce potem posypały się plotki. Każdy miał własną wersję tej historii. Marise, jak się okazało, potrafiła w niezwykły sposób wzbudzać ciekawość, niechęć, zawiść, wściekłość.

Lucien Merle był święcie przekonany, że to ona nie dopuściła do rozwoju wioski, bo nie zgodziła się na zabudowę bagiennych nieużytków nad rzeką.

– Mogliśmy efektywnie wykorzystać te grunty – ubolewał gorzkim głosem. – Rolnictwo już nie ma przyszłości. Jedyną szansą jest dla nas turystyka. – Pociągnął długi łyk swego *diabolo-menthe* i pokręcił głową. – Wystarczy spojrzeć na Le Pinot. Wizja jednego człowieka wystarczyła, by zapoczątkować rewolucyjne zmiany. Jednego człowieka. – Westchnął ciężko. – Założę się, że teraz jest już milionerem – oznajmił grobowym głosem.

Jay usiłował uporządkować to, co usłyszał. Miał poczucie, że w pewnym sensie zyskał drobny wgląd w sekrety Marise d'Api, ale w niektórych aspektach był takim samym ignorantem jak na samym początku. Żadna z opowieści nie zgadzała się z tym, co widział na własne oczy. Marise miała zbyt wiele twarzy, jej istota wymykała mu się niczym dym, przeciekała swobodnie między palcami. Do tego nikt nawet nie napomknął o czymś, czego Jay doświadczył owego dnia za żywopłotem: jej nieokiełzanej miłości do dziecka. A także tej krótkiej chwili autentycznego strachu – spojrzenia dzikiego zwierzęcia gotowego na wszystko, nawet na zabicie intruza, by tylko ochronić siebie i swoje młode.

Strach? Czegóż takiego ona się mogła obawiać w Lansquenet?

Jay najbardziej na świecie chciał się tego dowiedzieć.

40

Pog Hill, lato 1977

W drugiej połowie sierpnia wszystko zaczęło się psuć na dobre. To wówczas nadeszły czasy eksterminacji gniazd os, śmierci Elvisa, napadów na kryjówki wroga w Nether Edge. Wówczas też Chlebowy Baron napisał do niego, donosząc, że zamierza wziąć ślub z Candide. Przez jakiś czas gazety były pełne ich zdjęć – wsiadających do limuzyny na bulwarze w Cannes, udających się na premierę filmową, wchodzących do klubu na Bahamach, pływających własnym jachtem. Matka Jaya zbierała te wszystkie zdjęcia i wzmianki prasowe z uporem maniaka, po czym wciąż czytała i przeglądała je na nowo, rozwodząc się nieustannie nad fryzurą Candide czy jej sukniami. Dziadkowie przyjęli to jeszcze gorzej i teraz matkowali jej nawet bardziej niż przedtem – natomiast Jaya traktowali z chłodną obojętnością, jak gdyby tkwiące w nim geny ojca stanowiły potężną bombę z opóźnionym zapłonem, grożącą w każdej chwili destrukcyjnym wybuchem.

Ponura pogoda przeszła w osłabiającą, lepką pochmurną parność. Chociaż często padało, deszcz był zbyt ciepły, by przynosić jakiekolwiek orzeźwienie. Joe z ponurą miną pracował na działce; tego roku owoce gniły na drzewach lub nie dojrzewały w ogóle z powodu braku słońca.

– Równie dobrze mógłbym sobie darować robotę, chłopcze – mamrotał Joe pod nosem. – Tego pioruńskiego roku, mógłbym sobie całkiem odpuścić.

Natomiast tę byle jaką pogodę świetnie potrafiła wyzyskać matka Gilly. W jakiś sobie tylko znany sposób zdobyła wielki transport przezroczystych parasoli w kształcie dzwonów, tak modnych owego roku, i sprzedawała je z kolosalnym zyskiem na miejscowym targu. Gilly szacowała, że za te pieniądze uda im się bez trudu przeżyć aż do grudnia. To stwierdzenie jednak tylko pogłębiało w Jayu poczucie rozpadu rzeczywistości, jaką znał. Do końca sierpnia pozostało zaledwie kilka dni, co oznaczało, że za jakiś tydzień znów znajdzie się w szkole. Na jesieni miała też wynieść się z Monckton i Gilly – Maggie wspominała coś o przeniesieniu się na południe, do komuny obozującej w pobliżu Abingdon. I nie było żadnej pewności, że Gilly jeszcze kiedykolwiek tu powróci. Jay miał wrażenie, że w ciele tkwi mu dokuczliwy cierń – niespodziewanie z wesołego nastroju popadał w czarną paranoję, głosił zupełnie co innego, niż myślał, we wszystkim, co się do niego mówiło, doszukiwał się ukrytej drwiny. Ciągle kłócił się z Gilly bez żadnego powodu. Potem się godzili, nieufnie i niezręcznie, krążyli wokół siebie niczym podejrzliwe zwierzęta. Ich poczucie bliskości gdzieś się zagubiło. W powietrzu wisiała wszechogarniająca groźba zagłady.

Ostatniego dnia sierpnia poszedł do domu Joego, ale starszy pan wydawał się nieobecny duchem, pochłonięty własnymi myślami. Mimo że padało, nie zaprosił Jaya do środka, ale stał z nim przed drzwiami i traktował z niezwykłą formalnością. Jay zauważył stare skrzynki złożone na stos pod ścianą, ku którym Joe nieustannie zwracał wzrok, jakby nie mógł się już doczekać, kiedy uda mu się powrócić do jakiejś gwałtownie przerwanej pracy. Jaya zalała nagła fala gniewu. Uznał, że zasłużył sobie na lepsze traktowanie. Zawsze wydawało mu się, że Joe go szanuje. Z płonącymi policzkami pobiegł do Nether Edge. Zostawił swój rower w pobliżu domu Joego – po incydencie w pobliżu kładki kolejowej uznał, że jego poprzednia kryjówka nie była bezpieczna – i powędrował wzdłuż nieużywanego już torowiska ku rzece. W zasadzie nie spodziewał się, że zobaczy Gilly – nie planowali spotkania tego dnia – jednak nie zdziwił się, gdy dojrzał ją na brzegu, z włosami opadającymi ku wodzie, dźgającą patykiem coś, co leżało na dnie. Zanim podniosła wzrok, podszedł do niej całkiem blisko.

Miała zaróżowioną twarz, pokrytą ciemnymi plamami, jakby przed chwilą płakała. Jednak Jay natychmiast odrzucił tę myśl. Gilly nigdy nie zdarzyło się uronić choćby łzy.

– O, to ty – rzuciła obojętnym tonem.

Nie odpowiedział. Wsunął ręce w kieszenie i próbował się uśmiechnąć, ale miał poczucie, że przybrał jedynie głupi wyraz twarzy. Tym bardziej że Gilly nie odwzajemniła uśmiechu.

– Co tam masz? – kiwnął głową w kierunku wody.

– Nic. – Wrzuciła patyk do rzeki i zaraz porwał go prąd. Woda była brązowa, mętna i spieniona. Włosy Gilly pokrywały kropelki deszczu, przylegające do jej loków na podobieństwo mnóstwa małych rzepów.

– Cholerny deszcz.

Jay bardzo chciał wówczas coś powiedzieć – coś, co wyprostowałoby wszystko pomiędzy nimi. Ale nad ich głowami wisiało ciężkie niebo, powietrze wysycał przytłaczający aromat dymu i klęski – niczym złowieszczy omen. Nagle Jay nabrał pewności, że już nigdy więcej nie zobaczy Gilly.

– Może pójdziemy na wysypisko? – zaproponował. – Kiedy tu schodziłem wydawało mi się, że jest tam mnóstwo nowego towaru. Czasopism i innych takich. No wiesz.

Gilly wzruszyła ramionami.

– E, nieee.

– Pogoda wymarzona do polowania na osy. – To była już czysta desperacja. Gilly do tej pory nigdy nie odmówiła wyprawy na gniazda os. A w czasie deszczu osy są ślamazarne i o wiele łatwiej podejść blisko do gniazda. – Chciałabyś, żebyśmy poszukali nowych gniazd? Pod mostem spostrzegłem takie miejsce, gdzie chyba udałoby się nam ich kilka znaleźć.

Ponowne wzruszenie ramion. Gilly potrząsnęła mokrymi lokami:

– Eee. Chyba mi się nie chce.

Tym razem cisza zapadła na dłużej – zdawała się ciągnąć w nieskończoność, rozwijać niczym cienka nić z ogromnego motka.

– Maggie zdecydowała, że wyjeżdżamy w przyszłym tygodniu – oznajmiła w końcu Gilly. – Przyłączamy się do jakiejś cholernej komuny w Oxfordshire. Twierdzi, że tam czeka już na nią praca.

– Ach, tak.

W zasadzie Jay spodziewał się tej wiadomości. Przecież kiedyś już coś podobnego słyszał. Czemu więc, gdy mu ją zakomunikowała, poczuł straszliwy skurcz serca? Gilly siedziała zwrócona twarzą w stronę wody i z niezwykłą uwagą studiowała jej brunatną powierzchnię. W kieszeniach dłonie Jaya zacisnęły się w pięści. W tym momencie poczuł, że coś ociera mu się o palce. Talizman Joego. Był tłustawy w dotyku, wybłyszczony od ciągłego miętoszenia. Jay tak się przyzwyczaił, że ma go przy sobie, iż już nawet o nim nie pamiętał. Przykucnął obok Gilly. Poczuł zapach rzeki – kwaśny, metaliczny, jakby ktoś nasączył miedziane pensy amoniakiem.

– Czy jeszcze tu wrócisz?

– Nieee.

Na powierzchni wody musiało się znajdować coś szczególnie absorbującego, bo Gilly ani na moment nie odrywała od niej wzroku.

– Nie sądzę. Maggie twierdzi, że nadszedł czas, bym poszła do porządnej szkoły. Dość tej włóczęgi po kraju.

Ponownie poczuł eksplozję nienawistnej, irracjonalnej wściekłości. Spojrzał na wodę z obrzydzeniem. Nagle poczuł, że ma ochotę kogoś zranić – Gilly czy może siebie – i gwałtownie poderwał się na nogi.

„Cholera", to najgorsze słowo, jakiego zdarzało mu się używać. Teraz jednak zdawało mu się, że niespodziewanie zdrętwiały mu usta. I serce. Zaczął ze złością kopać nogą brzeg rzeki i wyrwana kępa ziemi z trawą wpadła z pluskiem do rzeki. Gilly nie odwróciła w jego stronę wzroku.

Wówczas już go poniosło – zaczął jak w amoku uderzać czubkami butów w skraj brzegu, tak że ziemia i kępki traw poleciały na powierzchnię wody niczym grad. Część z nich sypnęła też w stronę Gilly, rozsypując się po jej dżinsach i haftowanej bluzce.

– Przestań natychmiast – powiedziała Gilly beznamiętnym głosem. – Czy musisz być aż tak cholernie dziecinny?

Pomyślał, że to prawda, że rzeczywiście zachowuje się dziecinnie, ale kiedy padło to z jej ust, poczuł ogarniającą go furię. Jak ona mogła akceptować ich rozstanie z taką obojętnością i tak po prostu. W głowie Jaya jakby nagle jakiś stwór ziewnął ponuro – ziewnął i skrzywił się w grymasie.

– W takim razie pieprzę to wszystko – oznajmił. – Znikam stąd.

Czując lekki zawrót głowy, odwrócił się i pomaszerował w stronę ścieżki nad kanałem, pewien, że ona go zawoła. Dziesięć kroków. Dwanaście. Dotarł do ścieżki, wciąż się nie oglądając, bo wiedział, że ona go obserwuje. Wszedł pomiędzy drzewa i gdy miał pewność, że Gilly już nie może go dojrzeć, spojrzał za siebie. Tymczasem ona wciąż siedziała w tym samym miejscu, nie patrzyła w jego stronę, nie zamierzała za nim podążyć, wpatrywała się nadal w powierzchnię rzeki z włosami opadającymi na twarz – w idiotycznych, srebrnych smużkach deszczu lejących się z gorącego, letniego nieba.

– Pieprzę to – rzucił jeszcze raz wściekle, tak by go usłyszała. Jednak i tym razem się nie odwróciła, więc w końcu to on zrobił zwrot na pięcie i ruszył przed siebie. Przepełniała go straszliwa złość, ale jednocześnie czuł się niczym przekłuty balon. Wkrótce dotarł do mostu.

Potem często zastanawiał się, co by się stało, gdyby wówczas wrócił lub gdyby ona spojrzała na niego w odpowiednim momencie. Co mógłby ocalić? Co odmienić? Zapewne wypadki na Pog Hill potoczyłyby się wtedy zupełnie inaczej. Być może nawet udałoby mu się pożegnać z Joem. W ten sposób natomiast, choć wtedy jeszcze tego nie wiedział, nie miał już nigdy w życiu ujrzeć ani Gilly, ani Joego.

41

Lansquenet, maj 1999

Nie widział starszego pana od dnia wizyty Mireille. Z początku jego nieobecność przynosiła mu ulgę, jednak w miarę upływu dni zaczął narastać w nim niepokój. Usiłował siłą woli sprawić, by Joe znów się pojawił, ale on z uporem pozostawał nieobecny, jakby na jego wizyty czy ich brak Jay nie miał najmniejszego wpływu. Ponowne odejście Joego pogrążyło go w dziwnym smutku. W każdej chwili Jay spodziewał się, że go zobaczy – w ogrodzie, doglądającego warzywnika; albo w kuchni, unoszącego pokrywkę rondla, by sprawdzić, co się gotuje. Nabierał dotkliwej świadomości nieobecności starszego pana. Ilekroć siadał do pisania, miał wrażenie, że przed jego oczami wciąż majaczy czarna dziura o kształtach Joego; bolał go fakt, że jakkolwiek usilnie się starał, nie był w stanie nastawić radia na stację ze starymi przebojami, podczas gdy Joemu przychodziło to z taką łatwością. Co gorsza, bez staruszka wątek jego powieści zamierał. Jay tracił pasję do pisania. Miał jedynie ochotę na alkohol, a tymczasem picie wzmagało w nim poczucie straty i samotności.

Wmawiał sobie, że to idiotyczne. Bo przecież nie można tęsknić za czymś, czego w rzeczywistości w ogóle nie było. A mimo to nie potrafił otrząsnąć się z poczucia opuszczenia, z przekonania, że wszystko potoczyło się najgorzej, jak mogło.

Gdybyś tylko wykazał nieco wiary.

A więc w tym tkwił problem, tak? W sile wiary. Jay z czasów Pog Hill nie miałby żadnych wahań. On wierzył we wszystko. W jakimś sensie Jay pojął, że musi wrócić do swojego dawnego „ja”, by skończyć to, co nigdy nie zostało zakończone pomiędzy nim a Joem owego lata 1977. Gdyby tylko wiedział, jak się do tego zabrać. Obiecał sobie, że dla tej sprawy zrobiłby absolutnie wszystko. Wszystko bez wyjątku.

W końcu przyniósł i postawił na stole resztę różanego wina wyrobu Joego. Butelka była zakurzona od stania w piwnicy, sznurek wokół szyjki zblakły do koloru jasnej słomy z powodu upływu lat. Wino w środku milczało w oczekiwaniu. Czując zażenowanie, a jednocześnie niezwykłe uniesienie, Jay napełnił trunkiem szklankę i podniósł do ust.

– Przepraszam, staruszku. Za zgodę, OK?

Po czym czekał na pojawienie się Joego.

Czekał aż do zmroku.

Tymczasem w piwnicy nieustannie wybrzmiewał echem radosny śmiech.

42

Joséphine w końcu szepnęła o nim słowo temu i owemu. Jay nagle spostrzegł, że wszyscy są dla niego znacznie bardziej przyjacielscy. Wielu ludzi pozdrawiało go teraz serdecznie na ulicy, zaś Poitou, piekarz, który do tej pory zwracał się do niego jedynie z zawodową uprzejmością sprzedawcy, zaczął go wypytywać o książkę i udzielać rad, co kupić.

– *Pain aux noix* jest dziś wyśmienity, monsieur Jay. Proszę go spróbować z kozim serem i oliwkami. Ale ser i oliwki muszą przedtem koniecznie poleżeć z godzinę na słonecznym parapecie, by nabrać aromatu – mówiąc to, ucałował koniuszki swoich palców. – Takiego delikatesu nie dostałby pan nigdy w Londynie.

Poitou był piekarzem w Lansquenet od dwudziestu pięciu lat. Palce wyginał mu reumatyzm, ale on utrzymywał, że ugniatanie i formowanie ciasta nadaje im giętkości. Jay obiecał, że przygotuje mu na reumatyzm saszetkę z odpowiednimi ziołami – kolejny trik, którego nauczył się od Joego. Dziwne, jak szybko sobie o tym przypomniał. Gdy zaaprobował go Poitou, posypały się i inne znajomości: z Guillaume'em, byłym nauczycielem; z Darien, która uczyła najmłodsze klasy; Rodolphe'em, kierowcą autobusu codziennie dowożącym dzieci do szkoły w Agen i przywożącym je z powrotem do domu; Nanette, pielęgniarką pracującą w pobliskim domu starców; Briançonem, pszczelarzem, którego ule stały po drugiej stronie Les Marauds. Wszyscy ci ludzie jakby tylko czekali na szczególny sygnał przyzwolenia, żeby pofolgować swojej ciekawości. Teraz zewsząd zalewały go pytania. A czym Jay się zajmował w Londynie? Czy był żonaty? Nie? Ale na pewno miał kogoś na stałe. Nie? Zdumienie. Teraz, gdy zostały rozproszone wszelkie podejrzenia, ludzi w wiosce pożerała ciekawość. Teraz chcieli wiedzieć o nim wszystko. Przy czym nawet najbardziej intymne tematy poruszali z niewinnym zainteresowaniem. Jak była zatytułowana jego ostatnia książka? Ile właściwie zarabiają pisarze w Anglii? Czy kiedykolwiek pokazywali go w telewizji? A Ameryka? Czy był w Ameryce? Westchnienia zachwytu po usłyszeniu odpowiedzi. Każda informacja miała być potem rozprzestrzeniana po wiosce nad filiżankami kawy, kuflami małego jasnego, szeptana w sklepach, przekazywana z ust do ust i odpowiednio komentowana za każdym powtórzeniem.

Plotka stanowiła cenną walutę w Lansquenet. Stąd wciąż sypały się kolejne pytania, za które nie można było się obrażać, bo płynęły z oczywistej prostoduszności. A ja? Czy jest coś o mnie w twojej książce? A o mnie? A o mnie? Z początku Jay się wahał. Ludzie nie zawsze reagują przychylnie na wieść, że są obserwowani – ich rysy i cechy zapożyczane, manieryzmy opisywane. Bywali tacy, którzy chcieli zapłaty. I tacy, którzy się czuli urażeni swoim portretem. Ale tu, w Lansquenet, sprawy przedstawiały się zupełnie inaczej. Nagle każdy miał mu do opowiedzenia jakąś historię. „I możesz ją umieścić w swojej książce", mawiali. Niektórzy nawet spisywali swoje opowieści – na kartkach z notesu, kawałkach papieru pakowego, a raz nawet na odwrocie paczuszki z nasionami. Większość z tych ludzi – szczególnie starszych – bardzo rzadko brała do ręki jakąkolwiek książkę. Niektórzy, jak Narcisse, w ogóle ledwo umieli czytać. A mimo to żywili wobec książek niebywały szacunek. Taki sam był też Joe.

Z górniczego domu wyniósł pogląd, że czytanie to strata czasu, chował więc swoje egzemplarze „National Geographic" skrzętnie pod łóżkiem, a w duchu rozkoszował się opowiadaniami, które mu czytał Jay, kiwając głową w powadze i skupieniu. I chociaż Jay nigdy nie widział, by Joe czytał coś innego niż „Zielnik Culpepera" czy okazjonalnie jakieś popularne czasopismo, to jednak z ust starszego pana wyrywał się niekiedy cytat czy literackie odniesienie, które musiało mieć swoje źródło w intensywnej, choć potajemnej, lekturze. Poza tym Joe lubił poezję – dokładnie w taki sam sposób, w jaki lubił kwiaty: zawstydzony krył swój afekt głęboko pod pozorami całkowitej obojętności. Ale zdradzał go własny ogród. Spod krawędzi inspektów wyzierały bratki. Dzikie, pnące róże wiły się wespół z pędami fasoli. W tym sensie Lansquenet miało wiele wspólnego z Joem. Praktycyzm był tu podszyty pulsującym romantyzmem. Jay spostrzegł, że niemal z dnia na dzień stał się kimś, komu się należą bardzo szczególne względy i uczucia – kimś, nad kim kiwa się głową z zakłopotaniem. Pisarz z Anglii – *dingue mais sympa, hèh!* – postać w równym stopniu wywołująca śmiech, co i trwożny podziw. Święty szaleniec z Lansquenet. Przez jakiś czas nikt nie wziąłby mu niczego za złe. Dzieci już nie krzyczały „Rosbif!" na jego widok. A do tego pojawiły się prezenty. Jay był teraz wprost zasypywany podarkami. Od Briançona dostał słoik świeżo zebranego miodu wraz z anegdotą o jego siostrze, która pewnego dnia usiłowała przyrządzić królika – „po godzinie w kuchni rzuciła nim przez drzwi, krzycząc: »Zabierzcie to! Nigdy w życiu nie oskubię tego cholerstwa!«" – oraz notatką: „Możesz wykorzystać tę historię w swojej książce". Popotte obdarowała go tortem własnej roboty, który przewiozła ostrożnie w torbie na listy umieszczonej w koszyku roweru, którym z tej okazji musiała jechać wyjątkowo powoli. Niespodziewany prezent nadszedł też od Narcisse'a – paczuszka nasion ziemniaków z wymamrotanym przykazaniem, by posiać je po słonecznej stronie domu. Jakakolwiek oferta zapłaty spotkałaby się z ciężką obrazą. Jay usiłował się odwdzięczyć za ten strumień podarków stawianiem wielu kolejek w Café des Marauds, jednak zawsze w końcu okazywało się, że i tak postawił mniej szklaneczek trunków niż ktokolwiek inny.

– Wszystko w porządku – zapewniła go Joséphine, gdy podzielił się z nią swoim problemem. – Tacy właśnie są ludzie w Lansquenet. Potrzebują czasu, by kogoś zaaprobować. Ale potem... – uśmiechnęła się szeroko. Jay trzymał w dłoni siatkę wypchaną prezentami, które mieszkańcy wioski zostawili dla niego pod barem Joséphine – ciasta, ciasteczka, butelki wina, pokrowiec na poduchę od Denise Poitou, tarta domowej roboty od Toinette Arnauld. Joséphine spojrzała na te dobra i uśmiechnęła się jeszcze szerzej.

– Chyba możemy zaryzykować twierdzenie, że zostałeś tu w już pełni zaakceptowany, prawda?

Tylko jedna osoba nie przyłączyła się do tego ogólnego entuzjazmu. Marise d'Api pozostała równie daleka i chłodna, jak przedtem. Jay widział ją kilka razy, ale zawsze z pewnej odległości – dwukrotnie na traktorze i jeszcze kiedyś pracującą na polu – zawsze jednak poświęcającą się pielęgnowaniu winnicy. Za to nigdzie nie dojrzał ani śladu jej córki. Jay tłumaczył sobie, że rozczarowanie, którego doznawał w związku z Marise, jest zupełnie absurdalne. Po tym, co słyszał, w żadnym razie nie należało się spodziewać, by wydarzenia w wiosce mogły mieć jakikolwiek wpływ na zachowanie Marise.

Wkrótce też odpisał Nickowi, załączając kolejne pięćdziesiąt stron powieści. Od jakiegoś czasu posuwał się dużo wolniej. Częściowo z powodu ogrodu. Miał w nim teraz dużo pracy – im szybciej zbliżało się lato, tym bardziej dawały się we znaki chwasty. Joe miał rację. Jay musiał doprowadzić wszystko do ładu, póki czas. Dojrzał tu wiele roślin wartych uratowania. Warunek był jeden – musiał jak najszybciej uporządkować ogród. W pobliżu domu znajdowało się piękne herbarium – szerokości mniej więcej dwudziestu stóp – obsadzone na brzegach maleńkim żywopłotem z tymianku. W warzywniku – po trzy rzędy ziemniaków, rzepy, karczochów, marchwi i czegoś, co najprawdopodobniej było bulwiastym selerem. Jay posiał margerytki pomiędzy grzędami ziemniaków, by odstraszyć stonkę – zaś melisę wśród marchewek, żeby nie zjadały ich ślimaki. Musiał też zacząć myśleć o warzywach na zimę i roślinach na letnie sałaty. W tym celu udał się do Narcisse'a po nasiona i sadzonki: brokułów, by były gotowe do zbiorów we wrześniu, różnych odmian zielonej sałaty, żeby dojrzewały przez cały lipiec i sierpień. W niewielkim inspekcie, który skonstruował z drzwi przywiezionych przez Clairmonta, posadził miniaturowe warzywa: drobnolistne sałaty, maleńkie marchewki i drobny pasternak, które miały być gotowe do jedzenia za mniej więcej miesiąc. Joe miał rację – gleba była tutaj doskonała. Bogata, brunatna, wilgotna, a jednocześnie lżejsza niż po drugiej stronie rzeki. Niewiele też znajdował w niej kamieni, a te, na które się natknął, zrzucał na miejsce, w którym zamierzał urządzić skalny ogródek. Niemal też ukończył prace nad odnową rosarium. Odchwaszczone, rozpięte na starym murze krzewy różane zaczęły rozrastać się bujnie i wypuszczać pąki – teraz już kaskada na wpół otwartych kwiatów spływała po różowawej ścianie, rozsiewając wokół wonne aromaty. Po mszycach nieomal nie zostało śladu. Metoda Joego – lawenda, melisa i goździki zaszyte we flanelowy woreczek uwiązany do krzewu tuż nad glebą – zdziałała cuda. Prawie co niedzielę Jay ścinał najbardziej rozwinięte kwiaty i zanosił na Place Saint-Antoine, do domu Mireille Faizande – zazwyczaj tuż po mszy.

Nikt nie oczekiwał od Jaya, że będzie się pojawiał w kościele. *En tout cas, tous les Anglais sont païens.* Tyle że w jego przypadku tego określenia używano z czułością, nie jak w przypadku *La Païenne* z drugiego brzegu rzeki. Nawet starzy mężczyźni przesiadujący na tarasie kawiarni mieli do niej podejrzliwy stosunek. Być może dlatego, że była samotną kobietą. Jednak gdy Jay zapytał o to wprost, natknął się na uprzejmy mur grobowego milczenia.

Mireille przez dłuższy czas przyglądała się różom. Unosząc bukiet do twarzy, napawała się ich aromatem. Jej artretyczne dłonie, nadspodziewanie delikatne w porównaniu z potężnym ciałem, lekko muskały płatki.

– Dziękuję – pochyliła głowę w nieznacznym, formalnym skinieniu. – Moje cudowne róże. Włożę je do wody. Wejdź, zaraz zaparzę herbatę.

Jej dom był czysty i pełen powietrza, z pobielonymi ścianami i zwyczajowymi w tym regionie kamiennymi płytami na podłodze. Jednak jego prostota była bardzo zwodnicza. Na jednej ze ścian wisiał najprawdziwszy kobierzec z Aubusson, zaś w kącie pokoju stał stary, duży piękny zegar, za który Kerry ochoczo sprzedałaby duszę. Mireille dostrzegła jego zachwycone spojrzenie.

– Należał do mojej babki – wyjaśniła. – Gdy byłam mała, stał w pokoju dziecinnym. Pamiętam, jak wsłuchiwałam się w jego kuranty, kiedy leżałam w łóżku przed snem. Gra inną melodię na pełną godzinę, na połówkę i na kwadrans. Tony go uwielbiał. – Jej usta ściągnął nagły grymas. Odwróciła się, by poprawić róże w wazonie. – Jego córka też by go uwielbiała.

Herbata była słaba niczym woda kwiatowa. Mireille podała ją w swojej najlepszej porcelanie z Limoges wraz ze srebrnymi szczypczykami do cukru i cytryny.

– Jestem tego pewien. Szkoda, że jej matka jest takim odludkiem.

Mireille rzuciła mu ostre spojrzenie.

– Odludkiem, eh? Ona nie jest odludkiem, jest aspołeczna, monsieur Jay. Nienawidzi wszystkich wokół. A w szczególności rodziny. – Pociągnęła łyk herbaty. – Gdyby tylko mi na to pozwoliła, pomogłabym jej. Pomogłabym jej bardzo. Chciałam je obie sprowadzić do swojego domu. Dać dziecku to, czego potrzebuje najbardziej – normalny dom, rodzinę. Ale ta...

Odłożyła filiżankę. Jay zdał sobie w tym momencie sprawę, że Mireille, mówiąc o Marise, nigdy nie używała jej imienia.

– Nalegała na utrzymanie warunków dzierżawy. By pozostać do przyszłego lipca, do czasu jej wygaśnięcia. Nie chce pokazywać się w wiosce. Nie chce rozmawiać ani ze mną, ani z moim bratankiem, który też proponuje jej pomoc. Ale co będzie potem? Myśli, że kupi tę ziemię od Pierre-Emile'a. A czemu chce ją kupić? Bo twierdzi, że w ten sposób się uniezależni. Nie chce być nam nic dłużna. – W tej chwili twarz Mireille przywodziła na myśl dłoń kurczowo zaciśniętą w pięść. – Dłużna! Nam! Ona jest mi wszystko dłużna. Dałam jej dom. Dałam jej swojego syna! Teraz pozostało po nim jedynie dziecko. Ale nawet i ją zdołała mi wyrwać. Tylko ona umie się z nią porozumiewać tym swoim językiem migowym. W ten sposób moja wnuczka nigdy nie dowie się o swoim ojcu, o tym, jak umarł. Nawet o to zdołała zadbać. Chociaż ja bym mogła...

Starsza pani urwała gwałtownie.

– Nieważne. – Wykrztusiła z wysiłkiem. – W końcu i tak do mnie przyjdzie. Będzie musiała. Nie uda jej się trzymać z daleka do końca życia. Nie w sytuacji, gdy ja... – znów urwała gwałtownie. Jej zęby uderzyły o siebie z cichym trzaskiem.

– Zupełnie nie rozumiem, czemu ona jest tak źle usposobiona do ludzi – powiedział w końcu Jay. – Lansquenet to przecież wyjątkowo urocze miejsce. Wystarczy spojrzeć, jak bardzo wszyscy są przyjaźnie do mnie usposobieni. Gdyby tylko dała ludziom szansę, jestem pewien, że przyjęliby ją tutaj z otwartymi ramionami. Musi być jej trudno żyć w takim odosobnieniu.

– Nic nie rozumiesz – ton Mireille brzmiał teraz pogardliwie. – Ona dobrze wie, z jakim spotkałaby się przyjęciem, gdyby tylko się pokazała w wiosce. Dlatego trzyma się od ludzi z daleka. Tak zresztą było od chwili, gdy Tony sprowadził ją z Paryża. Nigdy do nas nie pasowała. Nawet nie spróbowała się zaaklimatyzować. A do tego każdy wie, co zrobiła! Już ja się o to dobrze postarałam. – Jej ciemne oczy zwęziły się teraz w wyrazie triumfu. – Każdy wie, że zamordowała mojego syna.

43

– Och, ona oczywiście przesadza – oznajmił Clairmont pojednawczym głosem.

Siedzieli obaj w Café des Marauds, zapełniającej się szybko robotnikami schodzącymi tu po pracy. Clairmont miał na sobie swój poznaczony tłustymi plamami kombinezon. Przy sąsiednim stoliku zebrali się jego pracownicy – wśród nich także i Roux. W powietrzu unosił się swojski zapach gauloise'ów i kawy. Ktoś za ich plecami żywo omawiał przebieg ostatniego meczu piłkarskiego. Joséphine nie mogła nadążyć z podgrzewaniem w mikrofalówce kawałków pizzy.

– *Héh, José, un croque, tu veux bien?*

Na barze stała miska pełna jajek na twardo i duża solniczka. Clairmont sięgnął po jedno z jajek i zaczął je starannie obierać.

– To znaczy, każdy wie, że ona tak naprawdę go nie zabiła. Ale przecież istnieje mnóstwo innych sposobów wykończenia człowieka niż zwykłe pociągnięcie za cyngiel, czyż nie?

– Chcesz przez to powiedzieć, że to ona doprowadziła go do śmierci?

Clairmont skinął głową.

– To był bardzo prostolinijny, towarzyski chłopak. Sądził, że znalazł ideał. Zrobiłby dla niej wszystko, nawet już po ślubie. Nie chciał słuchać ani słowa przeciwko niej. Twierdził, że jest nerwowa i delikatna. Cóż, może jest, kto wie? – Sięgnął po sól. – A obchodził się z nią tak, jakby była ze szkła. Mówił, że właśnie wyszła z jednego z tych specjalnych szpitali. Miała coś nie w porządku z nerwami. – Clairmont wybuchnął śmiechem. – Z nerwami? Z jej nerwami nie było nic nie w porządku. Ale gdyby tylko ktokolwiek spróbował powiedzieć coś przeciwko niej... – Wzruszył ramionami. – Biedny Tony, zabił się, bo próbował jej we wszystkim dogodzić. Zaharowywał się na śmierć, a ona i tak chciała go opuścić – mówiąc to, wbił melancholijnie zęby w jajko. – O, tak. Chciała odejść – powtórzył, widząc zdumienie na twarzy Jaya. – Była już całkiem spakowana. Mireille wszystko widziała. Wybuchła między nimi jakaś kłótnia – oznajmił, pochłaniając do końca jajko i wskazując Joséphine, że chce jeszcze jedno małe jasne. – Tam zawsze wybuchały jakieś kłótnie. Ale tym razem nie ulegało wątpliwości, że ona zamierza już z tym wszystkim skończyć. Zaś Mireille...

– Czego sobie życzycie? – Joséphine dźwigała tacę pełną kawałków pizzy; wyglądała na zgrzaną i zmęczoną.

– Dwa piwa, José.

Joséphine postawiła przed nimi dwie butelki, które Clairmont otwarł otwieraczem przytwierdzonym do baru. Potem, zanim zaczęła roznosić wokół pizzę, rzuciła majstrowi szczególne spojrzenie.

– W każdym razie, tak się miały sprawy – zakończył swój wywód Clairmont, nalewając piwo do szklanek. – Ostatecznie ustalili, że to był wypadek, bo każdemu tak było wygodnie. Ale i tak nikt w wiosce nie ma wątpliwości, że za tą tragedią stała jego zwariowana żona. – Georges uśmiechnął się szeroko. – Najzabawniejsze, że w testamencie nie zostawił jej ani grosza. I teraz ona jest na łasce i niełasce jego rodziny. To była siedmioletnia dzierżawa – wówczas już nikt nie mógł tego zmienić – ale gdy tylko umowa wygaśnie... – Wymownie wzruszył ramionami. – Będzie musiała stąd szybko zmykać i krzyżyk jej na drogę.

– Chyba, że sama wykupi farmę – wtrącił Jay. – Mireille twierdzi, że będzie próbować.

Przez chwilę twarz Clairmonta pokrył cień.

– Sam osobiście przebiję każdą jej ofertę – oznajmił stanowczo, opróżniając szklankę. – To doskonały grunt pod zabudowę. Na tej starej winnicy mógłbym wystawić co najmniej tuzin domków letniskowych. Pierre-Emile byłby ostatnim idiotą, gdyby pozwolił jej wykupić tę ziemię. – Potrząsnął gwałtownie głową. – Nam potrzeba jedynie odrobiny szczęścia, a wówczas ceny nieruchomości w Lansquenet wystrzelą w górę jak szalone. Popatrz na Le Pinot. Ziemia może przynieść krociowe zyski, jeżeli tylko odpowiednio się ją zagospodaruje. Ta kobieta zaś nigdy by tego nie zrobiła. Ani myślała sprzedać bagienne nieużytki nad rzeką, gdy chcieli poszerzyć szosę. Zablokowała plany rozwoju naszej wioski przez czystą złośliwość. – Ponownie potrząsnął głową. – Ale teraz sprawy mają się inaczej. – Clairmontowi nagle powrócił dobry humor. Jego uśmiech dziwacznie kontrastował z żałobnie opadającymi wąsami. – Za rok, góra za dwa, sprawimy, że Le Pinot będzie wyglądać przy nas jak marsylijskie *bidonville*. Powoli wszystko zmierza ku lepszemu. – Ponownie zaprezentował swój pokorny, zgłodniały uśmiech. – Jedna osoba wystarczy, by zapoczątkować rewolucyjne zmiany, monsieur Jay. Czyż nie?

Stuknął swoją szklanką o szklankę Jaya po czym mrugnął porozumiewawczo.

– *Santé!*

44

Zabawne, jak szybko do niego wróciła cała ogrodnicza wiedza sprzed wielu lat. Minęły już cztery tygodnie od ostatniej wizyty Joego, jednak Jay wciąż miał wrażenie, że starszy pan może się pojawić lada moment. W warzywniku i na rogach domu pozawieszał czerwone, flanelowe saszetki. Podobnie ustroił drzewa rosnące na obrzeżach jego posiadłości, chociaż często te szczególne amulety zrywał z nich wiatr. Margerytki, wyhodowane z nasion w sprokurowanej domowym sposobem szklarni, zaczynały rozwijać swoje barwne płatki wśród ziemniaków Narcisse'a.

Poitou upiekł dla Jaya specjalny bochenek *couronne* w podziękowaniu za antyreumatyczny talizman z ziołami, który, jak twierdził, pomógł mu jak nic innego w życiu. Oczywiście Jay dobrze wiedział, że piekarz i tak zawsze by coś podobnego powiedział.

Niewątpliwie jednak teraz w ogrodzie Jaya rosła najwspanialsza kolekcja ziół w całej okolicy. Lawenda jeszcze była zielona, ale już o wiele bardziej aromatyczna, niż kiedykolwiek zdarzało się to lawendzie Joego. Poza tym hodował piękny tymianek, miętę, melisę, rozmaryn oraz wielkie ilości bazylii. Obdarował całym koszem ziół Popotte, gdy przyjechała z pocztą oraz Rodolphe'a. Joe często rozdawał znajomym drobne talizmany – nazywał je talizmanami życzliwości – i Jay zaczął postępować w taki sam sposób: dawał ludziom maleńkie wiązki lawendy, mięty czy szałwi, przewiązane sznureczkami różnego koloru – czerwonym dla ochrony od złego, białym na szczęście, niebieskim na poprawę zdrowia. Śmieszne, jak doskonale sobie to wszystko nagle przypomniał. Mieszkańcy wioski uznali, że to kolejny angielski zwyczaj – tak zresztą kwitowali wszelkie jego ekscentryczności. Niektórzy zaczęli nosić te małe, ziołowe bukieciki przyszpilone do kurtek i płaszczy – chociaż nadszedł już maj, dla miejscowych wciąż było za zimno, by wdziać letnie ubrania, gdy tymczasem Jay już od dawna paradował w szortach i T-shirtach.

Ku własnemu zdziwieniu odkrył, że zwrócenie się ku zwyczajom Joego przynosiło mu ukojenie. Gdy był jeszcze chłopcem, rytuały ochronne Joego, jego kadzidełka, zaklęcia wypowiadane w kuchennej łacinie i rozrzucanie ziół aż zbyt często działały mu na nerwy. Uważał je za żenujące – niczym nadto gorliwe odśpiewywanie hymnu na szkolnym apelu. Dla jego nastoletniej duszy to, co Joe nazywał magią dnia powszedniego, było jednak zbyt powszednie i zbyt naturalne – jak gotowanie czy praca w ogródku – odarte ze wszelkiego mistycyzmu. Mimo że Joe podchodził do swoich działań poważnie, tkwiła w nich jakaś radosna praktyczność, wzbudzająca w romantycznej duszy Jaya bunt. On zdecydowanie wolałby śmiertelne zaklęcia, ciemne szaty i obrzędy o północy. W coś takiego mógłby z łatwością wierzyć. Dla niego, wychowanego na komiksach i kiepskiej, sensacyjnej literaturze, rytuały przywodzące na myśl czarną magię miałyby prawdziwy sens. Teraz, kiedy już było na wszystko za późno, Jay odkrył, że praca na ziemi przynosi mu spokój ducha. Magia dnia powszedniego, jak to nazywał Joe. Alchemia dla laików. Dopiero tutaj zrozumiał, co starszy pan przez to rozumiał. A mimo to Joe wciąż nie chciał się zjawić. Jay przygotował grunt na jego powrót niczym dobrze wygrabioną grządkę. Sadził i pielił zgodnie z fazami księżyca, tak jakby to robił sam Joe. Próbował wykazać się wiarą.

W końcu zaczął sobie wmawiać, że tak naprawdę Joego nigdy tu nie było, że stanowił jedynie wytwór jego własnej rozgorączkowanej wyobraźni. Ale jak na złość, teraz, kiedy Joe zniknął, chciał wierzyć, że jednak było inaczej. Joe naprawdę się tutaj pojawiał, upierał się jakiś jego cichy, wewnętrzny głos. Naprawdę. A on, Jay, wszystko zniszczył swoim gniewem i niewiarą. Gdyby tylko mógł sprowadzić go z powrotem. Wówczas – jak obiecywał sobie Jay – zachowywałby się całkiem inaczej. Tak wiele między nimi pozostało niedokończonych spraw. Jaya pożerała bezsilna wściekłość na samego siebie. Dostał od losu drugą szansę i idiotycznie ją zmarnował. Teraz pracował w ogrodzie każdego dnia aż do zmierzchu. Głęboko wierzył, że Joe powróci. Że jakoś go do tego zmusi.

45

Być może z powodu tak ciągłego rozpamiętywania przeszłości, Jay zaczął spędzać coraz więcej czasu nad rzeką, w miejscu gdzie przecinka opadała stromo ku wodzie. Tam, w pobliżu żywopłotu, znalazł ziemne gniazdo os i zaczął je obserwować z niesłabnącą fascynacją, przywołując z pamięci owo lato 1977 roku, kiedy został użądlony, a Gilly śmiała się tak, że aż niosło po całym Nether Edge. Teraz kładł się na brzuchu, przyglądał osom kursującym przez dziurę w ziemi i wydawało mu się, że spod powierzchni wyraźnie dobiega odgłos ich gorączkowych działań. Niebo od jakiegoś czasu było białe, zasnute chmurami. Pozostałe „Specjały" w swej ciszy i chmurności bardzo to niebo przypominały. Ostatnimi czasy już nawet nie szeptały między sobą.

Rosa po raz drugi zobaczyła Jaya, gdy leżał nad brzegiem rzeki. Miał otwarte oczy, jednak sprawiał wrażenie, jakby na nic szczególnego nie patrzył. W radiu, kołyszącym się na gałęzi wystającej ponad wodę, śpiewał Elvis Presley. Obok Jaya stała otwarta butelka wina. Jej nalepka głosiła: „Malina, 1975" – chociaż Rosa była zbyt daleko, by to przeczytać. Wzrok dziewczynki przyciągnął natomiast czerwony sznurek zamotany wokół szyjki. Gdy tak stała i patrzyła, Anglik wyciągnął rękę i napił się prosto z butelki. Skrzywił się, jakby nie odpowiadał mu smak, a tymczasem przez rzekę nagle ją doleciał aromat tego, co pił – nagły gwałtowny powiew zapachu dojrzałych, szkarłatnych, dzikich malin zbieranych przez nią zazwyczaj po kryjomu. Przez chwilę Rosa obserwowała Jaya z namysłem z drugiego brzegu rzeki. Wbrew temu, co mówiła *maman*, wyglądał całkiem nieszkodliwie. Do tego to przecież on zawiązywał te śmieszne, czerwone torebki na drzewach. Zastanawiała się dlaczego. Najpierw zrywała je z gałęzi w odruchu wojowniczego buntu, by jak najdokładniej wymazać znaki jego bytności z okolicy, ale w końcu polubiła te dziwne saszetki, dyndające niczym małe, czerwone owoce na drżących gałęziach. Teraz już nie miała nic przeciwko temu, żeby zjawiał się w jej sekretnym miejscu. Rosa przesunęła się nieco, by kucnąć wygodniej wśród wysokich traw. Zastanawiała się, czy przypadkiem nie przejść na drugi brzeg, ale po ostatnich deszczach głazy służące zazwyczaj do przeprawy były zatopione, a trochę bała się skakać na tak dużą odległość. Ciekawska brązowa kózka nieustannie trącała nosem jej rękaw. Rosa odepchnęła zwierzę lekkim pacnięciem w nos. „Potem, Clopette, potem". Zastanawiała się, czy Anglik wie o gnieździe os. Leżał najwyżej metr od jego wlotu.

Jay ponownie podniósł butelkę do ust. Zdążył opróżnić ją do połowy i już czuł zawrót głowy, jakby był niemal pijany. W pewnym sensie miał takie odczucie z powodu nieba – drobne krople leciały zakosami na jego zwróconą w górę twarz niczym maleńkie płatki sadzy. Samo niebo zdawało się rozciągać w nieskończoność.

Zapach płynący z butelki nagle przybrał na sile – jakby zaczął kipieć czy musować. Był to radosny aromat, jak oddech pełni lata, woń przejrzałych owoców opadających z gałęzi, ogrzewanych od spodu przez słońce odbijające ostrym refleksem od kredowobiałych kamieni torowiska. Jednak te wspomnienia nie należały do najprzyjemniejszych. Być może z powodu tego ciężkiego nieba utożsamił je nagle z ostatnim latem w Pog Hill, katastrofalną konfrontacją z Zethem, gniazdami os – Gilly obserwującą owe gniazda w zafascynowaniu i nim samym kucającym w pobliżu. Gilly zawsze uwielbiała wyprawy przeciwko osom. Bez niej nigdy nie odważyłby się podejść w pobliże jakiegokolwiek z tych gniazd. Owa myśl go wzburzyła. Przecież wino, które w tej chwili pił, powinno przynosić wspomnienia z 1975 roku, skonstatował swarliwie. Bo właśnie wtedy zostało zrobione. W owym pogodnym, słonecznym roku – pełnym obietnic i cudownych odkryć. W roku pobrzmiewającym „Sailing" Roda Stewarta, nieustannie płynącym z radia. Przecież tak właśnie działały poprzednie butelki. Tymczasem teraz wehikuł czasu pomylił się o dwa lata, odsuwając jeszcze dalej wspomnienia o Joem. Zdjęty gniewem, Jay wylał resztę wina na ziemię.

Z dna butelki wydobył się szkarłatny, stłumiony chichot. Jay otworzył oczy, nieswój, nagle przekonany, że ktoś go obserwuje. W mdłym świetle dżdżystego dnia osad z dna zdawał się niemal czarny – czarny i syropowaty, jak melasa. Do tego, z miejsca w którym leżał, szyjka butelki robiła wrażenie pulsującej niezwykłym ruchem – jakby coś gorączkowo usiłowało z niej umknąć. Jay usiadł gwałtownie i wytężył wzrok. Do środka butelki wleciało kilka os zwabionych słodyczą. Dwie pełzały niemrawo po szyjce. Inna tłukła się od wewnątrz o ścianki, zwabiona tam tym, co pozostało na dnie. Jayem wstrząsnął dreszcz. Osy miewają zwyczaj chowania się w butelkach i puszkach z napojami. Doświadczył tego na własnej skórze. Użądlenie wewnątrz ust jest nie tylko bardzo bolesne, ale i niebezpieczne. Osa pełzła ciężko po ściankach butelki. Miała skrzydła całkiem oklejone syropem. Zdawało mu się, że wewnątrz butelki brzęczy frenetycznie, ale być może był to zew samego wina, mącącego powietrze gorącym, radosnym aromatem unoszącym się ku górze niczym słup czerwonego dymu – szczególny znak lub ostrzeżenie.

Niespodziewanie bliskość gniazda os wzbudziła w nim odrazę. Teraz nabrał już pewności, że słyszy krzątaninę owadów dochodzącą spod cienkiej skorupy ziemi. Wyprostował się, gotów, by stąd iść, gdy nagle ogarnęła go szaleńcza lekkomyślność i zamiast odejść, Jay przysunął się jeszcze bliżej gniazda.

„Gdyby była tu Gilly..."

Nostalgia opadła go, nim zdołał cokolwiek na to poradzić. Złapała go równie silnie i niespodziewanie, jak splątany, kolczasty pęd jeżyny. Być może działo się tak za sprawą aromatu wydobywającego się z butelki lub wina rozlanego po ziemi – tych woni zatrzymanych w czasie miesięcy dawno minionego lata – odurzającej, przyćmiewającej wszelkie inne zapachy. Radio wiszące na gałęzi wydało suchy trzask, po czym rozległo się „I Feel Love”. Jayem ponownie wstrząsnął dreszcz.

To idiotyczne, wmawiał sobie. Teraz już nie musiał nikomu niczego udowadniać. Od czasu gdy puścił z dymem ostatnie gniazdo os, minęło dwadzieścia lat. Teraz byłoby to idiotycznie lekkomyślne, zabójcze – typowe jedynie dla dziecka błogo nieświadomego ewentualnych konsekwencji. Poza tym...

Jakiś głos – wina, jak mu się zdawało, choć być może dochodził on z wnętrza pustej butelki – zabrzmiał zachęcająco, a jednocześnie lekko pogardliwie. Przypominał nieco głos Gilly, a nieco – Joego. Był niecierpliwy, ale i rozbawiony pod pozorami irytacji. „Gdyby była tu Gilly, nigdy byś nie stchórzył”.

Po drugiej stronie rzeki coś się poruszyło w wysokiej trawie. Przez chwilę Jayowi wydawało się, że ją zobaczył – chmurę rudości, która mogłaby być jej włosami i jakiś pasiasty T-shirt czy pulower.

– Rosa?

Żadnej odpowiedzi. Wpatrywała się w niego spomiędzy wysokich traw zielonymi oczami błyszczącymi z ciekawości. Teraz, gdy wiedział, w którą stronę skierować wzrok, widział ją już wyraźnie. Z niedalekiej odległości dobiegło go też beczenie kozy.

Zdawało mu się, że Rosa patrzy na niego zachęcająco i do tego wyczekująco. Pod sobą słyszał bzyczenie os – dziwny, żywo pulsujący dźwięk – jakby pod ziemią coś gwałtownie i burzliwie fermentowało. Ów dźwięk, w połączeniu ze wzrokiem Rosy, to było dla niego za wiele. Poczuł przypływ nagłego uniesienia, radości odejmującej mu lat, sprawiającej, że znów poczuł się, jakby był niezwyciężonym, butnym czternastolatkiem.

– Tylko popatrz – powiedział do dziecka, po czym podszedł do gniazda os.

Rosa wpatrywała się w niego intensywnie. Jay poruszał się niezgrabnie, centymetr po centymetrze przesuwając się w stronę brzegu. Szedł z nisko opuszczoną głową, jakby w ten sposób mógł oszukać osy i sprawić, że stanie się dla nich niewidoczny. Kilka owadów natychmiast siadło mu na plecach. Rosa patrzyła pilnie, jak Jay wyciągał z kieszeni chusteczkę. W drugim ręku trzymał zapalniczkę – tę samą zapalniczkę, którą oferował Rosie owego dnia nad brodem. Delikatnie otwarł zapalniczkę i namoczył chustkę płynnym gazem. Dzierżąc teraz chusteczkę przed sobą, na wyciągnięcie ramienia, podszedł do samego gniazda. Pod nawisem brzegu znajdowała się dużo większa dziura – być może kiedyś wykorzystywana przez szczury. Wokół niej – błotny plaster. Jay zawahał się przez moment, po czym upatrzył sobie odpowiednie miejsce i wetknął chustkę do gniazda, pozostawiając jedynie rożek materiału dyndający niczym lont. Spojrzał na niespuszczającą z niego wzroku Rosę i uśmiechnął się szeroko.

Banzai.

A więc jednak musiał być pijany. Tylko w ten sposób mógł sobie później wyjaśnić to, co w niego nagle i niespodziewanie wstąpiło, chociaż w owej chwili w ogóle nie miał takiego poczucia. Wtedy wydawało mu się, że z nim wszystko w porządku. Czuł się wspaniale. Unosił się na fali. Zadziwiające, jak błyskawicznie sobie wszystko przypomniał. I wystarczyło, że tylko raz pstryknął zapalniczką. Płomień natychmiast zajął tkaninę z niewiarygodną gwałtownością. W tej dziurze musiało być mnóstwo tlenu. Cudownie. Przez moment Jay żałował, że nie ma przy sobie petard. Sekunda czy dwie upłynęły bez żadnej reakcji ze strony os, po czym z pół tuzina z nich wystrzeliło z dziury niczym płonące iskry. Jaya zalała fala euforii. Teraz był gotów do ucieczki. W ten sposób popełnił pierwszy poważny błąd. Przecież Gilly zawsze go uczyła, że powinien przede wszystkim znaleźć sobie dobre schronienie i trzymać się blisko ziemi – najlepiej pod jakimś korzeniem czy za ściętym pniakiem – w momencie gdy wściekłe osy wylatywały z gniazda. Tym razem Jay zbytnio skoncentrował się na Rosie i zapomniał o przestrogach. Owady ruszyły na niego przerażającą falą, gdy uciekał w krzaki. I to był drugi błąd. W podobnej sytuacji nigdy nie należy biegać. Ruch przyciąga osy, i do tego je rozjusza. Stąd, jeżeli nie znalazło się odpowiedniej kryjówki, najlepiej położyć się na ziemi i zakryć twarz dłońmi. A tymczasem on nagle spanikował. Czuł zapach palącego się gazu i jeszcze inny, ohydny swąd – jakby palącego się dywanu. Poczuł użądlenie w ramię i dłonią trzasnął w osę. W tym samym momencie zaczęło go żądlić naraz kilka os – wściekle, niepohamowanie, przez T-shirt, w dłonie i w ramiona. Przelatywały mu koło uszu ze świstem niczym pociski, zaciemniając powietrze. W tym momencie Jay stracił już resztki zimnej krwi. Przeklął szpetnie i zaczął walić rękami po całym ciele. Następna osa użądliła go pod lewym okiem, wywołując silny, przewlekły ból całej twarzy i wtedy już Jay na oślep ruszył przed siebie, w dół przecinką, po czym wskoczył do rzeki. Gdyby poziom wody był niższy, pewnie skręciłby kark. Jednak dzięki deszczom ten skok uratował go przed rozwścieczonymi owadami. Jay uderzył o powierzchnię rzeki twarzą, zanurzył się, wrzasnął, zachłysnął mętną wodą, wypłynął, zanurzył ponownie, skierował w stronę przeciwległego brzegu i minutę później znalazł się, uniesiony prądem, kilka metrów dalej w dole rzeki, w koszulce lepkiej od potopionych os.

Ogień, który podłożył pod gniazdo zdążył już wygasnąć. Jay pluł rzeczną wodą. Kaszlał i przeklinał, drżąc na całym ciele. Lato z czasów, gdy miał czternaście lat, nigdy nie wydawało się równie odległe jak w tej chwili. Z wyspy położonej gdzieś na krańcach czasu dobiegło go echo śmiechu Gilly.

Po tej stronie rzeka była o wiele płytsza. Jay dobrnął do brzegu i dźwigając się na czworakach, opadł w kępę trawy. Ramiona i dłonie już mu puchły od tuzina użądleń, natomiast oko miał spuchnięte niczym bokser po walce. Czuł się co najmniej tak jak tygodniowe zwłoki.

Powoli zaczął zdawać sobie sprawę z obecności Rosy przyglądającej mu się uważnie ze swojego dogodnego punktu obserwacyjnego położonego powyżej miejsca, w którym się znajdował. Bardzo rozsądnie cofnęła się w głąb, by uniknąć ataku rozjuszonych os, niemniej wciąż ją widział przycupniętą na górnej żerdzi, tuż przy bramie, obok smoczej głowy. Wyglądała na zaciekawioną, ale nieprzejętą niedawnymi wydarzeniami. W pobliżu jej mała kózka skubała trawę.

– Nigdy więcej – wydyszał Jay. – Mój Boże, nigdy więcej.

Właśnie rozważał możliwość podniesienia się do pozycji pionowej, gdy usłyszał kroki od strony winnicy. Podniósł wzrok i zdążył ujrzeć Marise d'Api dopadającą bez tchu do bramy i chwytającą Rosę w objęcia. Marise zdała sobie sprawę z jego obecności dopiero po paru minutach, najpierw bowiem wdała się z Rosą w gwałtowną wymianę migową. Jay tymczasem usiłował wstać, pośliznął się, uśmiechnął, machnął nieśmiało dłonią, w nadziei, że dopełniając tego wymogu prowincjonalnej etykiety, sprawi, iż ona nie zauważy jego stanu. Nagle poczuł się bardzo nieswojo z powodu zapuchniętego oka, przemoczonego ubrania, powalanych błotem dżinsów.

– Miałem wypadek – wyjaśnił słabym głosem.

Wzrok Marise powędrował w stronę gniazda os. Resztki zwęglonej chusteczki Jaya wciąż sterczały z dziury i nawet przez rzekę docierał do niej zapach płynnego gazu. Rzeczywiście, wypadek.

– Ile razy zostałeś użądlony? – Po raz pierwszy w życiu miał wrażenie, że dosłyszał w jej tonie nutę rozbawienia.

Jay rzucił okiem na dłonie i ramiona.

– Nie wiem. Ja... nigdy bym nie przypuszczał, że tak szybko zareagują. – Zauważył, że Marise patrzy na porzuconą butelkę wina i zapewne wysnuwa odpowiednie wnioski.

– Jesteś alergikiem?

– Chyba nie. – Jay ponownie usiłował się podnieść, ale znowu pośliznął się i upadł w trawę. Było mu niedobrze i czuł zawroty głowy. Martwe osy przywierały mu do ubrania. Marise wyglądała na przestraszoną, a jednocześnie bliską wybuchu śmiechu.

– Chodź ze mną – powiedziała w końcu. – Mam w domu zestaw przeciw użądleniom. Niekiedy istnieje groźba spowolnionej reakcji.

Powoli i ostrożnie Jay podciągnął się w kierunku żywopłotu. Tuż za nim dreptała Rosa, w towarzystwie swojej kózki. W połowie drogi do domu Jay poczuł małą, chłodną rękę dziecka wsuwającą się w jego dłoń. Gdy spojrzał w dół zobaczył, że Rosa się uśmiecha.

Dom okazał się o wiele większy, niż się zdawało z odległości szosy. Była to odpowiednio przebudowana stodoła, z dachem o niskich szczytach i drzwiami na poddaszu, którymi swego czasu wrzucano bele siana na górę. Przy jednym z zabudowań gospodarskich stał stary traktor. Z boku domu usytuowany był niewielki, starannie utrzymany ogródek, z tyłu – mały sad, w którym rosło mniej więcej dwadzieścia jabłoni, a z jeszcze innego boku drewutnia z sągami drewna już przygotowanymi na zimę. Po wąskich bruzdach winnicy spacerowały dwie czy trzy małe, brązowe kózki. Jay podążał za Marise wąską ścieżką pomiędzy winoroślą. Na skraju pola Marise wyciągnęła do niego dłoń, by mu pomóc w zejściu na równą drogę, jego kroki bowiem wciąż były niezdarne i niepewne. Jay podejrzewał jednak, że zrobiła to nie tyle ze względu na niego, co na rośliny, które mógłby przy okazji uszkodzić.

– Wejdź tutaj – rzuciła krótko, wskazując na kuchenne drzwi. – Usiądź, a ja przyniosę ten zestaw.

Jej kuchnia była schludna i jasna. Nad porcelanowym zlewem wisiała półka, na której stały kamionkowe garnki, na środku stał długi dębowy stół – bardzo podobny do tego z jego farmy – a pod ścianą tkwił gigantyczny, czarny piec. Z niskich belek ponad kominem zwisały wiązki ziół: rozmarynu, szałwi i mięty. Rosa pobiegła do spiżarki i przyniosła lemoniadę. Nalała sobie pełną szklankę, po czym zasiadła za stołem i przyglądała się Jayowi z otwartą ciekawością.

– *Tu as mal?* – spytała.

Spojrzał jej w oczy.

– Można tak powiedzieć – odparł.

Rosa uśmiechnęła się psotnie.

– Czy ja też mogę dostać trochę? – Jay wskazał na szklankę z lemoniadą i Rosa przesunęła ją ku niemu po stole. A więc umiała zarówno migać, jak i czytać z ruchu warg. Jay zastanawiał się, czy wiedziała o tym Mireille. Jakoś wydawało mu się to nieprawdopodobne. Głos Rosy był dziecinny, ale brzmiał pewnie, nie miał w sobie nic z bełkotliwości tonu ludzi głuchych. Lemoniada domowej roboty okazała się bardzo dobra.

– Dziękuję.

Marise, w tym momencie wchodząca do kuchni, posłała mu podejrzliwe spojrzenie. W ręku trzymała jednorazową strzykawkę.

– To adrenalina. Kiedyś byłam pielęgniarką.

Po drobnej chwili wahania Jay wyciągnął ramię i zamknął oczy.

– No już.

Poczuł lekkie pieczenie w zagięciu łokcia. Przez sekundę zakręciło mu się w głowie, jednak ten stan niemal natychmiast minął. Marise przyglądała mu się z wyraźnym rozbawieniem.

– Jak na kogoś, kto wypowiada wojnę osom, jesteś nad wyraz wrażliwy.

– To niezupełnie tak – powiedział Jay, masując ramię.

– Ktoś, kto się podobnie zachowuje, musi się liczyć z tym, że zostanie użądlony. I tak miałeś szczęście.

Pewnie miała rację, jednak w owej chwili jemu zdawało się zupełnie inaczej. W głowie wciąż mu pulsowało. Lewe oko miał potężnie zapuchnięte. Marise podeszła do jednej z szafek i wyjęła pudełko z białym proszkiem. Wsypała nieco tego proszku do filiżanki, dodała trochę wody i wymieszała, po czym wręczyła mu filiżankę.

– Soda oczyszczona. Powinieneś nią posmarować miejsca po użądleniach.

Nie zaoferowała mu przy tym pomocy. Jay postanowił zastosować się do jej rady, chociaż jednocześnie czuł się trochę głupio. Nie tak wyobrażał sobie ich spotkanie. Powiedział o tym Marise.

Wzruszyła jedynie ramionami, po czym znów odwróciła się w stronę szafki. Jay przyglądał się, jak wsypywała makaron do rondla, zalewała wodą, przyprawiała i stawiała ostrożnie na fajerce.

– Muszę zrobić Rosie lunch – wyjaśniła. – Ale nie śpiesz się z tego powodu.

Pomimo tych słów Jay miał nieodparte wrażenie, że Marise chciałaby się go pozbyć ze swej kuchni najszybciej jak to możliwe. On tymczasem niezdarnie próbował zasmarować sodą ukąszenia na plecach. Brązowa kózka wetknęła głowę przez drzwi i zabeczała.

– *Clopette, non! Pas dans la cuisine!* – wykrzyknęła Rosa. Zerwała się z miejsca i wypchnęła zwierzę na zewnątrz; w tym momencie Marise posłała jej ostre, strofujące spojrzenie i speszona dziewczynka natychmiast zasłoniła buzię rękami. Jay patrzył na nią oniemiały ze zdumienia. Czemu Marise nie chciała, by jej córka odzywała się w jego obecności? Tymczasem ona gestami pokazała Rosie, by nakryła stół. Rosa wyjęła trzy talerze z szafki. Marise potrząsnęła przecząco głową. Z ociąganiem, niechętnie, dziewczynka odstawiła z powrotem jeden z talerzy.

– Dzięki za udzielenie pierwszej pomocy – wtrącił Jay rozważnym tonem.

Marise kiwnęła głową, nadzwyczaj pochłonięta siekaniem pomidorów do sosu. Po chwili dodała do nich garść świeżej bazylii, którą zerwała ze skrzynki stojącej na parapecie.

– Masz piękną posiadłość.

– Tak? – Wydawało mu się, że wychwycił w jej głosie gniew.

– Nie żebym myślał o jej kupieniu – dorzucił Jay pospiesznie. – Chciałem tylko powiedzieć, że to wyjątkowa farma. Urokliwa.

Marise odwróciła się i wbiła w niego wzrok.

– O co ci właściwie chodzi? – Jej twarz ściągnął wyraz podejrzliwości. – Co to za sprawa z tym kupowaniem? Czyżbyś już z kimś o tym rozmawiał?

– Ależ skąd! – zaprzeczył gorliwie. – Po prostu usiłowałem jakoś nawiązać rozmowę. Przysięgam, że...

– Nie przysięgaj – oznajmiła beznamiętnie. Przelotny moment cieplejszego do niego stosunku nagle uleciał. – Nic nie mów. Wiem, że prowadziłeś rozmowy z Clairmontem. Widuję jego van zaparkowany pod twoim domem. Jestem pewna, że przedstawił ci wiele interesujących koncepcji.

– Koncepcji?

Zaśmiała się ironicznie.

– O, ja wszystko wiem, monsieur Mackintosh. Węszysz wokół i do tego zadajesz mnóstwo pytań. Najpierw kupujesz stary Château Foudouin, a zaraz potem wykazujesz wielkie zainteresowanie gruntami nad rzeką. Co takiego planujesz tu pobudować? Domki letniskowe? Kompleks sportowy, jak w Le Pinot? Czy może coś jeszcze bardziej egzotycznego?

Jay zdecydowanie pokręcił głową.

– Nic nie rozumiesz. Jestem pisarzem. Przyjechałem tu, by napisać książkę. I absolutnie nic poza tym.

Rzuciła mu cyniczne spojrzenie. Jej oczy przeszywały go niczym lasery.

– Nie chcę, by Lansquenet stało się drugim Le Pinot – oznajmił Jay z naciskiem. – I powiedziałem o tym Clairmontowi już na samym początku. Widujesz jego van pod moim domem, dlatego że wciąż zwozi na moją farmę *brocante*; ubzdurał sobie, że jestem zainteresowany skupowaniem rupieci.

Teraz Marise zaczęła dodawać do sosu posiekane szalotki, pozornie wciąż nieprzekonana jego wyjaśnieniami. Jednak Jay odniósł wrażenie, że napięcie jej pleców nieco zelżało.

– Jeżeli zadaję tak wiele pytań – zdecydował się ciągnąć dalej – to dlatego, że jestem pisarzem; interesują mnie ludzie i ich historie. Przez wiele lat cierpiałem na twórczy blok, ale od czasu, gdy przyjechałem do Lansquenet... – Teraz już nie do końca zdawał sobie sprawę z tego, co mówił. Pochłaniało go głównie obserwowanie wygięcia jej pleców lekko rysującego się pod męską koszulą. – Jest tu całkiem inne powietrze. Piszę jak szalony. Zrezygnowałem ze wszystkiego, żeby się tu znaleźć...

Wówczas się odwróciła – z czerwoną cebulką w jednej, a nożem w drugiej ręce.

Jay nie ustawał:

– Przysięgam, że nie przyjechałem tu, by cokolwiek budować czy przekształcać. Na Boga jedynego, siedzę w twojej kuchni przemoczony do suchej nitki i oblepiony papką z sody. Czy przypominam choćby najmarniejszego przedsiębiorcę?

Przez chwilę rozważała jego pytanie.

– No, może nie – stwierdziła w końcu.

– Kupiłem tę posiadłość pod wpływem impulsu. Nie miałem pojęcia, że ty... Nie przyszło mi do głowy, że ty... Ja nigdy nie kieruję się impulsami – dorzucił słabym głosem.

– Dość ciężko mi w to uwierzyć – powiedziała Marise i uśmiechnęła się. – Jeżeli ktoś celowo wkłada rękę do gniazda os...

Był to nieznaczny uśmiech – w skali od jednego do dziesięciu może najwyżej dwa – ale jednak uśmiech.

Potem zaczęli już swobodnie rozmawiać. Jay opowiedział jej o Londynie, o Kerry i „Ziemniaczanym Joe". Mówił o swoim rosarium i warzywniku za domem. Oczywiście ani słowem nie wspomniał o tajemniczej obecności Joego i jego późniejszym zniknięciu, ani o sześciu butelkach domowego wina, czy też o tym, jak jej osoba przenikała strony jego nowej powieści. Po prostu nie chciał, by pomyślała, że jest kompletnie szalony.

Kiedy przygotowała już lunch – makaron z sosem i fasolą – zaprosiła go, by zjadł razem z nimi. Potem pili kawę i armaniak. Podczas gdy Rosa baraszkowała na dworze z Clopette, Marise dała mu stary kombinezon Tony'ego, żeby mógł zdjąć mokre ubranie. Jay zdziwił się, że nie mówi o Tonym „mój mąż", a zawsze „ojciec Rosy", uznał jednak, że ich znajomość jest jeszcze zbyt świeża i krucha, by wystawiać ją na szwank zadawaniem osobistych pytań. Kiedy – a raczej jeżeli – zechce opowiedzieć mu o Tonym, zrobi to z własnej woli.

Na razie niewiele mógł o niej powiedzieć. Była zajadle niezależna, nadzwyczaj czuła w stosunku do córki. Dumna ze swojej pracy, domu, ziemi. Uśmiechała się pozornie bardzo poważnie, ale gdzieś tam tliło się ziarnko słodyczy. Słuchała w ciszy i skupieniu, wykazywała dużą oszczędność i celowość ruchów, co wskazywało na błyskotliwy umysł, od czasu do czasu spod chłodnej praktyczności wyzierało szczególne poczucie humoru. Gdy przypominał sobie swoje pierwsze wrażenie wywołane jej osobą, własne uprzedzenia, nieomal wiarę w to, co mówili o niej ludzie pokroju Caro Clairmont czy Mireille Faizande – zalała go potężna fala wstydu. Heroina jego powieści – nieprzewidywalna, niebezpieczna, niewykluczone że szalona – nie miała nic wspólnego z ową spokojną, łagodną kobietą. Wyobraźnia zdecydowanie go poniosła. Popijał kawę, skonfundowany, i w tym momencie zdecydował, że już nie będzie wtykał nosa w jej sprawy. Jej życie i jego książka zdecydowanie się rozmijały.

I dopiero później, dużo później, dopadło go poczucie, że tego popołudnia wydarzyło się coś niepokojąco dziwnego. Marise – och, ta kobieta była urocza i do tego bardzo inteligentna – sprawiła, że cały czas rozprawiał o sobie, natomiast sama zdołała uniknąć wszelkich pytań na swój temat. W ten sposób przed wieczorem wiedziała o nim już wszystko. Ale nie na tym zasadzał się niepokój Jaya – miał on raczej coś wspólnego z Rosą. Zaczął więc intensywnie o niej rozmyślać. Mireille była święcie przekonana, że jej wnuczka jest źle traktowana przez matkę, ale Jay nie zauważył niczego podobnego. Wręcz przeciwnie – miłość pomiędzy matką i córką nie mogła dla nikogo ulegać żadnej wątpliwości. Jay przypomniał sobie ów moment, gdy ujrzał je razem po drugiej stronie żywopłotu. Ich niezwykle intymny związek bez słów. Właśnie! Bez słów! To cały czas nie dawało mu spokoju. Rosa umiała mówić – spontanicznie i bez żadnych problemów. Dowodem na to był sposób, w jaki potraktowała kozę, gdy ta usiłowała wejść do kuchni. Była to natychmiastowa, pełna emocji reakcja. „*Clopette, non! Pas dans la cuisine!*" Wypowiedziane tak, jakby to było naturalne, że przemawia do się do zwierzęcia w podobny sposób. I do tego owo spojrzenie Marise – wyraźnie ostrzegające córkę, by bezwzględnie zachowała milczenie.

Ale dlaczego? Czym to groziło? Wciąż i wciąż wracało do niego to pytanie. Czyżby Rosa powiedziała coś, czego wedle Marise Jay nie powinien był słyszeć? Nagle stanęła mu przed oczami cała ta sytuacja. Był niemal pewien, że dziewczynka siedziała zwrócona plecami do drzwi kuchni, gdy pojawiła się w nich jej ulubiona koza.

Skąd w takim razie wiedziała, że jest tam to zwierzę?

46

Nether Edge, lato 1977

Po tym jak zostawił Gilly, siedział jakiś czas przy moście, przepełniony gniewem i poczuciem winy, jednak pewien, że ona przyjdzie go szukać. Kiedy przez dłuższy czas się nie pojawiała, położył się w mokrej trawie, wdychając gorzkawy aromat ziemi i zielska, i spoglądał w niebo tak długo, aż padająca mżawka zaczęła przyprawiać go o zawrót głowy. Wówczas poczuł też chłód, wstał więc i ruszył w stronę Pog Hill Lane wzdłuż na wpół zdemontowanego torowiska, zatrzymując się od czasu do czasu, by przyjrzeć się czemuś leżącemu z boku – bardziej zresztą z nawyku niż rzeczywistego zainteresowania. Był tak pogrążony we własnych rozmyślaniach, że zupełnie nie zauważył ani nie usłyszał czterech postaci, które wynurzyły się cicho spośród drzew i rozwinęły w tyralierę za jego plecami, by nie zdołał im się wymknąć.

Kiedy je dostrzegł – było już za późno. Zobaczył Glendę i jej dwie nieodłączne przyjaciółki: chudą blondynkę – wydawało mu się, że miała na imię Karen – oraz młodszą od nich Paulę (a może Petty) – najwyżej jedenasto- czy dwunastoletnią, z kolczykami w uszach i złośliwym, ponurym zacięciem ust. Teraz przecinały drogę w taki sposób, by odciąć mu wszelką możliwość ucieczki – Glenda zachodziła go z jednej strony, Karen i Paula – z drugiej. Ich twarze błyszczały od deszczu i wojowniczego zapału. Oczy Glendy – gdy skrzyżowały się ponad ścieżką z jego wzrokiem – błyszczały dziwnym światłem. Przez moment zdawała się niemal ładna.

Prawdziwy problem polegał jednak na tym, że był z nimi Zeth.

Przez sekundę czy dwie Jay był jak sparaliżowany. Dziewczyny w ogóle go nie przerażały. Uciekał im, wykpiwał je i przechytrzał wiele razy przedtem – a poza tym były zaledwie trzy. Stanowiły znany element krajobrazu, w pewnym sensie przynależały do Edge – niczym kopalnia odkrywkowa czy osypisko w pobliżu śluzy; ryzyko natknięcia się na nie równało się mniej więcej ryzyku natknięcia się na gniazdo os – były czymś, co należało traktować z ostrożnością, ale całkiem bez strachu.

Natomiast zupełnie inaczej przedstawiała się sprawa w przypadku Zetha.

Tego dnia miał na sobie T-shirt Status Quo z podwiniętymi rękawami. Za jednym z nich tkwiła paczka winstonów. Włosy, teraz długie, powiewały mu wokół wąskiej twarzy o wyrazie przebiegłej łasicy. Skóry nie znaczył mu już trądzik, pozostały mu po nim jednak głębokie ślady – niczym rytualne blizny, tunele dla krokodylich łez. Patrząc na Jaya, Zeth szczerzył zęby w uśmiechu.

– Żeś był niemiły dla mojej siostry?

Jeszcze zanim Zeth skończył, Jay już uciekał. W zaistniałej sytuacji, nie mógł się znaleźć w gorszym punkcie Nether Edge. Wysoko, ponad kanałem, znalazłby mnóstwo pewnych kryjówek, jednak na prostym, całkiem odkrytym obszarze torowiska rozciągającym się teraz przed nim na kształt pustyni, trudno było znaleźć jakieś dobre miejsce do ukrycia. Krzewy po obu stronach stanowiły zbyt gęsty gąszcz, by się w nie wcisnąć, a jednocześnie nie były dość wysokie, aby stanowić skuteczną zasłonę – za to sprawiały, że ta część Edge pozostawała niewidoczna dla mieszkańców wszystkich okolicznych domów. Tenisówki Jaya zabuksowały niebezpiecznie na żwirze. Glenda z przyjaciółkami znajdowały się tuż przed nim, Zeth – o włos za jego plecami. Jay wybrał wariant, który wydał mu się najlepszy: zwodem wymknął się dwóm dziewczynom i ruszył wprost na Glendę. Usiłowała go pochwycić – jej tłuste ramiona wyciągnęły się, jakby chciała złapać w locie wielką piłkę – on jednak pchnął ją z całej siły, napierając na nią barkiem, niczym futbolista, po czym przetoczył się swobodnie w dół. Za plecami usłyszał wycie Glendy i głos Zetha, przerażająco bliski:

– Ty pokurczliwy skurwielu!

Jay się nie obejrzał. Niedaleko był już most, a obok niego ścieżka i przecinka położona zaledwie ćwierć mili od Pog Hill, prowadząca prosto na ulicę. W pobliżu mostu znajdowały się też inne ścieżki, wiodące do drugiej przecinki i nieużytków leżących poniżej drogi. Gdyby tylko udało mu się tam dobiec... Do mostu miał już całkiem blisko. A do tego był przecież młodszy od Zetha. I lżejszy. Na pewno mógł biec szybciej. Jeżeli tylko uda mu się dotrzeć do mostu, znajdzie dla siebie odpowiednią kryjówkę.

Uciekając, rzucił okiem przez ramię. Odległość między nim, a jego wrogami wyraźnie się zwiększyła – wynosiła teraz jakieś trzydzieści, czterdzieści metrów. Glenda już pewnie trzymała się na nogach i biegła za nim, ale pomimo jej rozmiarów, Jay nie czuł przed nią strachu. Już ledwo łapała oddech, a jej nad miarę wielkie piersi podskakiwały śmiesznie pod obcisłą koszulką. Zeth truchtał powoli tuż obok niej, ale gdy Jay się odwrócił, wyskoczył w przód przerażającym, szybkim sprintem, pracując silnie ramionami. Wokół kostek furczały mu tylko ziarnka żwiru.

Jay czuł już lekki zawrót głowy, a do tego miał wrażenie, że w gardle zagnieździł mu się rozpalony do czerwoności kamień. Tuż za pobliskim zakrętem widział most i rząd topoli wyznaczający odludne miejsca. Dzieliło go od nich nie więcej jak pięćset metrów.

Talizman Joego tkwił wciąż w jego kieszeni. Gdy biegł, czuł, jak ociera mu się o udo, i od razu ulżyło mu na myśl, że ma go przy sobie. Nie byłoby w tym nic dziwnego, gdyby go nie zabrał. Tego lata był tak zajęty sobą, tak bardzo pogrążony we własnych problemach, że o magii nie myślał wcale.

Teraz zaś miał nadzieję, że talizman zadziała.

Dopadł mostu. Przestrzeń pomiędzy nim, a prześladowcami jeszcze się zwiększyła. Zaczął się rozglądać za dogodną kryjówką. Ucieczka ścieżką prowadzącą ku ulicy wydała mu się nagle zbyt ryzykownym posunięciem. Jay był już u kresu sił, a od uczęszczanej, bezpiecznej drogi dzieliło go pięćdziesiąt metrów krętej, żwirowej ścieżki. Zacisnął palce na amulecie Joego i skręcił dokładnie w przeciwną stronę – tam, gdzie nie spodziewaliby się go szukać ścigający – pod most i ścieżką w stronę Pog Hill. Tuż za łukiem mostu znajdowała się kępa rozsiewajacej nasiona wierzbówki i Jay wskoczył w nią, czując ciężkie pulsowanie w głowie i wywołane radosnym uniesieniem ściskanie w sercu.

Był bezpieczny.

Siedząc w kryjówce, słyszał ich głosy. Zetha – całkiem bliski, i Glendy – raczej odległy, stłumiony dzielącą ich odległością, dochodzący gdzieś z otwartej przestrzeni pomiędzy mostem a przecinką.

– Gdzieżeż, do diabła, się podział?

Jay słyszał, że Zeth jest po drugiej stronie łuku, wyobraził sobie, jak się właśnie rozgląda po ścieżce, ocenia w duchu odległości. Na tę myśl skurczył się, jak mógł najbardziej, pod upstrzonymi bielą gałęziami wierzbówki.

Teraz dobiegł go głos Glendy, świszczący z powodu zadyszki.

– Zgubiłżeś go, ty gnoju!

– Eee. Jest tu gdzieś. Nie mógł zbiec daleko.

Mijały minuty. Podczas gdy prześladowcy lustrowali teren, Jay kurczowo ściskał talizman. Talizman od Joego. Zadziałał już tak wiele razy przedtem. Dawniej Jay nie całkiem ufał w jego moc, ale teraz już nie miał wątpliwości. Uwierzył w magię. Prawdziwie uwierzył. Po chwili dobiegł go taki odgłos, jakby ktoś stąpał po śmieciach leżących w dużych ilościach pod mostem. Potem kroki zachrzęściły na żwirze. Ale on przecież był bezpieczny. Niewidzialny dla wrogich oczu. Co do tego nie miał żadnych wątpliwości.

– Jest tutej!

Była to dziesięcioletnia Paula czy też Patty, stojąca po pas w pienistym zielsku.

– Szybko Zeth. Łap go! Łap!

Jay zaczął się cofać w stronę mostu. Za każdym ruchem w powietrze wzbijał się tuman białych nasion. Talizman zwisał luźno spod jego palców. Glenda i Karen zaszły mu drogę i teraz wyraźnie widział ich błyszczące od potu twarze. Tuż za łukiem mostu był jedynie głęboki rów zarośnięty rozkrzewionymi, późno letnimi pokrzywami. Tam nie mógł więc uciekać. W tym samym momencie, gdy to spostrzegł, spod mostu wyskoczył Zeth, złapał go za ramię, po czym przyciągnął ku sobie za ramiona w przerażająco poufałym, nieznoszącym sprzeciwu geście powitania.

– Jużeś mój.

A więc magia w końcu zatraciła swą moc.

Jay niechętnie wracał wspomnieniami do tego, co się wydarzyło później. Obrazy tamtych chwil spowijała cisza, podobnie jak większość snów. Najpierw ściągnęli z niego T-shirt i wepchnęli – kopiąc i wrzeszcząc – do rowu z pokrzywami. Jay usiłował stamtąd wypełznąć, ale Zeth ciągle spychał go z powrotem – liście pokrzyw zostawiały na jego ciele znaki, które miały swędzieć i piec przez kilka następnych dni. Jay podniósł ręce, by osłonić twarz, a gdzieś w tyle głowy kołatała mu myśl: „Czemu coś podobnego nigdy nie przytrafia się Clintowi?", kiedy ktoś pociągnął go nagle w górę za włosy, a głos Zetha oznajmił:

– Teraz na mnie kolej, skurwielu.

W powieści walczyłby jak lew. W rzeczywistości nie walczył wcale. W powieści wykazałby chociaż odrobinę buntu, desperackiej zuchowatości. Wszyscy bohaterowie jego opowiadań zachowaliby się w taki sposób.

Jay jednak nie należał do bohaterów.

Zaczął się drzeć, jeszcze zanim spadł na niego pierwszy cios. Zresztą prawdopodobnie właśnie dzięki temu uniknął solidnego manta. Mogło być o wiele gorzej, pomyślał, gdy w jakiś czas potem szacował szkody. Rozkwaszony nos, kilka siniaków, dżinsy zdarte na obu kolanach z powodu paskudnego upadku na kamienie torowiska. Jedyną poważnie uszkodzoną rzeczą okazał się jego zegarek. Dopiero dużo później uświadomił sobie, że zniszczeniu uległo wiele więcej – coś ważniejszego, mającego istotniejszy wpływ na życie niż zegarek czy nawet złamana kość. W grę wchodziła wiara – a przynajmniej takie miał poczucie. W owej chwili pękło coś w jego wnętrzu, coś, czego nie można było już naprawić.

Jak powiedziałby Joe – umarła metafizyka.

Matce oznajmił, że spadł z roweru. Było to całkiem wiarygodne kłamstwo – w każdym razie wystarczająco wiarygodne, by wyjaśnić kwestię zapuchniętego nosa i podartych dżinsów. Na szczęście nie przejęła się tak bardzo, jak Jay się obawiał; przyszedł akurat wtedy, gdy wszyscy oglądali w telewizji powtórkę filmu „Blue Hawaii" w ramach pośmiertnych wspomnień o Elvisie.

Nie spiesząc się, odstawił rower. Potem zrobił sobie kanapkę, wyciągnął z lodówki puszkę coli, poszedł do swojego pokoju i zajął się słuchaniem radia. Wszystko nagle wydało mu się zwodniczo normalne – jakby Gilly, Zeth czy Pog Hill już należały do odległej przeszłości. Z radia płynęło „Straighten Out" Stranglersów.

Jay wraz z matką wyjechał z Monckton jeszcze w ten sam weekend. Z nikim się nie pożegnał.

47
Lansquenet, maj 1999

Jay był pochłonięty pracą w ogrodzie, gdy zjawiła się Popotte z pocztą. Była małą, okrągłą kobietą o pogodnej twarzy, w szkarłatnym swetrze. Zawsze zostawiała swój staroświecki rower przy głównej drodze i donosiła pocztę ścieżką na piechotę.

– Eh, monsieur Jay – westchnęła ciężko, wręczając mu pakiet kopert. – Nie mógłbyś mieszkać nieco bliżej szosy?! Jeżeli jest dla ciebie jakaś przesyłka moje *tournée* zawsze przeciąga się o pół godziny. Za każdym razem, gdy się tu zjawiam, ubywa mi co najmniej dziesięć kilo. Tak dłużej być nie może! Musisz wystawić sobie skrzynkę na listy przy drodze!

Jay rozpromienił się w uśmiechu.

– Wejdź do środka i skosztuj jednego ze świeżych *chaussons aux pommes* wyrobu Poitou. Nastawiłem już kawę. Właśnie zamierzałem zrobić sobie przerwę.

Popotte przybrała na tyle surowy wyraz twarzy, na ile pozwalała jej pogodna fizjonomia.

– Eh, Rosbif, czy ty przypadkiem nie próbujesz mnie przekupić?

– Nie, madame – ponownie uśmiechnął się szeroko. – Za to próbuję sprowadzić cię na złą drogę.

Roześmiała się.

– No, może tylko jeden pasztecik. Rzeczywiście potrzeba mi kalorii.

Gdy zajęła się jedzeniem, Jay zabrał się za pocztę. Rachunek za elektryczność; kwestionariusz statystyczny z merostwa w Agen; mała, płaska paczuszka, zawinięta w brązowy papier, zaadresowana drobnym, starannym, niemal dobrze znanym charakterem pisma.

Opatrzona znaczkiem ze stemplem Kirby Monckton.

Jay poczuł, jak mu drżą ręce.

– Mam nadzieję, że to nie same rachunki – wtrąciła Popotte, częstując się kolejnym pasztecikiem. – Przykro by mi było, gdybym się tak wysilała tylko po to, by przynieść ci niechcianą makulaturę.

Jay z trudnością rozpakował pakiecik.

Dwukrotnie musiał odłożyć pakiecik, by ustało trzęsienie rąk. Papier pakowy był gruby, wzmocniony jeszcze kawałkiem tektury. Wewnątrz nie znalazł żadnej notatki, a jedynie kawałek żółtego papieru starannie owinięty wokół niewielkiej ilości czarnych nasion. Na papierze widniało tylko jedno słowo wypisane starannie ołówkiem: „Specjały".

– Dobrze się czujesz? – zaniepokoiła się Popotte. Musiał wyglądać dziwacznie z kawałkiem papieru w jednej, nasionami w drugiej ręce, ustami szeroko rozwartymi ze zdumienia.

– To nasiona z Anglii... oczekiwałem tej przesyłki – wykrztusił Jay. – Ale zupełnie... zupełnie o tym zapomniałem.

Kręciło mu się w głowie od możliwych wyjaśnień. Poczuł się nagle odrętwiały, przytłoczony potęgą owej niewielkiej paczuszki nasion. Pociągnął potężny łyk kawy, a potem rozsypał nasiona po żółtym papierze i zaczął się im uważnie przyglądać.

– Nie wyglądają jakoś szczególnie – zauważyła Popotte.

– Nie, rzeczywiście nie wyglądają – zgodził się Jay. Było ich najwyżej sto, więc nawet nie pokrywały całej jego dłoni.

– Na Boga jedynego, tylko przypadkiem nie kichnij – doszedł go zza pleców głos Joego i Jay niemal zrzucił nasiona na podłogę. Starszy pan stał oparty o kuchenną szafkę, w tak nonszalanckiej pozie, jakby nigdy nie zniknął. Miał na sobie całkiem zwariowane szorty z madrasu, T-shirt z logo „Born to Run" Bruce'a Springsteena oraz swoje górnicze buty i kaszkiet. Gdy tak stał, wydawał się nadzwyczaj realny, ale wzrok Popotte ani przez moment nie zarejestrował jego obecności, mimo że zdawała się patrzeć wprost na niego. Joe uśmiechnął się szeroko i konspiracyjnym gestem przytknął palec do ust.

– Spokojnie, chłopcze. Nie ponaglaj jej – oznajmił łagodnie. – Ja tymczasem rzucę okiem na ogród.

Jay nie odrywał od niego wzroku, gdy spacerowym krokiem wymaszerował z kuchni w stronę warzywnika, z trudem zwalczając w sobie przymus, by pobiec za nim. Popotte odstawiła kubek z kawą i spojrzała na niego zaciekawionym wzrokiem.

– Monsieur Jay, czy przypadkiem nie smażyłeś dzisiaj dżemu?

Pokręcił przecząco głową. Poza jej ramieniem, przez kuchenne okno, widział Joego pochylającego się nad prowizorycznie skleconym inspektem.

– Hmm. – Popotte wciąż wyglądała na nieprzekonaną i mocno wciągała nosem powietrze. – Wydawało mi się, że snuje się tu szczególny zapach. Czarnej porzeczki. Palonego karmelu.

A więc ona też wyczuła jego obecność. Na Pog Hill Lane zawsze królowały podobne zapachy – drożdży, owoców, skarmelizowanego cukru – czy w danej chwili Joe robił wino, czy też nie. Owa woń przenikała chodniki w jego domu, zasłony, drewniane meble. Zawsze ciągnęła się za Joem, przesiąkała jego ubrania, a nawet przedzierała się przez odór dymu papierosów.

– Chyba powinienem zabrać się z powrotem do roboty – oznajmił Jay, starając się, by jego głos brzmiał beznamiętnie. – Te nasiona powinny jak najszybciej znaleźć się w gruncie.

– Naprawdę? – Tym razem Popotte wbiła w nasiona szczególne spojrzenie. – A więc to coś specjalnego?

– No właśnie – odparł. – Coś nadzwyczaj specjalnego.

48

Pog Hill, jesień, 1977

Wrzesień nie przyniósł nic lepszego. Na listach przebojów znów królował Elvis – tym razem z utworem „Way Down". Jay apatycznie przygotowywał się do nadchodzącej małej matury. Pozornie życie wróciło do normy. Niemniej nie opuszczało go poczucie zbliżającej się katastrofy, pogłębiane jeszcze, o dziwo, przez monotonność codziennej egzystencji. Do tej pory nie miał żadnych wiadomości ani od Joego, ani od Gilly, co go rozczarowywało, mimo że nie dziwiło, gdy brał pod uwagę fakt, że opuścił Kirby Monckton, nie żegnając się z żadnym z nich. Do tego wszystkiego paparazzi z magazynu „Sun" sfotografowali jego matkę uwieszoną na ramieniu dwudziestoczteroletniego instruktora aerobiku przed wejściem do któregoś z klubów w Soho, w wypadku samochodowym zakończył życie Marc Bolan, zaś zaledwie kilka tygodni później Ronnie Van Zant i Steve Gaines z zespołu Lynyrd Skynyrd zginęli w katastrofie samolotowej. Nagle Jay nabrał przekonania, że wszystko i wszyscy wokół niego zaczynają umierać, rzeczywistość zapada w nicość. a na dodatek nikt inny tego nie dostrzega. Jego rówieśnicy zajmowali się pokątnym paleniem papierosów i wymykali się do kina w godzinach bezwzględnego zakazu opuszczania internatu. Jay patrzył na nich z wyraźną pogardą. Sam właśnie rzucił palenie. Teraz wydawało mu się to bezsensowne i do tego dziecinne. Przepaść pomiędzy nim a kolegami z klasy zdawała się wciąż powiększać. Niekiedy miał wrażenie, że jest od nich co najmniej dziesięć lat starszy.

Nadeszło święto 5 listopada. Wszyscy jego koledzy zgromadzili się wokół wielkiego ogniska i zajęli się pieczeniem ziemniaków. Jay pozostał w sypialni i przyglądał się temu wszystkiemu z daleka. W powietrzu unosił się gorzkawy, nostalgiczny aromat. Od ognia odrywały się płonące iskry i poprzez zasłonę dymu ulatywały ku ciemnemu, pogodnemu niebu. Jay czuł zapach smażonego tłuszczu i swąd odpalanych petard. Po raz pierwszy od końca sierpnia zdał sobie sprawę ze swojej tęsknoty za Joem.

W grudniu nie wytrzymał i uciekł.

Wziął ciepłą kurtkę, śpiwór, tranzystorowe radio i trochę pieniędzy. Wszystko to zapakował do niewielkiej podróżnej torby. Na zwolnieniu podrobił podpis matki, po czym opuścił szkołę tuż po śniadaniu, by w ciągu jednego dnia przebyć jak największy kawał drogi. Złapał okazję z centrum miasta na wylotową szosę szybkiego ruchu, a potem kolejną z autostrady M1 do Sheffield. Wiedział dokładnie, dokąd zmierza.

Dotarcie do Kirby Monckton zajęło mu całe dwa dni. Po opuszczeniu autostrady głównie posuwał się na piechotę, skracając sobie drogę przez pola i pagórkowate wrzosowiska. Ułożył się do snu w wiacie autobusowej, ale po jakimś czasie dojrzał zbliżający się policyjny samochód patrolowy i od tego czasu nie odważył się już na żaden dłuższy postój – bał się, że zostanie zgarnięty. Było zimno, ale na szczęście nie padał śnieg, mimo że niebo wyglądało ponuro. Jay wciągnął na siebie wszystkie ubrania, które zabrał ze sobą, a i tak nie mógł się rozgrzać. Na stopach miał odciski, jego buty pokrywała skorupa błota, on jednak myślał jedynie o Pog Hill Lane i o tym, że Joe na pewno na niego czeka w swoim domu przepełnionym aromatem gorącego dżemu i suszonych jabłek, z ciepłą kuchnią oraz grającym radiem ustawionym na parapecie wśród pomidorowych krzaczków.

Gdy przybył na miejsce, zbliżał się wieczór. Ledwo wczołgał się ostatnie parę metrów na górę Pog Hill, przerzucił torbę przez murek ogrodzenia Joego, po czym sam przez niego przeskoczył. Podwórze wyglądało na kompletnie zapuszczone.

Wrażenie równie zaniedbanej robiła działka – pusta i niezagospodarowana. Joe doskonale spisał się ze swoim kamuflażem. Nawet z bliska odnosiło się wrażenie, że w tym domu nikt nie mieszka już od kilku miesięcy. Pomiędzy kamiennymi płytami głównej ścieżki wyrosły chwasty zwarzone teraz zimnem, posrebrzone przymrozkiem. Okna wciąż były zabite deskami, a drzwi zamknięte na głucho.

– Joe! – Jay zaczął walić do drzwi. – Joe?! Otwórz, proszę.

Żadnego odzewu. Dom wydawał się całkiem pozbawiony życia, uśpiony pod zimowym woalem. Pod gorączkowym naciskiem dłoni Jaya, klamka grzechotała bez wyrazu. Z wnętrza domu dobiegał go jedynie dźwięk własnego głosu – głuche echo rozbrzmiewające w wydrążonej jaskini.

– Joe!

– To opuszczony dom, chłopcze.

Znad murku wyzierała twarz starej kobiety. Jej ciemne oczy płonęły ciekawością pod żółtym obrzeżem chustki. Jay mgliście ją kojarzył; często odwiedzała Joego w ich pierwsze wspólne lato i niekiedy przynosiła placek z truskawkami w zamian za warzywa z działki.

– Pani Simmonds?

– O juści. Zapewne szukasz Joego Coxa, hę?

Jay skinął głową.

– On odszedł. Myślałam nawet, że już jego dni dobiegły końca, ale nasza Janice rzekła, że po prostu zabrał się i poszedł stąd. Zabrał się i poszedł – powtórzyła. – Tu już go nie najdziesz.

Jay wybałuszył na nią oczy. To było niemożliwe. Joe na pewno nie odszedł. Przecież mu obiecał...

– Miarkują wyburzyć Pog Hill Lane – pani Simmonds wyraźnie miała ochotę na pogawędkę.

– Wybudują tu jakieś-ci luksusowe apartamenta. Nie powiem, chętnie zażyję wygód, po tym wszystkim, co przeszłam.

Jay całkowicie ją zignorował.

– Wiem, że tu jesteś, Joe! Wychodź! Wychodź lub otwieraj, do jasnej cholery!

– Taki język jest tu całkiem nie na miejscu – zauważyła pani Simmonds.

– Joe! Joe! Otwieraj! Joe!!!

– Miarkuj się, chłopcze, albo zadzwonię po policję.

Jay rozpostarł ramiona w pokojowym geście.

– OK. OK. Przepraszam. Już sobie stąd idę. Proszę mi wybaczyć.

Poczekał, aż poszła. Potem znów podpełzł pod dom i zaczął go okrążać, pewien, że Joe tu gdzieś jest, być może gniewa się na niego i z tego powodu nie może się już doczekać, by Jay stąd zniknął. Przecież już raz dał się nabrać. Dlatego teraz dokładnie przeszukał zarośniętą zielskiem działkę, pewien, że natknie się na Joego doglądającego swoich drzew lub roślin w cieplarni urządzonej w budce dróżnika. Tymczasem nie odnalazł żadnych śladów niedawnej bytności starszego pana. Dopiero gdy zdał sobie sprawę z tego, czego mu wokół brakuje, zaczęła docierać do niego brutalna rzeczywistość. Nie ujrzał ani jednego runicznego znaku, ani kawałka czerwonej wstążki czy magicznego piktogramu na pniu bądź kamieniu. Flanelowe saszetki zniknęły z obrzeży cieplarni, ze ścian domu, z gałęzi drzew. Staranne aranżacje z kamyków na ścieżkach zmieniły się w bezładną masę piasku i żwiru. Ze ścian szopy na narzędzia i oranżerii zniknęły wykresy faz księżycowych, z drzew – zazwyczaj przylepione przezroczystą taśmą – magiczne symbole. Wszystko, co Joe stosował jako ochronę swego terytorium, przestało istnieć. Część inspektów była zupełnie pozbawiona szyb, co skazywało rosnące wewnątrz rośliny na dostosowanie się do niekorzystnych warunków – lub śmierć. Natomiast po sadzie walała się nieprawdopodobna ilość spadów – teraz szaro-brązowych, niemal wtopionych w ściętą chłodem glebę. Były ich tam dosłownie setki – gruszek, jabłek, wiśni i śliwek. I właśnie wtedy Jay pojął wreszcie całą prawdę. Dopiero wtedy, gdy ujrzał te spady.

Joe naprawdę odszedł.

Jay zdołał podważyć kuchenne drzwi i wszedł do opuszczonego domu. Unosił się tam paskudny odór – jakby owoców gnijących w zawilgłej piwnicy. W kuchni krzaczki pomidorów wypuściły w ciemności monstrualne, bardzo jasne pędy, wyciągające swe delikatne palce w stronę wąskiej smużki światła dochodzącej od zabitego deskami okna. Część z nich, z kompletnie wysuszoną ziemią umierała rozciągnięta na zlewie. Najwyraźniej Joe zostawił wszystko w nienaruszonym stanie: czajnik na wygasłej fajerce, na półce – pudełko z herbatnikami (kilka z nich wciąż było w środku, czerstwych, ale jeszcze jadalnych), na haczyku za drzwiami – kapotę. Elektryczność nie działała, jednak z kuchni do piwnicy wpadało dostatecznie dużo światła, by zobaczyć rzędy butelek, słoików i gąsiorów poustawianych starannie na półkach, błyskających niczym klejnoty w podmorskim świetle.

Jay zabrał się za przeszukiwanie domu. Niewiele tu znalazł; Joe nigdy nie przykładał wagi do posiadania przedmiotów. I niemal wszystkie je pozostawił – praktycznie nic nie zabrał ze sobą. Zniknęła jedynie jego stara torba z narzędziami, „Zielnik Culpepera" i kilka ubrań – między innymi górniczy kask i buciory. Kredens na nasiona wciąż stał przy łóżku, ale gdy Jay zaczął otwierać szuflady, okazało się, że ich zawartość zniknęła. Po nasionach, korzeniach, paczuszkach, kopertach i starannie opisanych zawiniątkach ze zbrązowiałej gazety nie zostało ani śladu. Wewnątrz kredensu był teraz tylko kurz.

A więc dokądkolwiek udał się Joe, zabrał swoje nasiona ze sobą.

Gdzie jednak pojechał? Jego mapy wciąż wisiały na ścianach opisane drobnym, nieporadnym pismem, ale żaden znak na nich nie dawał pojęcia o celu obecnej wyprawy Joego. W jego dotychczasowych podróżach nie sposób było się dopatrzyć jakiegoś schematu; kolorowe linie krzyżowały się w wielu miejscach: Brazylia, Nepal, Haiti, Gujana Francuska. Jay zaczął nawet grzebać pod łóżkiem, ale znalazł tam jedynie kartonowe pudło pełne starych czasopism. Zaintrygowany, wyciągnął je na wierzch. Joe nigdy nie wykazywał szczególnego zamiłowania do lektury. Poza „Zielnikiem Culpepera" i niekiedy gazetą, starszy pan bardzo rzadko coś czytywał, a gdy już to robił, brnął przez linijki, marszcząc brwi, z powolnością człowieka, który zakończył edukację w wieku czternastu lat, wodząc palcem po tekście. Czasopisma, które znalazł, były stare, nieco wyblakłe, ale bardzo starannie poukładane w pudle, przykryte od góry odpowiednio przyciętą tekturką, aby nie niszczył ich kurz. Szokujące daty na egzemplarzach: 1947, 1949, 1951, 1964... Bardzo stare czasopisma o bardzo charakterystycznych, żółto-czarnych okładkach. Stare roczniki „National Geographic".

Jay usiadł na podłodze i przez kilka minut przerzucał ich stronice skruszałe z powodu wieku. Niespodziewanie znalazł w tych magazynach ukojenie, jakby dotykając ich gładkiego papieru, znajdował się nagle bliżej Joego. Bo przecież te zdjęcia pokazywały miejsca, które Joe widział na własne oczy, ludzi, między którymi żył – być może trzymał te egzemplarze jako pamiątki swoich długoletnich podróży.

Gujana Francuska, Egipt, Brazylia, Południowa Afryka, Nowa Gwinea. Niegdyś iskrzące barwami okładki leżały jedna przy drugiej na podłodze pokrytej kurzem. Jay zauważył, że Joe pozaznaczał niektóre akapity ołówkiem, porobił notatki na marginesach. Haiti, Południowa Afryka, Turcja, Antarktyka. To były jego wyprawy, szlaki wielu lat jego życia. Każdy opatrzony datą, opisem, tajemnymi znaczkami w wielu kolorach.

Datą i opisem.

Lodowaty dreszcz strasznego podejrzenia zaczął spływać mu wzdłuż kręgosłupa.

Zaczął przewracać strony i nagle nabrał przeraźliwej pewności. Wszystko zrozumiał. Te mapy. Te anegdoty. Egzemplarze „National Geographic" datujące się jeszcze niemal z czasów wojny...

Oniemiały wpatrywał się w czasopisma, próbując znaleźć jakieś inne wyjaśnienie, inny powód. Ale nic innego nie przychodziło mu do głowy.

A więc nigdy nie było żadnych wieloletnich wypraw. Joe Cox był górnikiem przez całe swoje życie – od dnia, gdy skończył szkołę, do dnia, gdy przeszedł na emeryturę. Kiedy zamknięto kopalnię w Nether Edge osiadł w swoim komunalnym domku na Pog Hill Lane, żył z górniczej emerytury – i może jeszcze renty inwalidzkiej, przyznanej z powodu okaleczonej lewej dłoni – oddając się marzeniom o podróżach. Wszystkie jego przeżycia, opowieści, niezwykłe przygody, zuchwałe wyczyny, momenty grozy, kobiety na Haiti, tabory cygańskie – miały swoje źródło w stosie czasopism. Były równie fałszywe jak jego magia, alchemia dla laików, te niby cenne nasiona w rzeczywistości pochodzące zapewne ze sprzedaży wysyłkowej czy od okolicznych ogrodników. Joe cały czas siedział samotnie w domu i snuł swoje marzenia – swoje ohydne kłamstwa.

Kłamstwa. Wszystko wokół Joego było jedynie fałszerstwem, oszustwem i jednym, wielkim kłamstwem.

Jaya ogarnęła nagła wściekłość. Kompletnie irracjonalna – ale wywołana cierpieniem i niepewnością ostatnich kilku miesięcy; odejściem Gilly i zdradą starszego pana; zachowaniem rodziców, jego samego, życiem w szkole; konfrontacją z Zethem, Glendą i jej bandą; walką z osami. Jego straszna złość, gniew na wszystko przerodziły się na moment w potężną, gwałtowną furię. Porozrzucał czasopisma po całej podłodze, po czym zaczął je kopać i deptać. Poszarpał okładki, zaczął rozcierać butami zdjęcia, tworząc z nich bezładną masę pyłu i błota. Pozrywał mapy ze ścian. Przewrócił pusty kredens na nasiona. Potem zbiegł do piwnicy i porozbijał wszystko, co wpadło mu w oko – butelki, słoiki, przetwory owocowe i alkohol. Jego buty głośno chrzęściły na potłuczonym szkle.

Jak Joe mógł go tak okłamywać?

Jak mógł?

W owym momencie Jay nie pamiętał, że to przecież on zwiał bez pożegnania, że to on zatracił swoją wiarę. Myślał jedynie o oszustwie Joego. Poza tym, przecież tu wrócił, no nie? On wrócił. Ale jeżeli w tym domu kiedykolwiek gościła magia, już dawno z niego wyparowała.

Bolały go plecy – musiał naciągnąć któryś z mięśni, gdy tak szalał w piwnicy – wrócił więc do kuchni, czując się odrętwiały i do niczego nieprzydatny. Krwawiła mu dłoń – zapewne skaleczył się kawałkiem szkła. Chciał opłukać ranę pod zlewem, ale dopływ wody był już odcięty. Ale właśnie wtedy dojrzał kopertę.

Stała oparta starannie o suszarkę do naczyń, przy oknie, zaraz obok wyschniętego kawałka dziegciowego mydła. Widniało na niej jego imię i nazwisko wypisane drobnymi, pająkowatymi drukowanymi literami. Była zbyt duża, by zawierać jedynie list, wyglądała na wypchaną, przypominała niewielką paczkę. Jay gorączkowo rozdarł papier, myśląc, że może to właśnie tego szukał, że Joe o nim jednak nie zapomniał; zostawił mu jakieś wyjaśnienia, szczególny znak...

Talizman.

W kopercie nie znalazł żadnego listu. Zaglądał do środka parę razy, ale nie dojrzał ani kawałeczka papieru. Tkwiła tam natomiast niewielka paczka – Jay od razu poznał, że to jeden z pakiecików z nasionami – opisana spłowiałym czerwonym ołówkiem. „Specjały".

Jay rozerwał jeden róg. W środku były nasiona: maleńkie, czarne, przelewające mu się pomiędzy palcami, gdy próbował zrozumieć, o co chodzi. Żadnej notatki. Żadnego listu. Żadnych instrukcji. Tylko ze sto nasion.

I cóż takiego on miał z nimi począć? Ponownie zalała go paląca fala gniewu. Zasiać w ogrodzie? Czekać, aż wypuszczą pędy, wysokie jak magiczna fasola, po których wespnie się do Zaczarowanej Krainy? Z gardła wydobył mu się chrapliwy, pełen wściekłości śmiech. Cóż on miał z nimi począć?

Nasiona przesypywały mu się miedzy palcami. Z oczu Jaya strzeliły łzy gniewu i samotności.

Wyszedł z domu i wdrapał się na murek tylnego ogrodzenia. Rozdarł pakiecik i posłał nasiona w powietrze – porwał je wilgotny, zimowy wiatr. W ślad za nasionami posłał kawałki podartej koperty. Poczuł złowieszcze podniecenie.

W jakiś czas potem pomyślał, że nie powinien był tego robić, że może jednak w tych nasionach kryła się szczególna magia – ale wówczas już było za późno. Cokolwiek Joe zamierzał dać mu do zrozumienia, dla Jaya pozostało tajemnicą.

49

Lansquenet, lato 1999

Czerwiec nadpłynął niczym wielki żaglowiec z nadymanymi, błękitnymi żaglami. Był to dobry okres na pisanie – książka Jaya powiększyła się o kolejne pięćdziesiąt stron – ale jeszcze lepszy na sadzenie młodych siewek do odpowiednio przygotowanej gleby, przerywanie młodych pędów ziemniaków, pielenie, wyplątywanie przytulii z krzaczków porzeczek oraz zbiory truskawek i malin na przetwory. Dojrzewanie tych owoców sprawiało szczególną przyjemność Joemu.

– Nie ma nic ponad zrywanie własnych jagód z własnego ogrodu – mawiał, trzymając papierosa między zębami. Tego lata truskawki nadzwyczaj obrodziły: Jay obsadził nimi trzy grządki długości pięćdziesięciu metrów każda – i wyrosło ich tyle, że gdyby tylko chciał, mógłby je sprzedawać. On jednak w najmniejszym stopniu nie był zainteresowany handlem. Natomiast obdarzał nimi szczodrze wszystkich swoich nowych przyjaciół. Poza tym smażył z nich konfitury i jadł w wielkich ilościach na świeżo – nierzadko prosto z krzaczka, wciąż jeszcze oprószone różowawą glebą. Dla odstraszenia ptaków od truskawek wystarczały strachy projektu Joego – elastyczne witki obwieszone paskami aluminiowej folii i, oczywiście, czerwonymi talizmanami.

– Powinieneś zrobić z nich nieco wina, chłopcze – doradzał Joe. – Sam nigdy nie wyprodukowałem truskawkowego trunku. Nie miałem ich dość dużo, by zawracać sobie tym głowę. Ale chętnie zobaczyłbym, jak się nadają do tego celu.

Jay odkrył teraz, że jest w stanie zaakceptować obecność Joego bez zadawania żadnych pytań, chociaż wcale nie dlatego, że nie miałby ochoty ich zadawać. Po prostu nie potrafił się zdobyć na poruszanie w tej chwili istotnych dla niego kwestii. Uznał, że lepiej pozostawić sprawy takimi, jakie są, traktować każde pojawienie się Joego za cud kolejnego nadchodzącego dnia. Zbyt usilne dociekania mogłyby odemknąć wrota na rejony, od których wolał się trzymać z daleka. Bo gniew nie wygasł w nim całkowicie. Drzemał gdzieś w jego wnętrzu, niczym uśpione ziarno gotowe do kiełkowania w sprzyjających okolicznościach. Jednak w obliczu wszelkich koniecznych działań, ten gniew wydawał się teraz mniej rzutujący na jego teraźniejszość – był niczym twór przynależący do innego życia. Joe zwykł mawiać, że zbyt wielkie obciążenie psychiczne chorobliwie spowalnia człowieka. A teraz Jay miał tak wiele do zrobienia. Czerwiec to miesiąc wymagający wiele pracy. Przede wszystkim należało zająć się warzywnikiem: wykopać młode ziemniaki i rozłożyć na paletach obsypanych suchą ziemią, wyznaczyć miejsca rozrostu dla porów, przykryć endywie ciemną folią, by ochronić je od nadmiernego słońca. Wieczorami, gdy temperatura nieco opadała, Jay pracował nad swoją książką, podczas gdy Joe przyglądał mu się z kąta pokoju – jak zwykle rozłożony na łóżku, z buciorami opartymi o ścianę, bądź palący papierosa i wodzący leniwie wzrokiem po pobliskich polach. Podobnie jak ogród i sad, książka Jaya wymagała wzmożonego wysiłku na tym etapie. Gdy ostatnie sto stron zbliżało się ku rozwiązaniu, Jay zwolnił pisanie i zaczął się wahać. W owym momencie zakończenie jawiło mu się równie mgliście, jak w chwili gdy zaczynał pisać. Spędzał coraz więcej czasu na bezmyślnym wpatrywaniu się w maszynę do pisania czy w widok rozciągający się za oknem, lub grę cieni na pobielonych ścianach pokoju. Przejrzał wszystkie zapisane przez siebie strony i wprowadził poprawki, mażąc tekst korektorem. Zmienił numerację stron i podkreślił tytuły. Robił wszystko, co mogłoby dać mu poczucie, ze wciąż pracuje. Joego jednak nie udało mu się zwieść.

– Wiele toś dziś nie zdziałał, chłopcze – stwierdził starszy pan pewnego, wyjątkowo bezproduktywnego, wieczoru. Jego akcent znów się nasilił, jak zawsze gdy kpił. Jay pokręcił głową.

– Idzie mi całkiem nie najgorzej.

– Eee tam. Powinieneś to skończyć jak najszybciej – ciągnął Joe. – Wyrzucić z siebie wszystko, póki jeszcze możesz.

– Nie potrafię – odparł Jay, tym razem już mocno poirytowanym głosem.

Joe wzruszył ramionami.

– Naprawdę nie mogę, Joe.

– Nie uznaję słowa „nie mogę". – To było kolejne z powiedzonek Joego. – Chcesz ukończyć tę swoją pioruńską książkę, hę? Bo ja nie zamierzam tkwić tu w nieskończoność.

Wtedy po raz pierwszy Joe dał Jayowi do zrozumienia, że może nie pozostać wraz z nim na zawsze. Jay posłał mu ostre spojrzenie.

– Co chcesz przez to powiedzieć? Przecież dopiero co wróciłeś.

Joe ponownie wzruszył beznamiętnie ramionami.

– No, cóż... – powiedział to takim tonem, jakby wszystko było całkiem oczywiste i pewne kwestie nie wymagały żadnych dodatkowych wyjaśnień. W końcu jednak Joe zdecydował się na większą otwartość. – Chciałem, żebyś ruszył z miejsca – oznajmił po chwili. – Ale gdy chodzi o pozostanie...

– A więc zamierzasz odejść.

– Och, chyba jeszcze nie w tej chwili.

Chyba. To „chyba" padło niczym kamień na spokojną wodę.

– Jednak znowu chcesz zniknąć – ton Jaya brzmiał ostrzej niż oskarżenie.

– Naprawdę jeszcze nie teraz.

– Ale wkrótce.

Joe po raz kolejny wzruszył ramionami. W końcu odparł:

– Nie wiem.

Gniew – stary dobry znajomy, nawiedzający go jak ataki malarycznej gorączki – powrócił. Jay czuł, jak ów gniew pulsuje wewnątrz jego ciała, wykwita mu rumieńcem i swędzącą pokrzywką na karku. Gniew na samego siebie, na jakąś potrzebę, której nigdy nie potrafił zaspokoić.

– Pewnego dnia będę musiał ruszyć dalej, chłopcze. Obaj będziemy musieli się na to zdobyć. Ty nawet bardziej niż ja.

Cisza.

– Ale niechybnie jeszcze jakiś czas się tu pokręcę. Przynajmniej do jesieni.

Nagle Jaya uderzyła myśl, że nigdy nie widział Joego zimą. Jakby starszy pan był jedynie wytworem ciepłego, letniego powietrza.

– Dlaczego właściwie się tu zjawiasz, Joe? Czy jesteś duchem? Czy to w tym rzecz? Przychodzisz mnie nawiedzać?

Joe wybuchnął śmiechem. W smudze księżycowego światła wpadającego przez szczelinę w okiennicy, rzeczywiście przypominał teraz zjawę, jednak w jego szerokim uśmiechu nie było nic upiornego.

– Tyś zawsze zadawał nazbyt wiele pytań. –

Ciężki akcent Joego brzmiał już teraz jak parodia, nostalgiczna farsa. Jay zaczął się nagle zastanawiać, czy to przypadkiem też nie była jedynie wystudiowana poza.

– Rzekłem ci już na samym początku, hę? Wędrówka astralna, chłopcze. Podróżuję we śnie. Opanowałem tę sztukę do doskonałości, i w ogóle. Mogę być wszędzie. W Egipcie, w Bangkoku, na biegunie południowym, wśród tancerek na Hawajach, w kraju zorzy polarnej. I po prawdzie wszędzie już tam byłem. To dlatego tak pioruńsko wiele sypiam ostatnimi czasy. – Wybuchnął śmiechem, posyłając peta na betonową podłogę.

– Jeżeli tak, to gdzie jesteś naprawdę? – w tonie Jaya, jak zawsze, gdy sądził, iż starszy pan się z niego naigrawa, pobrzmiewała ostra nuta podejrzliwości. – To znaczy cieleśnie? Na paczce z nasionami widniał stempel Kirby Monckton. Czy...

– Eh, co tam – Joe zapalił kolejnego papierosa. W niewielkim pokoju zapach dymu zdał się nagle niesamowicie ostry. – To bez znaczenia. Ważne, że teraz jestem tutaj.

Nie chciał powiedzieć już nic więcej. Pod nimi, w piwnicy, pozostałe „Specjały" zaczęły ocierać się o siebie z tęsknotą i w wyczekiwaniu. Prawie nie wydawały żadnego dźwięku, ale ja wyczuwałam ich ożywienie musujące fermentem, jakby coś szczególnego wisiało w powietrzu. „Wkrótce", zdawały się szeptać ze swoich leży w ciemności. „Wkrótce", „wkrótce", „WKRÓTCE". Teraz już nigdy nie cichły. Tuż obok mnie, w czeluściach piwnicy, zdawały się bardziej emanujące życiem, bardziej frenetyczne niż kiedykolwiek przedtem.

Ich głosy niekiedy urastały do kakofonii pisków, pomruków, śmiechów i jazgotów przenikających dom aż do fundamentów. Jeżyna – z niebieskim sznurkiem, damaszka – z czarnym. Pozostały już tylko te dwie butelki, ale ich głos wybrzmiewał teraz nadzwyczajną siłą. Jakby duch uwolniony z innych „Specjałów" wciąż unosił się nad nimi, napawając je niezwykłym wigorem. Powietrze aż furczało od ich energii, która zdołała nawet przeniknąć do wnętrza gleby. Joe też był teraz cały czas w pobliżu, rzadko znikał, kręcił się wokół nawet w obecności innych ludzi. Jay nieustannie musiał sobie przypominać, że nikt poza nim go nie dostrzega, chociaż reakcje osób, przebywających z Joem w tym samym pomieszczeniu, niedwuznacznie wskazywały, że coś wyczuwają. W przypadku Popotte – był to niewytłumaczalny aromat smażonych owoców. W przypadku Narcisse'a – dźwięk przypominający bierwiona pękające od żaru w kominku. Natomiast Joséphine odnosiła wrażenie, że nadchodzi nawałnica, co sprawiało, że jej ramiona pokrywały się gęsią skórką, więc jeżyła się jak podrażniony kot. Teraz Jay miał mnóstwo gości. I tak na przykład Narcisse, dostarczający wszystko, co potrzebne do ogrodu, wręcz się z nim zaprzyjaźnił. Pewnego dnia wyszedł na zewnątrz i zaczął przyglądać się warzywnikowi z gderliwą aprobatą.

– Nie najgorzej – oznajmił, rozcierając między palcami listek bazylii, by uwolnić drzemiący aromat. – Jak na Anglika całkiem nieźle. Jeszcze może będzie z ciebie gospodarz.

Teraz, gdy nasiona „specjałów" zostały już posiane, Jay skoncentrował się na sadzie. Przede wszystkim potrzebował drabin, by usunąć pleniącą się jemiołę, oraz gęstych siatek, by uchronić zawiązujące się owoce przed ptakami. Na jego terenie rosło około stu drzew owocowych, ostatnimi laty zaniedbanych, ale wciąż rodzących zdrowe owoce: grusze, jabłonie, brzoskwinie i wiśnie.

Narcisse jednak na ich widok wzruszał obojętnie ramionami.

– Nie da się wyżyć z owoców w dzisiejszych czasach – mawiał chłodno. – Każdy je hoduje, więc jest ich zbyt wiele i w końcu trzeba nimi skarmiać świnie. No chyba że, jak ty, gustuje się w przetworach... – w tym momencie kręcił głową na myśl o dziwactwach Jaya. – Zapewne nie ma w tym nic złego.

– No cóż, może zrobię z nich nieco wina – odważył się pewnego dnia wyznać Jay z uśmiechem.

Narcisse robił wrażenie skonfundowanego:

– Wina? Z owoców?

Jay zauważył wówczas, że winogrona to także owoce, jednak Narcisse potrząsnął głową, najwyraźniej nieprzekonany.

– *Bof*, jeśli taka twoja wola. *C'est bien anglais, ça.*

Z pokorą w głosie Jay zgodził się, że to rzeczywiście nad wyraz angielskie dziwactwo. Ale może Narcisse miałby ochotę spróbować podobnego trunku? Mówiąc to, Jay uśmiechnął się złośliwie, natomiast pozostałe „Specjały" otarły się o siebie w niecierpliwym oczekiwaniu. Powietrze aż pulsowało od ich karnawałowej wesołości.

Jeżyna, rocznik 1976. Doskonałe lato dla jeżyn – dojrzałe i ciemnofioletowe pławiły się wówczas w karmazynowym soku. Ich aromat przenikał wszystko wokół. Jay z niekłamaną ciekawością zastanawiał się, jak Narcisse zareaguje na ten bukiet.

Starszy pan pociągnął haust i rozlał wino po języku. Przez moment zdawało mu się, że słyszy rozbrzmiewającą muzykę – bezwstydne tony trąbek i bębnów płynące ponad wodą. „Cyganie" – przemknęło mu przez głowę – ale przecież wciąż jeszcze była zbyt wczesna pora na ich przyjazd, bowiem zazwyczaj zjawiali się dopiero na jesieni, gdy było wiele prac polowych. Ale oprócz echa muzyki dobiegły go również rozmaite wonie – dymu, smażonych ziemniaków i *boudin* przyrządzanej w taki sposób jedynie przez Marthe. A przecież Marthe nie żyła już od dziesięciu lat, od czasu zaś, gdy przywędrowała w te okolice wraz z Cyganami, minęło co najmniej ze trzydzieści wiosen.

– Niezłe – głos Narcisse'a, gdy stawiał pustą szklankę na stole, zabrzmiał dość chropawo. – Ma posmak... – W tym momencie nie bardzo umiał sprecyzować, jaki właściwie, szczęśliwie jednak ów aromat wciąż tańczył gdzieś wokół niego: aromat specyficznej kuchni Marthe, dymu przywierającego do jej włosów, zabarwiającego jej policzki na czerwono. Kiedy wieczorom oczotkowała włosy – wyplątane z ciasnego koka, w który ściągała je każdego rana – wszystkie kuchenne zapachy wydobywały się z wijących kosmyków u nasady jej szyi: chleba oliwkowego, *boudin* i pieczonego ciasta. Podczas gdy pukle przelewały się między jej palcami, z włosów wypływał zapach dymu.

– Ma posmak... dymu.

Dym. To właśnie ten dym musiał sprawić, że oczy zaszły mi łzami, pomyślał mgliście Narcisse.

Albo dym, albo alkohol. Cokolwiek ten Anglik domieszał do swojego wina, sprawiało, że było ono...

– Mocne.

50

Im bardziej zbliżał się lipiec, tym robiło się goręcej, a nawet nadzwyczaj upalnie. Jay nagle poczuł, jakie to szczęście, że ma zaledwie kilka grządek warzyw i owoców, o które musi się zatroszczyć, bo mimo bliskości rzeki, gleba na jego posiadłości stała się tak wysuszona, że aż popękała, a jej naturalny rdzawy kolor, pod wpływem ataku promieni słonecznych, zjaśniał najpierw do barwy bladego różu, by w końcu przejść w niemal idealną biel. Teraz Jay musiał podlewać wszystkie rośliny przez dwie godziny dziennie – w wolne od palącego słońca wieczory i poranki, by wilgoć natychmiast nie wyparowała. Wykorzystywał sprzęt, który znalazł w zapuszczonej szopie Foudouina: wielkie metalowe konwie do przenoszenia wody i ręczną pompę do czerpania jej z rzeki. Pompę zainstalował w pobliżu smoczej głowy, na granicy swoich gruntów i winnicy Marise.

– Dla niej w sam raz ta pogoda – wyznał pewnego dnia Narcisse nad filiżanką kawy w Les Marauds. – Jej ziemia nigdy nie wysycha, nawet w najupalniejsze lato. Onegdaj, gdy byłem jeszcze chłopcem, a stary Foudouin ani myślał o kupnie tej ziemi, zainstalowali tam system odwadniający jak się patrzy – z rurami i drenami. Ale do tej pory już to wszystko zapewne popadło w ruinę. I wątpię, czy ona się za to zabrała. – Mówił to łagodnym głosem, bez cienia złośliwości. – Jeżeli czemuś nie może podołać sama – oznajmił wprost – ma niezrobione. Bo taka już jest!

Narcisse sam dotkliwie odczuwał skutki lipcowych upałów. Jego młode sadzonki były teraz w najbardziej newralgicznym stadium rozwoju. Przyszedł sezon na gladiole, peonie i kamelie; miniaturowe warzywa nadawały się do zbiorów, a na drzewach pojawiły się zawiązki owoców. Tymczasem w wyniku niespodziewanej fali gorąca i suszy wszystkie kwiaty mogły nagle zwiędnąć – każdy z nich potrzebował teraz pełnej konewki wody dziennie; zawiązki owoców mogły uschnąć na gałęziach, a liście spopieleć.

– *Bof* – Narcisse wzruszył ramionami z filozoficznym wyrazem twarzy. – Już od początku roku się na to zanosiło. Ostatecznie od lutego ani razu nie spadł choćby jeden porządny deszcz. Wystarczyło go zaledwie, by zrosić glebę, eh, ale nie by wniknąć w głąb – a dopiero to się liczy naprawdę. Znowu czeka nas marny zarobek – mówiąc to, wskazał na stojący obok niego koszyk pełen jarzyn, prezent na stół Jaya, po czym potrząsnął głową. – Tylko spójrz na nie – powiedział. Pomidory miały wielkość piłek do krykieta. – Wstyd mi sprzedawać coś podobnego. Dlatego muszę je rozdawać. – Z ponurą miną pociągnął łyk kawy. – W zasadzie już teraz mógłbym rzucić ten interes – dorzucił po chwili.

Oczywiście nie mówił tego poważnie. Narcisse, kiedyś tak powściągliwy, w ostatnich tygodniach stał się nadzwyczaj rozmowny. Pod jego surowym obliczem kryło się miękkie serce, a za gderliwością – niezwykłe ludzkie ciepło, sprawiające że wszyscy, którzy zadali sobie trud, by go poznać lepiej, przepadali za nim. Poza tym był jedyną osobą w wiosce, z którą Marise prowadziła jakiekolwiek interesy – być może dlatego, że często zatrudniali tych samych robotników. Raz na trzy miesiące Narcisse dostarczał na jej farmę nawozy, środki owadobójcze i nasiona.

– Zajmuje się jedynie własnymi sprawami – to był jedyny komentarz Narcisse'a na temat Marise. – Jak dla mnie, więcej kobiet powinno brać z niej przykład.

Poprzedniego roku, na odległym końcu swojego drugiego pola, Marise umieściła zraszacz czerpiący wodę z rzeki. Narcisse pomógł jej go złożyć, natomiast zainstalowała go sama, własnoręcznie kopiąc rowy przez pole prowadzące do rzeki i wkopując rury głęboko w ziemię. Hodowała tam kukurydzę, a co trzy lata – słoneczniki. Te uprawy nie są w stanie znieść suszy tak dobrze jak winorośl, dlatego dodatkowo je nawadniała.

Narcisse chciał jej pomóc w instalowaniu tego urządzenia, ona jednak odmówiła.

– Jeżeli coś jest warte zachodu, należy zrobić to samemu – tak miała mu oznajmić.

Zraszacz pracował głównie w nocy – w dzień nie miałoby to najmniejszego sensu, woda bowiem wyparowałaby, będąc jeszcze w powietrzu, zanim zdążyłaby opaść na pole. Wieczorami, przez otwarte okno, Jay słyszał szum tej maszynerii – tępy turkot niosący się echem w nieruchomym powietrzu. W księżycowej poświacie pienista woda wydobywająca się z rur wyglądała zjawiskowo, niemal magicznie. Narcisse powiedział Jayowi, że Marise w zasadzie uprawiała tylko winorośl. Kukurydza i słoneczniki były przeznaczone jedynie na paszę dla inwentarza, natomiast warzywa – do jej własnego użytku. Dla mleka i sera trzymała też kilka kóz, którym pozwalała się poruszać swobodnie po całej posiadłości, niczym domowym maskotkom. Winnica należała raczej do małych – można z niej było uzyskać najwyżej 8000 butelek wina rocznie. Jayowi wydało się to nadzwyczajną ilością, o czym nie omieszkał poinformować Narcisse'a. Ale Narcisse tylko się uśmiechnął pod nosem.

– Nie za wiele – oświadczył rzeczowo. – To, oczywiście, doskonałe wino. Stary Foudouin wiedział, co robi, gdy sadził te winogrona. Czy zauważyłeś, jak jej grunty schodzą ostro ku bagnisku?

Jay potakująco skinął głową.

– Dzięki temu ma tak dobre winogrona. Odmiana chenin. Zbiera je bardzo późno, w październiku, a nawet w listopadzie, wszystko ręcznie – grono po gronie. W tej porze są już niemal całkiem wysuszone. Jednak gdy co rano znad bagien unosi się mgła, zrasza winorośl i wywołuje *pourriture noble*, szczególny rodzaj szlachetnej pleśni nadający gronom słodyczy i aromatu. – Narcisse zamyślił się. – Do tej pory musiała już zgromadzić ze sto beczek wina, które dojrzewa teraz w dębinie w jej piwnicy. Po osiemnastu miesiącach każda butelka takiego napitku warta jest ze sto franków i więcej. Dlatego była w stanie walczyć o twoją ziemię.

– Więc rzeczywiście musi jej zależeć na tym, by tu pozostać – stwierdził Jay. – A mnie się raczej wydawało, że gdyby tylko miała dostateczną ilość pieniędzy, natychmiast by się stąd wyniosła. Słyszałem, że nie najlepiej układają się jej stosunki z mieszkańcami wioski.

Narcisse posłał mu uważne spojrzenie.

– Ona zajmuje się tylko własnymi sprawami – oświadczył ostrym głosem. – I to wszystko.

Po czym rozmowa znów zeszła na uprawę ziemi.

51

Lato było niczym ukryte wrota otwierające się na tajemniczy ogród. Książka Jaya wciąż pozostawała nieukończona, on jednak teraz rzadko poświęcał jej jakąkolwiek myśl. Natomiast jego zainteresowanie osobą Marise wykroczyło daleko poza potrzebę zebrania odpowiedniej ilości materiału do dalszej pracy. Na dodatek pod koniec lipca upały się nasiliły, a ich efekt pogarszał jeszcze silny, gorący wiatr, wysuszający kukurydzę tak, że kolby aż grzechotały na polach. Narcisse jedynie potrząsał posępnie głową i każdemu oznajmiał, że spodziewał się czegoś podobnego już od dawna. Za to Joséphine sprzedawała teraz dwa razy tyle napojów co zazwyczaj. Joe tymczasem studiował wykresy faz księżyca i instruował Jaya, kiedy co należy podlewać, by osiągnąć jak najlepsze efekty.

– Pogoda wkrótce się odwróci, chłopcze – powiedział pewnego dnia. – Sam się przekonasz.

Jay, prawdę mówiąc, nie miał wiele do stracenia: zaledwie kilka grządek warzyw, bo nawet przy tej suszy sad najwyraźniej miał urodzić więcej owoców, niż Jay kiedykolwiek zdołałby przerobić.

Tymczasem w kawiarni Lucien Merle potrząsał głową z ponurym samozadowoleniem.

– Teraz rozumiesz, co miałem na myśli? Nawet rolnicy już zdają sobie z tego sprawę. Nikt nie wyżyje z ziemi w dzisiejszych czasach. Tylko tacy ludzie jak Narcisse wciąż jeszcze to ciągną, bo na niczym innym się po prostu nie znają. Ale młode pokolenie, eh! Ci dobrze wiedzą, że z uprawy roli nie ma już pieniędzy. Każdego roku zbiory przynoszą mniejszy dochód. Trzeba żyć z dotacji rządowych. Wystarczy jeden kiepski rok, a już trzeba brać pożyczki z Crédit Mutuel, by mieć co zasiać następnego roku. A z winoroślą wcale nie jest lepiej. – Roześmiał się sucho. – Zbyt wiele u nas małych winnic. One nie przynoszą dochodu. Z rozdrobnionych gospodarstw nie sposób wyżyć w dzisiejszych czasach. Tego nie rozumieją jedynie ludzie pokroju Narcisse'a. – Zniżył głos i przysunął się bliżej. – Ale wkrótce to wszystko się zmieni – rzucił chytrym głosem.

– Tak? – Jay czuł się już znużony towarzystwem Luciena Merle'a i jego wybujałymi planami wobec Lansquenet. Ostatnio jedynym tematem jego wywodów stały się sposoby upodobnienia Lansquenet do Le Pinot. Razem z Georges'em Clairmontem ustawili na głównej drodze do Tuluzy tablice, mające przyciągnąć rzesze turystów do wioski następującą treścią:

Visitez LANSQUENET-sous-Tannes!
Visitez notre église historique
Notre viaduc romain
Goutez nos spécialités

Większość mieszkańców Lansquenet podeszła do ich pomysłu z pobłażliwością. Jeżeli od tego miałoby przybyć pieniędzy – w porządku. Jednak ogólnie rzecz biorąc, traktowali całą tę sprawę z obojętnością, jako że Georges i Lucien słynęli w okolicy ze snucia nader ambitnych planów, które zawsze i tak spełzały na niczym. Caro Clairmont jeszcze kilkakrotnie usiłowała zaprosić Jaya na obiad, ale jak do tej pory szczęśliwie udawało mu się odsunąć to, co nieuniknione, w bliżej nieokreśloną przyszłość. Poza tym Caro nieustannie miała nadzieję, że Jay wygłosi wykład dla jej grupy literackiej z Agen. Tymczasem jemu na samą myśl o czymś podobnym robiło się niedobrze.

Tego dnia padało po raz pierwszy od tygodni. Z gorącego, białego nieba leciały ulewne strugi deszczu nieprzynoszącego jednak żadnego orzeźwienia. Narcisse gderał, że – jak zwykle – deszcz przyszedł zbyt późno, a do tego zapewne nie potrwa dość długo, by należycie nawilżyć ziemię. Mimo to padało gęsto do późnej nocy – i przez cały ten czas deszczówka płynęła wartko rynnami, spadając na spieczony grunt z żywym pluskiem.

Następnego ranka było mglisto. Już nie lało, za to z nieba sączyła się posępna mżawka. Jay widział po lustrach wody w swoim ogrodzie, jak potężny deszcz spadł poprzedniego dnia, a tymczasem już teraz, mimo bezsłonecznej pogody, stojąca woda zaczynała znikać – wsiąkać w szczeliny ziemi, przenikać do głębokich warstw podłoża.

– Tego właśnie nam było potrzeba – oznajmił Joe, pochylając się nad jakimiś siewkami. – Dobrze jednak, że przykryłeś grządki z tymi nasionami „specjałów", bo inaczej zostałyby całkiem wymyte.

„Specjały" znajdowały się w inspekcie bezpiecznie przytulonym do ściany domu i nie doznały najmniejszego uszczerbku z powodu ulewy. Jay zauważył, że to nadzwyczaj szybko rosnące rośliny – te, które wysiał najpierw, miały teraz ponad trzydzieści centymetrów wysokości, tak że ich sercowate liście napierały już na szkło. Co najmniej pięćdziesiąt siewek było już gotowych do wysadzenia do gruntu – co należało uznać za niezwykły sukces w przypadku tak wymagającego gatunku. Joe przecież nieustannie powtarzał, że potrzebował pięciu lat, by odpowiednio przygotować dla nich glebę.

– Doskonale – mawiał Joe, przyglądając się roślinom z satysfakcją. – Pewnikiem ta gleba całkiem im odpowiada taka, jaka jest.

Tego samego ranka przyszedł też następny list od Nicka, zawierający dwie kolejne oferty wydawców na nieukończoną powieść Jaya. Nick podkreślał wyraźnie, że nie były to ostateczne sumy, chociaż już teraz proponowane honoraria wydały się Jayowi bardziej niż hojne, w zasadzie aż śmiesznie wyśrubowane. Może dlatego, że jego londyńskie życie, Nick, zajęcia na uniwersytecie, a nawet negocjacje dotyczące sprzedaży książki stały się nagle dla niego czystą abstrakcją, nic nieznaczącą wobec choćby najmniejszej szkody wyrządzonej w ogrodzie przez niespodziewaną burzę. Tak więc przez resztę poranka Jay poświęcił się pracy na swoich gruntach, wyrzucając wszystko inne z głowy.

52

Sierpień okazał się katastrofalnie mokry. Padało przynajmniej co drugi dzień, przez resztę czasu niebo pokrywały gęste chmury, drzewami i uprawami zaś targał gwałtowny wiatr. Joe kręcił jedynie głową i twierdził, że czegoś podobnego właśnie się spodziewał. Był jednak w tym odosobniony. Deszcz okazał się bezlitosny – wymywał wierzchnią warstwę gleby i odkrywał wszystkie korzenie. Dlatego nawet podczas ulewy Jay wychodził do sadu i okrywał podstawy pni drzew starymi kawałkami chodników, by uchronić je od gnicia. Była to kolejna sztuczka, którą swego czasu podpatrzył na Pog Hill Lane. Spełniała też swoje zadanie. Mimo to wiadomo było, że bez dostatecznej ilości słońca, owoce i tak opadną niedojrzałe. Joe jedynie wzruszał ramionami. Ostatecznie przyjdą kolejne lata. Jay nie był tego taki pewien. Od czasu powrotu starszego pana, stał się nienaturalnie wyczulony na zachodzące w nim przemiany – dostrzegał najdrobniejsze drgnięcia twarzy, po wielokroć rozważał każde słowo. Nie umknęło jego uwagi, że Joe stawał się coraz mniej rozmowny, a jego kontur niekiedy się rozmywał, i że radio – od maja ustawione na stację nadającą stare przeboje – teraz niekiedy wydawało z siebie tępe trzaski, zanim nastroiło się na odpowiednią częstotliwość, tak jakby sam Joe był szczególnym sygnałem, powoli odpływającym w nicość. Co gorsza, Jay odnosił niekiedy wrażenie, że w pewnym sensie on sam ponosi za to winę, że Lansquenet niejako przytłacza, przyćmiewa Joego. Deszcz i niskie temperatury przesyciły niezwykłą wilgocią unoszący się w jego domu aromat cukru, owoców, drożdży i dymu – aromat zawsze tak charakterystyczny dla Pog Hill. Niekiedy jednak te zapachy też zanikały i w tych strasznych momentach Jay czuł się całkowicie samotny, opuszczony przez Boga i ludzi, pogrążony w nieutulonym żalu, niczym człowiek siedzący przy łóżku konającego przyjaciela, niecierpliwie wyczekujący kolejnego oddechu.

Od czasu incydentu z osami Marise już go nie unikała. Witali się ponad ogrodzeniem czy żywopłotem i chociaż ona rzadko bywała wylewna czy choćby przyjacielska, Jay odnosił wrażenie, że nieco go polubiła. Niekiedy nawet wdawali się w rozmowę. Wrzesień był dla niej bardzo pracowitym miesiącem: winorośl miała już w pełni uformowane owoce, które powoli nabierały odpowiedniego odcienia żółtości, ale padający od miesiąca deszcz sprowadzał wiele problemów. Narcisse twierdził, że powodem tak katastrofalnej pogody tego lata jest globalne ocieplenie. Inni mruczeli coś pod nosem o El Niño, zakładach chemicznych w Tuluzie i trzęsieniu ziemi w Japonii. Mireille Faizande zaciskała wargi i złowrogo napomykała coś o Ostatnich Podobnych Czasach. Joséphine natomiast mówiła bez przerwy o straszliwym lecie 1975 roku, kiedy to Tannes wyschła zupełnie, a do wioski z bagnisk przybiegały zarażone wścieklizną lisy. Co prawda teraz nie padało co dzień, jednak słońce – jeżeli już w ogóle przenikało przez chmury – przypominało zmatowiałą monetę i nie dawało żadnego ciepła.

– Jak tak dalej pójdzie tej jesieni nikt nic nie będzie miał z sadów – ponuro oznajmiał Narcisse. Już teraz morele, brzoskwinie i inne owocc o delikatnej skórce należało spisać na straty. Deszcz wżerał się w ich delikatny miąższ, tak że opadały przegniłe na ziemię, zanim jeszcze zdążyły dojrzeć. Pomidory nie chciały się rumienić – podobnie zresztą jak jabłka i gruszki. Co prawda ich woskowata skórka ochraniała je nieco przed wilgocią, ale nie w dostatecznym stopniu. Najgorzej jednak miała się winorośl.

Joe oznajmił, że winogrona wyjątkowo potrzebują słońca, szczególnie te dojrzewające później, jak odmiana chenin na szlachetne wino, ponieważ one właśnie powinny wyschnąć nieco na słońcu – niczym rodzynki. Ten gatunek dojrzewał dobrze w Lansquenet, dzięki nadzwyczajnemu położeniu wioski nad bagniskiem, dzięki długim gorącym latom i oparom, jakie żar słońca unosił znad rzeki. Tego roku jednak *pourriture noble* nie miała w sobie nic szlachetnego – była najzwyczajniejszą w świecie zgniłą pleśnią. Marise, oczywiście, robiła co mogła. Sprowadziła z miasta specjalną folię, którą rozpięła nad winoroślą za pomocą metalowych haków. To chroniło grona przed najgorszymi ulewami, ale w żaden sposób nie zabezpieczało podmytych korzeni. Poza tym przez plastik nie przenikały tak rzadkie teraz promienie słońca, a do tego pod tym płaszczem owoce ulegały zaparzeniu. Gleba już dawno temu zamieniła się w błotnistą zupę. Marise, podobnie jak Joe, okładała ją kawałkami chodników i kartonami, by uniknąć dalszych zniszczeń. Jednak na próżno.

Ogród Jaya miał się niewiele lepiej. Był co prawda bardziej oddalony od bagniska, położony dużo wyżej od rzeki, a więc mogły się tu tworzyć naturalne kanały odwadniające odprowadzające nadmiar wilgoci. Jednak tego roku Tannes wezbrała tak bardzo, że wylała na grunty Marise i niebezpiecznie zbliżyła się do posiadłości Jaya, podmywając przy tym brzegi tak gwałtownie, że do wody wciąż wpadały potężne kęsy ziemi. Rosa miała stanowczy zakaz zbliżania się do rzeki.

Jęczmień zgnił na polach. Wszelkie uprawy wokół Lansquenet już w zasadzie zostały oddane we władanie deszczu. Na jednym z zagonów Briançona zboże ułożyło się w tajemniczy krąg i co bardziej gadatliwi z klientów Joséphine zaczęli przebąkiwać coś o przybyszach z kosmosu, chociaż Roux utrzymywał z uporem, że najmłodszy syn Briançona, niezła szelma, i jego dziewczyna wiedzą na temat owego nadprzyrodzonego zjawiska dużo więcej, niż skłonni byliby wyznać. Sam Briançon oznajmił, że pszczoły też nie produkują dość miodu tego roku, a i jego jakość nie jest najlepsza z powodu skąpej ilości kwiatów. Powoli stawało się oczywiste, że nadchodzącej zimy trzeba będzie zacisnąć pasa.

– Już i tak ciężko było do tej pory zarobić na zbiorach tyle, by mieć jeszcze na prowadzenie gospodarki w następnym roku – wyjaśniał Narcisse. – A w przypadku nieurodzaju trzeba sadzić na kredyt. I do tego dzierżawa gruntu staje się coraz mniej opłacalna! – Wlał ostrożnie porcję armaniaku do resztki kawy, po czym wychylił wszystko jednym haustem. – Na słonecznikach czy kukurydzy nikt już teraz nie zarobi – oznajmił. – Nawet produkcja kwiatów i sadzonek nie przynosi dzisiaj takiego dochodu jak onegdaj. Potrzeba nam jakiejś nowej uprawy.

– Posadźmy ryż – rzucił Roux.

Tymczasem Clairmont, pomimo nie najlepszych interesów tego lata, był o wiele mniej przygnębiony niż reszta mieszkańców wioski. Jakiś czas temu udał się na kilka dni na północ wraz z Lucienem Merle'em i powrócił pełen entuzjazmu oraz nowych planów rozwoju Lansquenet.

W końcu wyszło na jaw, że razem opracowali jakiś wyjątkowy sposób promocji Lansquenet w regionie Agen, chociaż w kwestii szczegółów obaj pozostawali wyjątkowo tajemniczy. Również Caro zdawała się rozświergotana i zadowolona z siebie. Wpadła do Jaya na farmę dwukrotnie, „po drodze", jak stwierdziła – mimo że jego grunty leżały wiele mil od szlaków jej normalnego urzędowania – i, oczywiście, została na kawę. Przyniosła wiele plotek, zachwyciła się sposobem odnowienia domu, wykazała nadzwyczajną ciekawość postępami prac nad książką, po czym dała Jayowi do zrozumienia, że jej wpływy w lokalnych kołach literackich niechybnie zapewnią jego powieści wielki sukces.

– Powinieneś postarać się o nawiązanie korzystnych kontaktów we Francji – stwierdziła, popisując się tym samym szczególną naiwnością. – Wiesz, Toinette Merle ma mnóstwo znajomości wśród ludzi mediów. Być może mogłaby ci załatwić wywiad w lokalnej prasie?

Jay wyjaśnił cierpliwie, z trudem powstrzymując się od śmiechu, że jednym z głównych powodów jego wyprowadzki do Lansquenet była chęć uniknięcia kontaktów z mediami.

Caro uśmiechnęła się głupawo, po czym napomknęła coś o artystycznym temperamencie.

– Uważam jednak, że powinieneś to rozważyć – nalegała. – Jestem pewna, że obecność słynnego pisarza bardzo pomogłaby w promocji naszej wioski.

Jay prawie jej nie słuchał. Kończył już książkę, na którą podpisał kontrakt z WorldWide – wielkim międzynarodowym domem wydawniczym – i sam wyznaczył sobie termin jej oddania na październik. Poza tym pracował usilnie nad ulepszeniem starych kanałów drenażowych na swoich gruntach, wykorzystując betonowe rury dostarczone przez Georges'a. W jednym miejscu zaczął też przeciekać dach, ale Roux zaoferował się, że pomoże Jayowi to nareperować. W ten sposób był co dzień zbyt zajęty, by poświęcać jakiekolwiek myśli Caro i jej planom.

Pewnie właśnie dlatego tak bardzo zaskoczył go ten artykuł w gazecie. W ogóle nic by o nim nie wiedział, gdyby Popotte nie zauważyła go w lokalnym dzienniku z Agen i nie wycięła, by mógł przeczytać. Popotte okazała wzruszające zadowolenie, jednak Jay poczuł się bardzo nieswojo. Był to pierwszy znak, że ludzie znają miejsce jego pobytu. Jay nie potrafił sobie przypomnieć, co dokładnie napisano w tym artykule – pamiętał, że znalazło się tam wiele nonsensów na temat jego wcześniejszej, błyskotliwej kariery oraz nieco rozwodzenia nad tym, jak umknął z Londynu, by odnaleźć się na nowo w Lansquenet. Większość tekstu opierała się zresztą na pochodzących z niewiadomych źródeł frazesach i mętnych spekulacjach. Znacznie gorsze było to, że artykułowi towarzyszyło zdjęcie zrobione w Café des Marauds czternastego lipca, ukazujące Jaya, Georges'a, Roux, Briançona i Joséphine siedzących przy barze z kuflami małego jasnego w rękach. Jay miał na sobie czarny T-shirt i szorty z madrasu, a Geroges palił gauloise'a. Jay nie pamiętał, kto zrobił owo zdjęcie. Mógł być to każdy. Podpis pod fotografią głosił: „Jay Mackintosh wraz z przyjaciółmi w Café des Marauds, Lansquenet-sous-Tannes".

– Cóż, chłopcze, żadną miarą nie udałoby ci się utrzymać tego w tajemnicy na zawsze – spostrzegł filozoficznie Joe, gdy Jay mu o tym opowiedział. – Wcześniej czy później i tak wszystko musiało wyjść na jaw.

Jay siedział wówczas przy maszynie, z butelką wina z jednej i filiżanką kawy z drugiej strony. Joe miał na sobie T-shirt z napisem: „Elvis żyje, ma się świetnie i mieszka w Sheffield". Nie umknęło uwagi Jaya, że coraz częściej kontur Joego lekko się rozmywał, jak na prześwietlonej fotografii.

– Nie rozumiem czemu – nachmurzył się. – Ostatecznie, jeżeli mam ochotę mieszkać właśnie tutaj, to wyłącznie moja sprawa, nie?

Joe potrząsnął głową.

– Tak. To być może. Ale w ten sposób nie uda ci się ciągnąć w nieskończoność, hę? Musisz uporządkować papiery. Załatwić różne dokumenty. Zająć się praktyczną stroną życia. Tysiączkami i w ogóle. Już wkrótce będziesz zmuszony się do tego zabrać.

To prawda. Cztery miesiące w Lansquenet poważnie nadszarpnęły jego oszczędności. Remont domu, meble, narzędzia, wydatki związane z ogrodem, codziennym życiem, reperacją drenażu plus, oczywiście, zakup samej posiadłości – pochłonęły nadspodziewaną ilość pieniędzy.

– Już wkrótce będę miał przypływ gotówki – odparł Jay. – Lada dzień podpiszę kontrakt na książkę.

Rzucił od niechcenia oferowaną mu sumę, pewien, że Joe zastygnie w trwożnym podziwie. On jednak tylko wzruszył ramionami.

– Tak. No cóż, po mojemu lepszy funciak w garści niż suty czek w drodze – oznajmił kwaśno. – Chciałem jedynie przypilnować, byś wszystko należycie sobie poukładał. Upewnić się, że nie zginiesz w życiu.

„Zanim odejdę". Joe nie musiał mówić tych słów. Zawisły między nimi równie ciężko, jakby zostały wypowiedziane na głos.

53

Deszcz lał nieprzerwanie. O dziwo jednak, cały czas utrzymywała się wysoka temperatura, wiatr zaś był gorący i nie przynoszący orzeźwienia. Nocami często szalały burze – smukłe błyskawice tańczyły nad horyzontem, rozbłyskając złowieszczo czerwonymi ognistymi zygzakami. W Montauban piorun trafił w kościół i doszczętnie go spalił. Od czasu incydentu z osami Jay przezornie trzymał się z dala od rzeki. Tym bardziej że teraz, jak poinformowała go Marise, było to naprawdę niebezpieczne: kawały brzegów, ostro podmyte przez rwący prąd, często osuwały się niespodziewanie w główny nurt. Można było wpaść i utonąć. Ostatecznie wypadki się zdarzają.

W rozmowach z Jayem Marise nigdy nie opowiadała o Tonym, a zagadnięta – umykała z tematu. O Rosie też wspominała jedynie przelotnie. Jay zaczął sądzić, że jego podejrzenia zrodzone owego dnia u Marise nie miały żadnego uzasadnienia. Zapewne majaczył z bólu. Uległ złudzeniu wywołanemu jadem owadów. Bo niby czemu Marise miałaby go oszukiwać? Dlaczego miałaby go oszukiwać Rosa?

Marise była ostatnio bardzo zajęta. Ulewy zniszczyły kukurydzę, wciskając mokrymi paluchami zgniliznę do wnętrza kolb. Słoneczniki, ociekające i ciężkie od wody, chyliły się nisko lub łamały. Ale najgorzej miała się winorośl. Trzynastego września Tannes w końcu wystąpiła z brzegów i zalała winnicę. Górna część pola ucierpiała mniej z powodu spadzistości stoku, jednak dolne rejony przykryła woda na ponad trzydzieści centymetrów. Inni farmerzy także doznali strat, jednak Marise powódź dotknęła najboleśniej, jej grunty bowiem leżały najbliżej bagniska. Dom otaczały stojące jeziorka wody. Dwie kozy utonęły w nurtach wylewającej rzeki. Marise zamknęła pozostałe zwierzęta w stodole, ale zgromadzona tam pasza była mokra i niedobra, a do tego zaczął przeciekać dach i wilgoć wdzierała się już wszędzie.

Ale nikomu nie powiedziała o swoim trudnym położeniu. Taki już miała zwyczaj, to była kwestia dumy. I nawet Jay, choć widział, co się dzieje, nie miał pojęcia o prawdziwych rozmiarach szkód. Dom leżał w kotlinie, poniżej winnicy. Teraz wody rzeki otaczały go niczym wyspę. Kuchnia została zalana. Marise wymiatała wodę szczotką z kamiennych płyt, ale i tak za chwilę fala powracała. W piwnicy woda stała po kolana. Trzeba było przenieść dębowe beczki – jedną po drugiej – w bezpieczne miejsce. Generator elektryczności, umieszczony w jednej z szop, przestał działać – wilgoć wywołała spięcie. A tymczasem deszcz nie przestawał padać. W końcu Marise skontaktowała się z zakładem budowlanym z Agen. Za pięćdziesiąt tysięcy franków zamówiła rury drenażowe i poprosiła, by dostarczono je jak najszybciej. Miała zamiar wykorzystać istniejący, niesprawny system odwadniający do zainstalowania nowego, by odprowadzać wodę spod domu ku bagnisku, skąd już swobodnie spływałaby do rzeki. Dom zamierzała ochronić dodatkowo ziemnym wałem – niczym groblą. Było to jednak trudne zadanie. Majster budowlany, z którym się skontaktowała, nie mógł wysłać do niej żadnych robotników aż do listopada z powodu jakichś pilnych prac w Le Pinot, a ona nie zamierzała ubiegać się o pomoc Clairmonta. Nawet gdyby o nią poprosiła, on pewnie i tak by odmówił. Poza tym nie chciała go widzieć na swojej ziemi. Gdyby się do niego zwróciła, to tak, jakby się przyznała do porażki. Zaczęła więc prace sama – kopała kanały w oczekiwaniu na zamówione rury. Ta żmudna praca przypominała drążenie okopów. Marise powiedziała sobie, że rzeczywiście prowadzi wojnę – z deszczem, z twardą ziemią, z ludźmi. Ta myśl dodawała jej nieco ducha. Miała w sobie coś romantycznego.

Piętnastego września Marise zmuszona była podjąć kolejną decyzję. Do tej pory Rosa spała wraz z Clopette w swoim małym pokoiku na poddaszu. Jednak teraz, gdy zabrakło elektryczności i w zasadzie suchego drewna, nie było już wyboru. Dziecko musiało zostać wyekspediowane z domu.

Ostatnim razem gdy wylała Tannes, Rosę zaatakowała infekcja, która wywołała obustronną głuchotę. Dziewczynka miała wówczas trzy lata, a Marise nie miała jej dokąd wysłać. Spały razem w pokoiku na poddaszu przez całą zimę, gdy o szyby walił deszcz, a z kominka unosił się głównie czarny dym. W obu uszach Rosy powstały ropnie, płakała więc całymi nocami. Nic, nawet penicylina, nie przynosiło jej ulgi. Nigdy więcej czegoś podobnego, powiedziała sobie teraz Marise. Tym razem dziecko musi zniknąć z domu do czasu, aż przestanie padać, aż zostanie naprawiony generator i zainstalowany odpowiedni drenaż. Przecież nie mogło lać w nieskończoność. Już powinno zacząć się przejaśniać. I nawet jeszcze teraz, gdyby udało jej się przeprowadzić wszystkie niezbędne prace, można by uratować coś z tegorocznych zbiorów.

W sprawie Rosy nie miała jednak wyjścia. Musiała wyprawić ją stąd na kilka dni. Ale w żadnym razie nie do Mireille. Na myśl o tej kobiecie wokół serca Marise zaciskała się ciasna obręcz. Do kogo więc? Na pewno do nikogo z wioski. Do żadnej z tych osób nie miała zaufania. To Mireille roznosiła sensacje, prawda, jednak wszyscy chętnie nadstawiali ucha. No może nie wszyscy. Nie tacy ludzie jak Roux czy inni nowo przybyli. I nie Narcisse. Im obu ufała do pewnego stopnia. Ale u żadnego z nich nie mogła przecież zostawić Rosy. Zaraz zwiedziałaby się o wszystkim cała wioska. W Lansquenet nic się długo nie uchowa w sekrecie.

Przez moment rozważała pensjonat w Agen. Ale to też mogło się okazać niebezpieczne. Dziewczynka była zbyt mała, by zostawić ją samą. Ludzie zaczęliby zadawać pytania. Do tego na myśl o tym, że Rosa znalazłby się tak daleko od niej, czuła kłucie w piersi. Co oznaczało, że dziecko musi zamieszkać gdzieś w pobliżu.

A więc pozostał jej tylko ten Anglik. Jego dom nadawał się idealnie: położony dość daleko od wioski, by zapewnić im prywatność, a jednocześnie dość blisko, by mogła co dzień widywać Rosę. Anglik mógłby umieścić dziecko w jednej ze starych sypialni. Marise przypomniała sobie, że od południa był tam błękitny pokój, który kiedyś musiał należeć do Tony'ego – z łóżkiem w kształcie łódki i szklaną kulą zamiast lampy. Tylko na kilka dni. Tydzień, góra dwa. Zapłaci mu. Teraz już nie miała innego wyjścia.

54

Zjawiła się nieoczekiwanie pewnego wieczoru. Jay nie widział się z nią od kilku dni. Prawdę mówiąc, w tym czasie praktycznie nie ruszał się z domu – chodził jedynie do wioski po chleb.

Kawiarnia w deszczu wyglądała ponuro ze zdjętymi z tarasu krzesłami i stolikami oraz wyblakłymi, zmokniętymi parasolami. Poza tym w okolicach Les Marauds woda w Tannes zaczęła cuchnąć i rozgrzane fale odoru toczyły się stąd leniwie ku wiosce. Nawet Cyganie zdecydowali się przenieść w inne miejsce: zacumowali swoje łodzie-domy na spokojniejszych, wonniejszych wodach. Arnauld nieustannie wspominał coś o wezwaniu zaklinacza deszczu, by wreszcie rozwiązać gnębiący wioskę problem – w tej części Francji wciąż jeszcze można było spotkać podobnych ludzi – a jego propozycja spotkała się z o wiele mniejszą pogardą, niż miałoby to miejsce jeszcze kilka tygodni temu. Narcisse natomiast wpadł w nawyk pojękiwania, potrząsania głową i powtarzania, że jeszcze nigdy czegoś podobnego nie widział. Zdawało się, że nikt z żyjących nie mógł sobie przypomnieć równie deszczowego lata.

Dochodziła dziesiąta wieczorem. Marise miała na sobie żółty sztormiak. Tuż za nią stała Rosa w błękitnej pelerynie i czerwonych kaloszach. Na twarzach srebrzył im się deszcz. Ponad nimi niebo przybrało zgniłopomarańczowy odcień, rozświetlany niekiedy matowym światłem odległej błyskawicy. Drzewami targał porywisty wiatr.

– Boże, co się stało? – Ten widok tak bardzo zdumiał Jaya, że w pierwszym odruchu nawet nie zaprosił ich do środka.

Marise potrząsnęła przecząco głową.

– Wejdźcie proszę. Musicie być skostniałe z zimna. – Jay odruchowo rzucił wzrokiem przez ramię. Pokój wyglądał na tyle przyzwoicie, by się nie musiał wstydzić – jedynie na stole stało kilka brudnych filiżanek po kawie. W tym samym momencie przyłapał Marise, jak z ciekawością przyglądała się jego kącikowi do spania. Mimo że dach został naprawiony, Jay nigdy nie zdecydował się przenieść z łóżkiem na górę.

– Zaraz zrobię wam coś do picia – oznajmił. – Proszę, zdejmijcie kurtki.

Powiesił ich mokre okrycia w kuchni, by ociekły, po czym wstawił wodę na gaz.

– Kawa? Czekolada? Wino?

– Może trochę czekolady dla Rosy, jeśli można – odparła Marise. – U nas nie ma elektryczności. Wysiadł generator.

– Jezu Chryste!

– Nie ma o czym mówić – oznajmiła spokojnie i rzeczowo. – Dam radę to naprawić. Miałyśmy już podobne problemy. Bagnisko często zostaje zalane. – Rzuciła mu uważne spojrzenie. – Ale muszę cię prosić o przysługę – wykrztusiła niechętnym tonem.

Jay pomyślał, że to dość dziwny sposób ujęcia problemu. „*Muszę* cię prosić".

– Oczywiście – powiedział. – Co tylko zechcesz.

Marise sztywno zasiadła za stołem. Tego dnia miała na sobie dżinsy i zielony sweter bardzo wyraźnie podkreślający zieleń jej oczu. Nieśmiało dotknęła klawiszy maszyny do pisania. Jay zauważył wówczas, że ma bardzo krótko przycięte paznokcie, a mimo to jest pod nimi ziemia.

– Naturalnie, nie musisz się na nic zgadzać – rzuciła.

– Naturalnie.

– Czy właśnie tej maszyny używasz do pisania? – Ponownie dotknęła klawiszy. – To znaczy do pisania książek?

Jay kiwnął głową.

– Zawsze miałem w sobie jakiś staroświecki rys – przyznał. – Nie znoszę komputerów.

Uśmiechnęła się. Zauważył, że wygląda na zmęczoną – miała zaczerwienione i podkrążone oczy. Po raz pierwszy, z zaskoczeniem, dostrzegł, jak bardzo jest krucha.

– Chodzi o Rosę – wyrzuciła z siebie w końcu. – Boję się, że złapie jakąś infekcję – zachoruje – jeżeli zostanie w naszym domu. Pomyślałam więc, że może byłbyś tak miły i znalazł dla niej u siebie kąt na kilka dni. Tylko na kilka dni – powtórzyła. – Póki nie doprowadzę najważniejszych spraw do porządku. Oczywiście, zapłacę ci. –

Z kieszeni dżinsów wyciągnęła pokaźny zwitek banknotów i przesunęła ku niemu po stole. – Jest grzecznym dzieckiem. Nie będzie przeszkadzać ci w pracy.

– Nie chcę żadnych pieniędzy – oznajmił Jay.

– Ale ja...

– Z największą przyjemnością będę u siebie gościć Rosę. Ciebie zresztą też, jeśli tylko zechcesz. W tym domu znajdzie się dość miejsca dla was obu.

Spojrzała na niego zupełnie oszołomiona, jakby nigdy nie spodziewała się, że tak szybko przystanie na jej prośbę.

– Wyobrażam sobie, jak wiele masz problemów z powodu tej powodzi – powiedział. – Więc możesz korzystać z mojego domu tak długo, jak ci się podoba. Jeżeli chcesz przenieść tu jakieś swoje rzeczy...

– Nie – rzuciła pospiesznie. – Mam u siebie zbyt wiele do zrobienia. Ale gdy chodzi o Rosę... – Ciężko przełknęła ślinę. – Byłabym ci bardzo wdzięczna. Naprawdę.

Tymczasem Rosa kręciła się po pokoju. Jay spostrzegł, że z uwagą przygląda się ułożonym w stos arkuszom zadrukowanego papieru, które leżały w pudełku u stóp łóżka.

– To po angielsku? – spytała z ciekawością. – Czy to twoja angielska książka?

Jay skinął głową po czym powiedział:

– Wiesz co, idź i zobacz, czy nie znajdziesz w kuchni jakichś ciastek. Za chwilę będzie gotowa czekolada.

Rosa w podskokach zniknęła za drzwiami.

– Czy Clopette może zamieszkać tu ze mną? – krzyknęła już z kuchni.

– Nie widzę żadnych przeszkód – odparł Jay ciepłym głosem.

Rosa wydała okrzyk triumfu. Marise wbiła wzrok we własne dłonie. Miała skupiony, beznamiętny wyraz twarzy. Na zewnątrz wiatr targał okiennicami.

– Może jednak napiłabyś się teraz wina? – zaproponował Jay.

55

Zostało już tylko jedno. Ostatnie ze „Specjałów" Joego. Po nim nie będzie żadnych innych. Już nigdy. Przenigdy. Gdy Jay sięgał po butelkę poczuł nagłą niechęć, by ją otworzyć, ale wino – owinięta czarnym sznurkiem damaszka, rocznik 1976 – już wibrowało pod jego dłońmi, uwalniając specjalne aromaty, radośnie musując. Sam Joe nie zjawił się tego wieczoru w pokoju, co zdarzało się często, gdy przychodzili goście, ale Jay widział go, jak stał w cieniu za kuchennymi drzwiami. Światło z lampy stojącej na stole odbijało się od jego łysiny. Miał na sobie koszulkę z logo Greatful Dead, a w ręku trzymał górniczy kask. Jego twarz była rozmytą plamą, jednak Jay nie miał wątpliwości, że Joe się uśmiecha.

– Nie jestem pewien, czy ci będzie smakować – powiedział Jay, nalewając wino do kieliszków. – To szczególny rodzaj domowej produkcji.

Purpurowy trunek był gęsty, niemal sklejający usta. Jayowi przypomniał lody sorbetowe i lukrecję, które tak lubiła Gilly. Marise przywiódł na myśl dżem zamknięty w słoiku zbyt długo –

tak że aż skrystalizował. Po przełknięciu, na języku pozostawał lekko drażniący smak taniny. Poczuła, jak po całym ciele rozlewa jej się ciepło.

– Jest dziwne – powiedziała. Miała wrażenie, że odrobinę zdrętwiały jej usta. – Ale mi smakuje.

Pociągnęła kolejny łyk i znowu doznała uczucia ciepła rozchodzącego się od gardła po całym ciele. W pokoju uniósł się zapach powietrza przesyconego słońcem – jakby w butelce znajdował się destylat z jego promieni. Jay z kolei nagle uświadomił sobie, jak to dobrze, że właśnie z Marise wypija ostatnią butelkę wina Joego. Dziwne, ale na dodatek miał wrażenie, że smak tego wina, choć szczególny, był całkiem przyjemny. Może więc, jak przewidział Joe, zdołał w końcu przywyknąć do tego trunku.

– Znalazłam ciastka – oznajmiła Rosa, stając w drzwiach z herbatnikiem w dłoni. – Czy mogę teraz iść na górę i obejrzeć swój pokój?

Jay skinął głową.

– Tak, oczywiście. Zawołam cię, gdy czekolada będzie gotowa.

Marise rzuciła mu uważne spojrzenie. Wiedziała, że powinna się mieć na baczności, a tymczasem niespodziewanie ogarnął ją jakiś wewnętrzny spokój, usuwający wszelkie napięcie. Znów poczuła się niczym młodziutka dziewczyna, jak gdyby aromat tego dziwnego wina uwolnił wspomnienia z dzieciństwa. Nagle Marise przypomniała sobie swoją wyjściową sukienkę dokładnie w kolorze tego trunku – welwetową sukienkę uszytą ze starej spódnicy Mémée, a także pewną melodię wygrywaną na pianinie i noc z bezkresnym niebem usianym gwiazdami. Nagle spostrzegła, że oczy Jaya mają identyczny kolor, jak wówczas niebo. Niespodziewanie poczuła się tak, jakby znała go od bardzo wielu lat.

– Marise – zagaił cicho Jay – przecież wiesz, że możesz mi powiedzieć wszystko.

W tym momencie Marise odniosła wrażenie, że od siedmiu lat ciągnie za sobą jakiś niewyobrażalny ciężar. A przecież życie było takie proste. „Możesz mi powiedzieć wszystko". Wino Joego, samo pełne tajemnic, prowokowało do ujawniania sekretów – rozwijania historii własnego życia na podobieństwo wąsów winorośli szybko rosnącej w łagodnym powietrzu – zaludniania teraźniejszości cieniami z czasów minionych.

– Rosa nie ma żadnych problemów ze słuchem, prawda?

W zasadzie to wcale nie było pytanie. Marise pokręciła głową, a w końcu zaczęła wyrzucać z siebie słowa – gwałtownie niczym kule z karabinu.

– Mieliśmy wtedy straszną zimę. W obu uszach Rosy rozwinęła się infekcja. Pojawiły się komplikacje. Przez sześć miesięcy była całkowicie głucha. Zabierałam ją do wielu specjalistów. W końcu zdecydowali się na operację – niezwykle kosztowną. Powiedzieli mi jednak, bym nie spodziewała się zbyt wiele.

Znowu upiła wina Joego. Napój aż drapał w gardle od cukru. Na dnie kieliszka majaczył syropowaty osad o woni i konsystencji śliwkowej galaretki.

– Za duże pieniądze wysłałam ją na specjalne lekcje. Nauczyłam się języka migowego, a potem ćwiczyłam z Rosą w domu. Jakiś czas później odbyła się kolejna operacja – jeszcze kosztowniejsza. Ale w ciągu dwóch lat Rosa odzyskała dziewięćdziesiąt procent słuchu.

Jay pokiwał głową.

– W takim razie po co ta cała komedia? Czemu po prostu...?

– Mireille. – Dziwne, po alkoholu powinna stać się bardziej wymowna, a tymczasem wypowiadała się coraz lapidarniej. – Już kiedyś próbowała mi ją odebrać. Bo to wszystko, co pozostało jej po Tonym, jak określiła. Wiedziałam, że jeżeli jej się to uda, już nigdy nie odzyskam swojego dziecka. Chciałam ją za wszelką cenę powstrzymać. To jedyny sposób, jaki przyszedł mi do głowy. Jeżeli ona nie mogłaby się porozumiewać z Rosą, jeżeli miałaby przekonanie, że dziecko w jakimś sensie jest upośledzone... – Marise z trudem przełknęła ślinę. – Mireille nie jest w stanie znieść niedoskonałości. Nic, co nie jest idealne, jej nie interesuje. To właśnie dlatego, kiedy Tony... – Urwała gwałtownie.

Marise przypomniała sobie, że nie powinna ufać temu Anglikowi. To wino wyciągało z niej więcej, niż kiedykolwiek miała zamiar dać. Wino gada, a gadatliwość bywa niebezpieczna. Ostatni mężczyzna, któremu zaufała – już nie żył. Wszystko, czego dotknęła – winorośl, Tony, Patrice – umierało. W takiej sytuacji nie trudno uwierzyć, że niesie w sobie destrukcję i przekazuje ją każdemu, z kim wejdzie w kontakt. To wino było jednak wyjątkowo mocne. Kołysało ją nieznacznie w sieci utkanej z aromatów i wspomnień. Podstępnie wyciągało na wierzch tajemnice.

Zaufaj mi. Głos dochodzący z wnętrza butelki śpiewnie ją uwodził. *Zaufaj mi.*

Marise wlała sobie następną szklankę i desperacko wychyliła do dna.

– Dobrze, opowiem ci wszystko – powiedziała po chwili.

56

– Spotkaliśmy się, gdy miałam dwadzieścia jeden lat – zaczęła. – Był dużo starszy ode mnie. Przychodził na dzienną terapię na oddział psychiatryczny szpitala w Nantes, gdzie odbywałam staż pielęgniarski. Miał na imię Patrice.

Był równie wysoki i o równie ciemnym kolorycie, jak Jay. Biegle władał trzema językami. Powiedział jej, że jest wykładowcą na uniwersytecie w Rennes. Był rozwodnikiem. Miał szczególne poczucie humoru i obnosił swoją depresję z niezwykłą klasą. Na jego prawym nadgarstku widniała drabinka szwów – pozostałość po nieudanej próbie samobójczej. Swego czasu Patrice pił i brał narkotyki. Marise uważała jednak, że już został wyleczony.

Nie patrzyła na Jaya, gdy mu to opowiadała, ale wbijała wzrok we własne dłonie wędrujące nieustannie w górę i w dół nóżki kieliszka, jakby grała na niezwykłym szklanym flecie.

– Gdy ma się dwadzieścia jeden lat, tak bardzo chce się znaleźć miłość, że można ją dostrzec w twarzy niemal każdego – oznajmiła cicho. – A Patrice robił wrażenie człowieka niezwykłego. Kilka razy umówiliśmy się na mieście. W końcu spędziliśmy razem noc. To wystarczyło.

Po tym ów mężczyzna zmienił się nie do poznania. Jakby nagle razem zostali uwięzieni w stalowej klatce. Stał się zaborczy, i to wcale nie w uroczy, świadczący o pewnej niepewności sposób, który ją tak do niego przyciągnął – ale z zimną podejrzliwością, która zaczęła ją przerażać. Nieustannie wdawał się z nią w sprzeczki. Śledził ją, gdy szła do pracy, po czym robił jej sceny na oddziale. Swoje wybuchy furii próbował zrekompensować nad wyraz hojnymi prezentami, co przerażało ją jeszcze bardziej. W końcu pewnego dnia włamał się do jej mieszkania i usiłował zgwałcić, przystawiając nóż do gardła.

– Wówczas miara się przebrała – oznajmiła Marise. – Nie byłam w stanie znosić tego dłużej. Przez jakiś czas symulowałam uległość, po czym wytłumaczyłam mu, że muszę wyjść do toalety. Tego wieczoru Patrice miał mnóstwo pomysłów. Chciał, żebyśmy wyjechali razem na wieś, gdzie miałam być bezpieczna. Tak właśnie to ujął: „bezpieczna" – gdy to mówiła, wstrząsnął nią nagły dreszcz.

Ostatecznie zamknęła się w łazience, wyszła przez okno na dach, a potem schodami przeciwpożarowymi uciekła na ulicę. Jednak zanim przybyła policja, Patrice zniknął. Marise pozmieniała zamki w drzwiach i zainstalowała przeciwwłamaniowe zabezpieczenia na oknach.

– Ale na tym się nie skończyło. Zaczął parkować samochód pod moim domem i nieustannie mnie śledzić. Zamawiać dostawy różnych rzeczy pod mój adres. Pojawiły się prezenty. Groźby. Kwiaty.

Nie ustępował. W miarę upływu czasu szykany przybrały na sile. Do szpitala dostarczono jej wieniec pogrzebowy. Gdy była na dyżurze, Patrice sforsował zamki i przemalował całe mieszkanie na czarno. Na urodziny dostała pocztą paczkę z ekskrementami, owiniętą w wystawny srebrny papier. Na drzwiach regularnie pojawiały się graffiti. Na jej nazwisko zaczęło nadchodzić mnóstwo zamówień ze szczególnych katalogów wysyłkowych: stroje sado-maso, narzędzia ogrodnicze, protezy ortopedyczne, literatura pornograficzna. Powoli Marise zaczął owładniać strach. Policja była bezsilna. Póki Patrice nie wyrządził jej fizycznej krzywdy, nie mogli go o nic oskarżyć. Udali się co prawda pod adres, który podał w szpitalu, okazało się jednak, że to skład drewna pod Nantes, gdzie nikt nigdy o nim nie słyszał.

– W końcu się wyprowadziłam – przyznała Marise. – Opuściłam to mieszkanie i kupiłam bilet do Paryża. Zmieniłam nazwisko. Wynajęłam małe lokum przy Rue de la Jonquière i zaczęłam pracę w klinice przy Marne-la-Vallée. Wydawało mi się, że wreszcie jestem bezpieczna.

Odnalezienie jej zajęło mu osiem miesięcy.

– Wykorzystał moje karty medyczne – wyjaśniła Marise. – Musiał przekonać kogoś ze szpitala, by mu je pokazał lub pozwolił skopiować. Jak chciał, potrafił być nadzwyczaj przekonujący. Bardzo wiarygodny w swoich wyjaśnieniach.

Marise znów się wyprowadziła, ponownie zmieniła nazwisko i tym razem przefarbowała włosy. Zanim ponownie znalazła posadę pielęgniarki, przez pół roku pracowała w barze przy Avenue de Clichy jako kelnerka. Próbowała wymazać swoje dane ze wszelkich oficjalnych dokumentów. Pozwoliła, by wygasło jej ubezpieczenie zdrowotne i nie starała się o przeniesienie dokumentów w nowe miejsce zamieszkania. Zrezygnowała z karty kredytowej i wszystkie rachunki opłacała gotówką. Tym razem Patrice potrzebował niemal rok, by ją znaleźć.

Przez ten czas bardzo się zmienił. Ogolił głowę i zaczął się ubierać w militarnym stylu. Oblężenie, jakie przypuścił na jej mieszkanie, nosiło wszelkie znamiona dokładnie zaplanowanej operacji wojskowej. Teraz już skończyły się wszelkie psikusy w rodzaju zamawiania niechcianej pizzy czy podrzucania błagalnych notek. Nawet groźby ustały. Marise widziała go jedynie dwa razy w samochodzie pod jej domem, ale gdy minęły dwa tygodnie, a ona nie dojrzała żadnego śladu jego obecności, uznała, że pewnie coś jej się przywidziało. Kilka dni później obudził ją odór gazu. Patrice zdołał jakoś obejść główny zawór, tak że Marise nie była w stanie zamknąć dopływu śmiercionośnej substancji. Gdy chciała uciec, okazało się, że ktoś zablokował drzwi od zewnątrz. Okna zostały zabite gwoździami, mimo że mieszkała na trzecim piętrze. Telefon nie działał. W końcu stłukła szybę i zaczęła rozdzierająco wzywać pomocy. Po tym wszystkim jednak uznała, że znalazła się już zbyt blisko końca. Uciekła do Marsylii. Zaczęła całkiem nowe życie. I tam właśnie poznała Tony'ego.

– Miał dziewiętnaście lat – wspominała. – Wówczas pracowałam na oddziale psychiatrycznym szpitala w Marsylii. On był tam pacjentem. Podobno z powodu załamania nerwowego wywołanego śmiercią ojca. – W tym momencie uśmiechnęła się gorzko. – Oczywiście, powinnam być wówczas mądrzejsza i nie zadawać się więcej z żadnym pacjentem. Ale oboje czuliśmy się tacy bezradni. Tony był młody. Jego względy mi pochlebiały, to wszystko. Poza tym świetnie robiło mu moje towarzystwo. Umiałam go rozbawić. To też mi pochlebiało.

Zanim zdała sobie sprawę ze swoich uczuć do niego, było już za późno. Tony zakochał się po uszy.

– Wmawiałam sobie, że ja też mogłabym go pokochać – wyznała. – Był zabawny, miły i dawał sobą kierować. Po przeżyciach z Patrice wydawało mi się, że czegoś takiego właśnie chcę najbardziej. Poza tym wciąż opowiadał mi o farmie, o tym miejscu. W jego opowiadaniach jawiło się jak bezpieczna, piękna przystań. Wówczas każdego dnia, gdy się budziłam, zastanawiałam się, czy przypadkiem właśnie nie nadszedł ten dzień, kiedy Patrice znów mnie odnajdzie. W Marsylii wcale nie byłoby trudno mnie znaleźć – wystarczyło jedynie sprawdzić odpowiednie kliniki i szpitale. Tony nagle oferował mi ucieczkę od tego wszystkiego. I mnie potrzebował. To wiele dla mnie znaczyło.

W końcu dała się przekonać. Z początku Lansquenet zdawało jej się wszystkim, co mogłaby sobie w życiu wymarzyć. Nie minęło jednak wiele czasu, jak doszło do starć pomiędzy Marise a matką Tony'ego, która nie przyjmowała do wiadomości faktu choroby syna.

– W ogóle nie chciała mnie słuchać – tłumaczyła Marise. – Tony wciąż cierpiał na poważne wahania nastroju. Powinien być na lekach. Kiedy ich nie brał, jego stan się pogarszał – zamykał się na wiele dni w domu, nie mył – tylko jadł, pił piwo i wpatrywał w telewizor. Och, dla wszystkich z zewnątrz miał wyglądać normalnie. Na tym między innymi polegał problem. Wciąż musiałam przywoływać go do porządku. Odgrywałam rolę sekutnicy. Nie miałam innego wyjścia.

Jay wlał resztkę wina do kieliszka Marise. Nawet osad z dna wydzielał silną woń i przez moment Jayowi zdawało się, że ta resztka rozsiewa aromaty wszystkich poprzednich „Specjałów" Joego: maliny, róży, dzikiego bzu i jeżyny, damaszki i „tubery". Z nagłym ukłuciem smutku dotarło do niego, że już więcej ich nie posmakuje. Koniec magii. Marise zamilkła. Rudokasztanowe włosy zasłaniały jej twarz. Jay odniósł niespodziewanie wrażenie, że zna tę kobietę od bardzo wielu lat. Jej obecność przy tym stole była całkiem naturalna, równie oczywista, jak to, że tuż obok miał swoją maszynę do pisania. Położył rękę na jej dłoni. Był pewien, że gdyby ją pocałował, poczułby smak dzikich róż. W tym momencie spojrzała na niego – a oczy miała równie zielone jak jego sad.

– *Maman!*

Głos Rosy przeciął ostro tę szczególną chwilę.

– Na górze znalazłam mały pokój! Ma okrągłe okno i stoi w nim niebieskie łóżko w kształcie łódki! Jest trochę zakurzony, ale mogłabym go sprzątnąć, mogłabym, *maman*? Mogłabym?

Marise zabrała dłoń.

– Oczywiście. Jeżeli monsieur... jeżeli Jay... – wyglądała na rozkojarzoną, jakby gwałtownie wyrwaną ze snu. Nagłym ruchem odsunęła od siebie na wpół opróżniony kieliszek.

– Powinnam już iść – rzuciła szybko. – Zrobiło się późno. Przyniosę rzeczy Rosy. Dziękuję ci za...

– Nie ma o czym mówić – Jay chciał położyć

rękę na jej ramieniu, ale się wywinęła. – Naprawdę możecie tu zamieszkać obie. Mam mnóstwo...

– Nie. – Nagle znów była dawną Marise, zwierzenia były skończone. – Muszę pójść po pościel dla Rosy. Powinna już się położyć.

Uścisnęła córkę krótko, ale gorąco.

– Bądź grzeczna – poleciła. – I proszę... – to było do Jaya – ...nie wspominaj o tym w wiosce. Nikomu, dobrze?

Zdjęła żółty sztormiak z haka za kuchennymi drzwiami i wciągnęła na ramiona. Na dworze wciąż padało.

– Obiecaj.

– Obiecuję.

Kiwnęła głową – sucho, uprzejmie, jakby właśnie zawarli korzystną transakcję handlową. I zaraz potem wyszła w deszcz.

Jay zamknął za nią drzwi, po czym zwrócił się w stronę Rosy.

– No i co? Czy czekolada już jest gotowa? – spytała dziewczynka.

Jay uśmiechnął się szeroko.

– Chodźmy sprawdzić, dobrze?

Wlał gęsty napój do szerokiej filiżanki z kwiatkami na obrzeżu. Rosa zwinęła się na łóżku z filiżanką w rączce i przyglądała się z ciekawością, jak Jay sprząta ze stołu kubki, kieliszki i butelkę po winie.

– Kto to był? – zapytała w końcu. – Czy on też jest Anglikiem?

– Kto taki? – wykrzyknął Jay z kuchni, puszczając wodę do zlewu.

– Ten stary pan – odparła Rosa. – Stary pan, którego spotkałam na piętrze.

Jay natychmiast zakręcił wodę i odwrócił się ku Rosie.

– Widziałaś go? Rozmawiałaś z nim?

Dziewczynka kiwnęła głową.

– Z takim starym panem w śmiesznej czapce na głowie – odparła. – Kazał coś ci powiedzieć.

Pociągnęła długi łyk z filiżanki, a gdy się zza niej wychyliła, górną wargę znaczyły jej pieniste, brunatne wąsy.

Jaya przeszył nagły dreszcz, niemal poczuł strach.

– Co mi kazał powiedzieć? – wyszeptał z trudem.

Rosa zmarszczyła brwi.

– Żebyś pamiętał o „specjałach" – odparła w końcu. – I że będziesz wiedział, o co chodzi.

– Czy coś jeszcze? – Jayowi już teraz huczało w głowie, a w ustach czuł palącą suchość.

– Tak – pokiwała energicznie głową. – Prosił, żebym ci powiedziała od niego do widzenia.

57

Pog Hill Lane, luty 1999

Upłynęły dwadzieścia dwa lata, zanim Jay powrócił na Pog Hill. Zwlekał tak długo częściowo z powodu uczucia gniewu, a częściowo – strachu. To było jedyne miejsce, gdzie kiedykolwiek czuł się jak u siebie, jak w prawdziwym domu. Z pewnością nigdy nie czuł się tak w Londynie. Wszystkie mieszkania, które tam wynajmował, wydawały mu się identyczne – różniły się jedynie wielkością i rozkładem. Kilkupokojowe. Kawalerki. Nawet dom Kerry w Kensington. Czuł się w nich przelotnym gościem. Jednak tego roku coś się zmieniło. Być może po raz pierwszy w życiu ogarnęły go większe strachy niż myśl o powrocie na Pog Hill. Minęło niemal piętnaście lat od wydania „Ziemniaczanego Joe". Od tamtej pory – nic, ani jednego dobrego opowiadania. To było już coś więcej niż pisarski blok. Jay miał poczucie, że został uwięziony w kapsule czasu i może jedynie odtwarzać i przetwarzać fantazje z okresu wczesnej młodości. „Ziemniaczany Joe" to pierwsza – i jedyna – dojrzała rzecz, jaką napisał. Jednak zamiast wyzwolić w nim twórcze moce, książka ta zamknęła go w jego dzieciństwie. W 1977 zanegował magię. Tego już było za wiele, powtarzał wówczas sobie. Miał tej magii po dziurki w nosie. Za dużo. Dużo za dużo. Wówczas się uwolnił, stanął na własnych nogach, bo tego chciał. Miał poczucie, że wyrzucając nasiona Joego, wyzwolił się z mocy tego wszystkiego, czym karmił się przez całe trzy lata: talizmany, czerwone wstążki, Gilly, wysypisko, gniazda os, ścieżki wzdłuż torowiska i potyczki z wrogami w Nether Edge. Wszystko to poleciało z wiatrem i wymieszało się ze śmieciami i pyłem pod kolejową kładką. A potem powstał „Ziemniaczany Joe", który wszystko uporządkował. A przynajmniej tak się wówczas Jayowi zdawało. Musiała w nim jednak tkwić jakaś zadra. A być może tylko zwykła ciekawość. Niepokój dźwięczący gdzieś w podświadomości, który nie dawał się niczym uśmierzyć. Nikła pozostałość dawnej wiary.

Istniała przecież możliwość, że wszystko zinterpretował nie tak. Bo w gruncie rzeczy, jakie właściwe znalazł dawno temu dowody przeciw Joemu? Kilka kartonów starych czasopism? Mapy poznaczone różnymi kolorami? A jeżeli wyciągnął zbyt pochopne wnioski? Może Joe jednak mówił prawdę.

I może Joe powrócił na Pog Hill.

Jay prawie nie miał odwagi zastanawiać się nad czymś podobnym. Joe znowu na Pog Hill? Ku własnemu zdziwieniu na tę myśl serce skoczyło mu do gardła. Zaczął sobie nagle wyobrażać, że dom starszego pana wygląda tak jak kiedyś – być może sprawia wrażenie nieco zarośniętego, z powodu idealnego kamuflażu Joego – działka jednak nadal jest porządnie utrzymana, na drzewach wiszą czerwone talizmany, a kuchnię przepełnia aromat dojrzewającego wina... Zanim jednak rzeczywiście odważył się na powrót, minęło jeszcze kilka miesięcy. Kerry popierała go w tych zamierzeniach z żałośnie przesadną gorliwością – biedna, wyimaginowała sobie zapewne, że ta wyprawa stanie się dla Jaya źródłem nowej inspiracji, że zaowocuje kolejną powieścią, która znów wywinduje go na szczyty sławy. Uparła się, żeby jechać z nim; naprzykrzała się tak bardzo, że w końcu Jay wyraził zgodę.

Co za błąd! Jay zrozumiał to już w momencie, gdy przybył do Kirkby Monckton. Z chmur sączył się drobny deszcz koloru sadzy. Nether Edge zostało przekształcone w tereny budowlane, gdzie właśnie powstawały eleganckie domki nad rzeką – bulodożery i traktory kręciły się tam i z powrotem wzdłuż schludnych, identycznych bungalowów. Pola i zagony uprawne zniknęły, a na ich miejscu pojawiły się salony samochodowe, supermarkety i centra handlowe. Nawet niewielki kiosk, do którego Jay tak często biegał po papierosy czy czasopisma dla Joego, został przekształcony w coś całkowicie innego.

Wszystkie kopalnie w Kirkby zostały zamknięte już wiele lat temu. Pogłębiono i uporządkowano kanał, a za przydzielone fundusze milenijne planowano utworzyć centrum turystyczne – tam wczasowicze mogliby między innymi zjechać pod ziemię specjalnie przebudowanym górniczym szybem bądź odbyć przejażdżkę towarową barką po świeżo oczyszczonym kanale.

Kerry – co oczywiście było do przewidzenia – uznała to za uroczy pomysł.

Za to Jaya czekały jeszcze gorsze niespodzianki.

Wbrew wszystkiemu wciąż się spodziewał, że Pog Hill pozostała mniej więcej niezmieniona. Tym bardziej że główna droga wciąż wyglądała niemal tak samo – nadal stały przy niej urocze, choć poczernione od lepkiej sadzy edwardiańskie domki, a pobocza porastały lipy. Most także wyglądał tak samo, jak Jay go zapamiętał – pojawiło się tam tylko nowe przejście dla pieszych u jednego krańca. Początek Pog Hill Lane wciąż znaczyły wysokie topole, i na ten widok Jay poczuł, jak serce rozsadza mu pierś. Zatrzymał samochód przy ciągłej linii i powędrował wzrokiem w górę wzniesienia.

– To tu? – spytała Kerry, sprawdzając jednocześnie swój wygląd w lusterku umieszczonym w przesłonie przeciwsłonecznej. – Nie widzę żadnej tabliczki z nazwą ulicy ani nic w tym rodzaju.

Jay bez słowa wysiadł z samochodu. Kerry podążyła za nim.

– A więc to właśnie tutaj wszystko się zaczęło. – W jej głosie pobrzmiewało rozczarowanie. – Dziwne. Wydawało mi się, że to miejsce będzie miało w sobie więcej atmosfery.

Zignorował ją i ruszył w górę.

Nazwa ulicy została zmieniona. Teraz na żadnej mapie nie można by już znaleźć Pog Hill, Nether Edge czy jakichkolwiek miejsc, wokół których koncentrowało się jego życie w owe ważkie letnie miesiące sprzed wielu lat. Obecnie całą okolicę nazwano Meadowbank View. Stare domy wyburzono, a w ich miejsce postawiono ceglane dwupiętrowce z małymi balkonami, udekorowanymi pelargoniami w niewielkich, plastikowych skrzynkach. Tablica na najbliższym domu głosiła: „Luksusowe Apartamenty Spokojnej Starości »Meadowbank«". Jay podszedł do miejsca, gdzie kiedyś stał dom Joego. Nic z niego nie pozostało. Zobaczył jedynie wyasfaltowany parking – przeznaczony dla mieszkańców. Na tyłach domów, gdzie swego czasu rozciągał się ogród Joego, był teraz tylko trawnik bez wyrazu, z jednym, jedynym drzewkiem pośrodku. Po sadzie, herbarium, krzewach czarnej porzeczki, malin, agrestu, po winorośli, śliwach, gruszach, po grządkach marchwi, pasternaku czy „tuber" nie było śladu.

– Nie ma już nic.

Kerry wzięła go za rękę.

– Moje kochane biedactwo – wyszeptała mu do ucha. – Mam nadzieję, że nie przygnębiło cię to aż tak strasznie? – W jej głosie pobrzmiewała jednak nuta zadowolenia, jakby podobna perspektywa sprawiała jej wyraźną przyjemność. Jay potrząsnął głową.

– Poczekaj na mnie w samochodzie, OK?

Kerry zmarszczyła brew.

– Ależ Jay...

– Dwie minutki, dobrze?

Uciekł od niej w ostatniej chwili: miał wrażenie, że gdyby dusił wszystko w sobie jeszcze kilka sekund dłużej – mógłby eksplodować. Pobiegł na tyły niegdysiejszego ogrodu Joego i wyjrzał poza mur, na dawną trakcję kolejową. Była zasypana śmieciami. Wszędzie walały się plastikowe worki z domowymi odpadkami. Zobaczył też stare lodówki, zużyte opony samochodowe, skrzynki, palety, całe masy puszek, sterty czasopism powiązane w sztaple konopnym sznurkiem. Na ten widok w gardle Jaya niespodziewanie zabulgotał śmiech. Joe byłby zachwycony. Ucieleśnienie marzeń. Odpady rozrzucone po stromym zboczu, jakby niedbale porzucone przez przypadkowych przechodniów. Wózek dziecięcy. Wózek na zakupy. Rama anachronicznego roweru. Pog Hill została zmieniona w wielkie wysypisko. Z wysiłkiem Jay podciągnął się na rękach, tak by przejść przez mur na drugą stronę. Stara, ledwo widoczna trakcja kolejowa wydawała się daleko w dole – na dnie urwiska usłanego krzewami i masą śmieci. Po drugiej stronie mur okazał się upstrzony kolorami przez artystów graffiti. Mnóstwo odłamków potłuczonego szkła odbijało promienie słońca. Ale oparta o wystający pniak stała jedna cała, nierozbita butelka – światło ledwo odbłyskiwało od jej zakurzonej podstawy. Czerwony sznurek, zszargany ze starości, oplatał jej szyjkę. Jay od razy wiedział, że ta butelka musiała należeć do Joego.

Jak przetrwała wyburzanie domu, Jay nie potrafił sobie wyobrazić, a jeszcze bardziej dziwił się, jak wytrwała w nienaruszonym stanie aż do tego czasu. Niewątpliwie jednak była to jedna z butelek wina Joego. Dowodził tego barwny sznurek wokół szyjki, a także nalepka, wciąż czytelna, wypisana pracowicie przez starszego pana: „Specjał". Im dalej Jay posuwał się w dół nasypu, tym więcej dostrzegał przedmiotów należących swego czasu do Joego. Zniszczony zegar. Szpadel. Wiadra i donice, w których niegdyś krzewiły się rośliny. Wyglądało to tak, jakby ktoś stał na szczycie wzgórza i zrzucał całą zawartość domu Joego w dół. Jay wędrował wśród tych ponurych szczątków, starając się unikać potłuczonego szkła. Natknął się na bardzo stare egzemplarze „National Geographic" i potrzaskane kuchenne krzesło. W końcu, trochę niżej, zobaczył kredens na nasiona, z połamanymi nogami i drzwiczkami smętnie zwisającymi na obluzowanych zawiasach. W tym momencie ogarnęła go nagła, ślepa furia. Było to uczucie złożone: skierowane tyle samo przeciw sobie samemu i własnym nierealnym oczekiwaniom, co ku Joemu – który w końcu dopuścił, by coś podobnego mogło się wydarzyć – a także człowiekowi, który stał na szczycie wzgórza i zrzucał w dół dobra Joego, jak bezwartościowe śmiecie. Co gorsza, gnębiły go do tego paraliżujący strach i okrutna świadomość, że powinien był pojawić się tu dużo wcześniej, bo zapewne wówczas znalazłby coś przeznaczonego specjalnie dla niego. Tymczasem, jak zwykle, zjawił się za późno.

Penetrował wysypisko, aż do czasu gdy po godzinie pojawiła się szukająca go Kerry. Jay cuchnął od brudu i był ubłocony po kolana. Ale w kartonowym pudełku taszczył pod pachą sześć butelek wina znalezionych w różnych miejscach stoku, jakimś cudem ocalałych z katastrofy.

„Specjały".

58

Lansquenet, lato 1999

A więc stało się. Jay natychmiast zrozumiał, że Joe odszedł naprawdę. W tym pożegnaniu przekazanym ustami dziecka było coś definitywnego, czego nie należało ignorować. Jakby z ostatnią kroplą swojego wina, starszy pan przeniósł się w nicość. Przez kilka kolejnych dni Jay usilnie wypierał tę świadomość, wmawiał sobie, że Joe na pewno wróci, że nie opuścił go na zawsze, że nie zostawiłby go po raz drugi. Jednak tak naprawdę w sercu czuł coś innego. W domu już nie unosił się zapach dymu. Z radia przestały płynąć stare przeboje – na tej samej częstotliwości pojawiła się jakaś lokalna stacja nadająca krzykliwe hity. Nie udawało mu się też pochwycić wzrokiem sylwetki Joego pochylającego się nad inspektem, urzędującego za stodołą, czy sprawdzającego stan drzew w sadzie. Nikt teraz nie siadał za jego plecami, gdy stukał w klawisze maszyny do pisania – niekiedy tylko Rosa wymykała się ze swojego pokoju i rozłożona na jego posłaniu przyglądała mu się w milczeniu. Każde wino smakowało teraz jak najzwyczajniejsze wino i nie wzbudzało żadnych szczególnych reakcji. Jay nie nosił już jednak w sobie gniewu. W zamian doznał poczucia nieuchronności losu. Po raz kolejny magia zniknęła z jego życia.

Minął tydzień. Deszcz powoli ustępował i wówczas można było dokładnie oszacować straty, jakie spowodował. Jay i Rosa w zasadzie nie ruszali się z domu. Rosę łatwo było zadowolić. Umiała zająć się sama sobą. Dużo czytała w swoim pokoju na poddaszu, grała w scrabble na podłodze albo spacerowała po pełnym kałuż polu w towarzystwie Clopette. Niekiedy słuchała radia bądź bawiła się makaronowym ciastem w kuchni. Niekiedy wraz z Jayem piekła małe, twarde, wonne herbatniki. Każdego wieczoru przyłączała się do nich Marise – gotowała obiad, jadła razem z nimi i kładła Rosę spać. Udało jej się nareperować generator. Kopanie rowów drenażowych pochłaniało większość jej czasu, ale miało się zakończyć już za kilka dni, bowiem zatrudniła Roux i kilku innych pracowników z zakładu Clairmonta. Mimo to winnica wciąż była na wpół zalana.

Jay miał teraz niewielu gości. Popotte wpadła dwa razy z pocztą, a potem jeszcze raz, by dostarczyć ciasto w prezencie od Joséphine; wtedy Rosa akurat bawiła się za domem, więc nie została dostrzeżona. Pewnego dnia wpadł też Clairmont z kolejną dostawą staroci, ale nie wstąpił do domu, tylko natychmiast pojechał. Teraz, gdy pogoda nieco się poprawiła, każdy miał mnóstwo pracy wokół własnego obejścia.

Obecność Rosy bardzo ożywiła dom. Po odejściu Joego było to jak błogosławieństwo z niebios, bo nagle, bez starszego pana, dom i ogród stały się dziwnie obce, jakby niespodziewanie zatraciły coś wyjątkowo swojskiego, stwarzającego niepowtarzalny klimat. Jak na dziecko w tym wieku Rosa była nadzwyczaj cicha, tak że niekiedy Jay odnosił wrażenie, iż Rosa bardziej przynależy do świata Joego niż do obecnej rzeczywistości. Bez wątpienia tęskniła za matką. Ostatecznie zawsze były razem. Każdego wieczoru witała więc Marise namiętnym uściskiem. Wspólne posiłki były radosne i pełne ożywienia, ale Marise przejawiała jednocześnie pewną rezerwę, której Jay nie potrafił zinterpretować. Teraz w zasadzie w ogóle nie mówiła o sobie. Nigdy słowem nie wspominała Tony'ego, ani najwyraźniej nie zamierzała opowiedzieć mu do końca historii, którą zaczęła snuć w dniu największej powodzi. Jay jej nie naciskał. Zwierzenia mogły poczekać.

Kilka dni później Popotte przyniosła paczkę od Nicka, zawierającą kontrakt z nowym wydawcą, który Jay miał podpisać i odesłać, oraz kilka wycinków prasowych datowanych od lipca do września. Na krótkiej notce od Nicka widniało tylko: *Uznałem, że to mogłoby cię zainteresować.*

Jay wytrząsnął z koperty wycinki.

Wszystkie w takim czy innym sensie odnosiły się do niego. Przeczytał je uważnie. Trzy krótkie wzmianki z brytyjskiej prasy pełne spekulacji na temat miejsca jego pobytu. Artykuł z „Publishers Weekly" omawiający jego ewentualny powrót na literacką scenę. Retrospektywa z „The Sunday Times" zatytułowana „Cóż takiego spotkało Ziemniaczanego Joe?", opatrzona zdjęciami z Kirby Monckton. Jay odwrócił stronę. Tam ujrzał fotografię patrzącego wprost w obiektyw z bezwstydnym uśmiechem Joego.

Czy to właśnie oryginalny „Ziemniaczany Joe"? – zapytywano w podpisie pod zdjęciem.

Jay wbił wzrok w podobiznę Joego. Starszy pan miał tu jakieś pięćdziesiąt, góra pięćdziesiąt pięć lat. Był z gołą głową, trzymał papierosa w kąciku ust, a na nosie miał swoje wąskie okulary do czytania. W dłoniach trzymał dużą doniczkę z chryzantemami ozdobioną rozetką – znakiem zwycięzcy konkursu. Zdjęcie opatrzono podpisem: „Lokalny ekscentryk".

Artykuł głosił, że: *Mackintosh, z typową dla siebie powściągliwością, nigdy nie wyjawił, kim był rzeczywisty „Ziemniaczany Joe", jednak wiarygodne źródła sugerują, że właśnie ten mężczyzna stanowił żywą inspirację dla postaci najbardziej kochanego ogrodnika w tym kraju. Joseph Cox, urodzony w Sheffield w 1912 roku, pracował najpierw jako pierwszy ogrodnik w pewnej arystokratycznej posiadłości, a następnie w kopalni Nether Edge w Kirby Monckton do czasu, aż stan zdrowia zmusił go do przejścia na rentę. Pan Cox, powszechnie znany w okolicy ekscentryk, mieszkał przez wiele lat przy Pog Hill Lane, teraz zaś przebywa w Domu Spokojnej Starości „Meadowbank". Niestety, nie mógł udzielić nam wywiadu. Natomiast Julie Moynihan, pielęgniarka pracująca w owej instytucji, powiedziała o nim naszemu wysłannikowi: „To cudowny, starszy dżentelmen, pełen najwspanialszych anegdot. Na myśl o tym, że to on był pierwowzorem »Ziemniaczanego Joe« przejmuje mnie dreszcz".*

Jay w zasadzie już nie przeczytał reszty artykułu. Ogarnęła go burza sprzecznych emocji. Zdumienie, że swego czasu był tak niedaleko Joego, a żadnym zmysłem nie wyczuł jego bliskości. Przede wszystkim jednak uczucie wielkiej ulgi i radości. A więc będzie mógł odkupić błędy przeszłości. Joe nadal mieszkał na Pog Hill. Wszystko jeszcze uda się odwrócić.

Tylko wielką siłą woli zmusił się do przeczytania reszty artykułu. Nie dowiedział się jednak niczego nowego. Znalazł tam streszczenie „Ziemniaczanego Joe" i reprodukcję oryginalnej okładki. Poza tym – małe zdjęcie Chlebowego Barona z Candide wiszącą na jego ramieniu, zrobione na dwa lata przed ich rozwodem. Nazwisko dziennikarza podpisanego pod artykułem – K. Marsden – brzmiało jakby znajomo. Jednak Jay potrzebował kilku dobrych minut, by przypomnieć sobie, że to nazwisko Kerry sprzed czasów jej kariery telewizyjnej.

Jasne. Kerry. Teraz rozumiał. Wiedziała tak wiele o Pog Hill Lane i o Joem. I, oczywiście, wiedziała bardzo dużo o samym Jayu. Miała swobodny dostęp do zdjęć, notatek, dokumentów. Przez pięć lat wysłuchiwała jego bardziej lub mniej bezładnych wspomnień i wynurzeń. Jaya ogarnął gwałtowny niepokój. Co tak właściwie jej powiedział? Jak wiele zdradził? Po tym, w jaki sposób ją zostawił, nie sądził, by miał prawo oczekiwać jakiejkolwiek lojalności czy dyskrecji z jej strony. Mógł mieć jedynie nadzieję, że zachowa się, jak na profesjonalistkę przystało, i pozwoli, by sprawy prywatne takimi pozostały. Zdał sobie nagle sprawę, że pomimo tych wszystkich wspólnych lat, nie zna Kerry na tyle dobrze, by przewidzieć, jak daleko rzeczywiście byłaby zdolna się posunąć.

W owym momencie to wszystko miało jednak zaledwie marginalne znaczenie. Tym, co liczyło się naprawdę, był jedynie Joe. Jay, niemal w upojeniu, uświadomił sobie, że zaledwie w przeciągu kilku godzin mógłby siedzieć w samolocie do Londynu, a stamtąd złapać ekspres jadący na północ, i w ten sposób już wieczorem znaleźć się na miejscu. Jeszcze tego samego dnia mógł się zobaczyć z Joem, a nawet zabrać go ze sobą do Francji, gdyby tylko starszy pan wyraził na to zgodę. Pokazałby mu Château Foudouin. W tym samym momencie wąski pasek gazetowego papieru wypadł spomiędzy pozostałych wycinków i wirując, opadł na podłogę. Jay podniósł go i odwrócił. Skrawek był zbyt mały, jak na prasowy artykuł. Pewnie dlatego do tej pory Jay go nie zauważył.

Na górze, wypisana odręcznie długopisem notka głosiła „Kirby Monckton Post"

Nekrologi – ciąg dalszy.
Joseph Edwin Cox, zm. 15 września 1999 roku,
po długiej chorobie.
Pocałunek słońca niesie przebaczenie
Śpiew ptaków to dla duszy radosna pieśń
Człek jest bliższy sercu Boga, gdy pracuje w ogrodzie
Niż w jakimkolwiek innym miejscu
na ziemskim padole.

Jay wpatrywał się jak oniemiały w skrawek gazety. Niemal natychmiast wysunął on mu się spomiędzy palców, jednak Jay wciąż go miał przed oczami, błyszczący jasnym światłem pomimo chmurnego dnia. Jego świadomość odmawiała przyjęcia tego faktu do wiadomości. Nie mógł się na coś podobnego zgodzić. Przez dłuższy czas tkwił w bezruchu, nie patrząc na nic i nie myśląc o niczym.

59

Przez kolejne kilka dni miał wrażenie, że znalazł się w straszliwej próżni. Spał, jadł i pił jakby w malignie. Wszędzie, gdzie nie spojrzał, dostrzegał potworną czarną dziurę, układającą się w postać Joego, przesłaniającą wszelkie światło. Książka – tak bliska ukończenia – leżała całkiem zaniedbana; na jej kartkach złożonych w pudełku pod łóżkiem coraz grubszą warstwą osiadał kurz. Mimo że deszcz przestał padać, Jay nie był w stanie patrzeć na ogród. „Specjały", pozbawione troskliwej opieki, zaczęły się nadmiernie rozrastać i wymagały natychmiastowego przesadzenia. Owoce, które zdołały przetrwać okres fatalnej pogody, teraz – potraktowane z najwyższą obojętnością – i tak spadały na ziemię, by tam zgnić. Chwasty, które nadzwyczajnie wybujały w czasie słoty, zaczęły brać ogród w posiadanie. W ten sposób w ciągu miesiąca po dotychczasowych wysiłkach Jaya mogło nie pozostać ani śladu.

Pocałunek słońca niesie przebaczenie...

Najgorsze z tego wszystkiego było to, że w końcu pozostał w nieświadomości. Mógł dotknąć wielkiej tajemnicy, ale ponownie – tak głupio, bez żadnego uzasadnienia – pozwolił, by mu się wymknęła z rąk. Nagle wszystko okazało się całkiem bezsensowne. Wciąż i wciąż próbował sobie wyobrazić, że Joe czai się jednak gdzieś za rogiem, by nagle wyskoczyć na niego z okrzykiem: *A kuku! Niespodzianka!* Że wszystko w końcu okaże się jednym wielkim żartem. Przemyślną intrygą uknutą przez przyjaciół czekających za kotarą z serpentynami i zabawnymi, piszczącymi tutkami w ustach, jak na przyjęciach urodzinowych. Karmił się nadzieją, że za chwilę ich ujrzy: Gilly, Maggie, Joego i wszystkich innych z Pog Hill, zdejmujących śmieszne maski, ukazujących prawdziwe oblicza. Wówczas jego poczucie nieszczęścia zamieni się nagle w wielką, nieoczekiwaną radość. Jednak w końcu Jay zrozumiał, że na takie przyjęcie nigdy już nie dostanie zaproszenia. A do tego nie pozostał mu choćby jeden jedyny „Specjał". Wszystkie zostały wypite – jeżyna i czarny bez, i „tubera", i dzika róża. A więc nie doświadczy już w życiu tej specjalnej magii. Już nigdy. Absolutnie nigdy.

Ja jednak wciąż wyczuwałam obecność tych szalonych trunków. Jakby część ich esencjonalnych treści wyparowała przed wypiciem i pozostała w tym miejscu równie wżarta w tynk i drewno, jak dym papierosowy i zapach karmelu. Powietrze wciąż nieustannie drgało od ich niegdysiejszej obecności – wibrowało, poświstywało śpiewnie, zdawało się zanosić śmiechem głośniej niż kiedykolwiek przedtem; kamień i dachówki, i polerowane drewno wciąż odbijały ich podniecone, entuzjastyczne szepty. Teraz już nigdy nie było tu całkowitej ciszy, kompletnego spokoju. Jednak Jay nie mógł tego usłyszeć. Stan, w którym się pogrążył, wykroczył już poza nostalgię – zdawał się całkowitą pustką, z której nic ani nikt nie miał mocy go już wyciągnąć. Jay bez przerwy przywoływał na pamięć te wszystkie chwile, gdy czuł do Joego żywą nienawiść. Gdy wpadał w furię na myśl o jego odejściu. Przypominał sobie te wszystkie straszne rzeczy, które powtarzał samemu sobie i opowiadał innym ludziom. Straszne rzeczy. Żałował tych lat, kiedy mógł bez trudu odnaleźć Joego, ale nie uczynił nic w tym kierunku. A przecież mógł chociażby wynająć detektywa. Zapłacić komuś za odnalezienie starszego pana, jeżeli sam nie potrafił się na to zdobyć. Zamiast tego czekał, aż Joe odnajdzie jego. Zmarnował te wszystkie lata z powodu bezsensownej dumy. A teraz nagle zrobiło się za późno.

Po głowie wciąż plątał mu się jakiś cytat, którego nie pamiętał dokładnie, ale w którym ktoś określił przeszłość jako wyspę otoczoną morzem czasu. Jay wypominał sobie teraz gorzko, że spóźnił się na ostatnią łódź mogącą zabrać go na tę wyspę. W ten sposób Pog Hill znalazło się na liście miejsc nieodwołalnie dla niego straconych. Nawet gorzej niż straconych. Wraz z odejściem Joego Jay nabrał niespodziewanego wrażenia, że Pog Hill nigdy nie istniało.

Pocałunek słońca niesie przebaczenie...

Joe jednak zdobył się na o wiele więcej. Pojawił się przecież w jego domu. Tego lata jeszcze żył, mieszkał przy dawnej Pog Hill Lane. „Wędrówka astralna", tak powiedział. „To dlatego tak pioruńsko wiele sypiam ostatnimi czasy". A więc mimo wszystko Joe przyszedł do niego. Próbował wszystko naprawić, załagodzić. Tymczasem przyszło mu umierać w samotności.

Nic nie mogło być w podobnej sytuacji lepszego dla Jaya niż obecność Rosy. Wizyty Marise także podnosiły go nieco na duchu. Przynajmniej z powodu obu tych kobiet musiał być całkiem trzeźwy w ciągu dnia. Nie wolno mu było zaniedbywać pewnych obowiązków, nawet jeżeli stały się jedynie bezsensownymi odruchami.

Marise spostrzegła, że w Jayu zaszła pewna zmiana, jednak miała zbyt wiele roboty na farmie, by poświęcić temu faktowi więcej niż przelotną myśl. Prace nad nowym systemem drenażowym zostały niemalże ukończone, w winnicy nie stała już woda, a Tannes wróciła do swoich brzegów. Co prawda Marise musiała wydać sporo ze swoich oszczędności, by zapłacić za materiały i robociznę, ale i tak czuła się pokrzepiona. Jeżeli udałoby się jej ocalić większość tegorocznych zbiorów, w kolejny rok mogłaby wchodzić z nie najgorszymi nadziejami na przyszłość. Może w końcu udałoby się jej zgromadzić dostateczną ilość pieniędzy, by wykupić tę ziemię – ostatecznie niezbyt atrakcyjną pod zabudowę, bo w większej części bagnistą. Dobrze wiedziała, że Pierre-Emile nie będzie już teraz zainteresowany dzierżawą: miał z tego za mały dochód, a musiał utrzymać rodzinę w Tuluzie. Nie. Na pewno będzie chciał sprzedać. W to nie wątpiła. Powtarzała też sobie bez przerwy, że istniało duże prawdopodobieństwo, iż cena nie będzie zbyt wygórowana. Ostatecznie Lansquenet to nie Le Pinot. Wciąż miała nadzieję, że uda jej się zebrać dostateczną ilość gotówki. Wystarczy, by miała własne dwadzieścia procent ceny. Oby tylko Mireille nie próbowała popsuć jej szyków. Ale ostatecznie wyjazd Marise z wioski nie był w interesie starszej pani. Wręcz przeciwnie. Jednak Marise musiała wejść w posiadanie tych gruntów. Pozostawanie na łasce i niełasce umowy dzierżawnej stawało się nie do zniesienia. Mireille dobrze wiedziała dlaczego. Obie potrzebowały się nawzajem, bez względu na to, jak bardzo nienawistna była im ta myśl. Znalazły się w sytuacji dwóch wspinaczy na wysokiej górze, z których każdy dzierży jeden koniec liny. Gdy któryś z nich odpadnie od ściany, drugi też będzie musiał runąć.

Marise nie czuła żadnych oporów, gdy wówczas kłamała. Ale, ostatecznie, wyświadczyła tym Mireille przysługę. Jej kłamstwo osłaniało je obie niczym broń zbyt straszliwa, by rzeczywiście wykorzystać ją w walce. Niemniej czas zaczynał być coraz cenniejszy dla nich obu. Dla Marise – ponieważ wygasała jej dzierżawa. Dla Mireille – z powodu choroby i zaawansowanego wieku. Stara kobieta chciała, by Marise została zmuszona do opuszczenia farmy, bo to skazywałoby ją na łaskę i niełaskę Mireille. Marise była tylko ciekawa, czy stara kobieta wciąż jeszcze posunęłaby się do spełnienia swojej dawnej groźby. Być może teraz już nie. Myśl o utracie Rosy swego czasu zamykała usta im obu. Ale teraz... Marise zastanawiała się, jak wiele Rosa znaczy jeszcze dla Mireille.

Rozmyślała o tym, co obie wciąż mają do stracenia.

60

Jaya obudził śpiew ptaków. Gdy tylko otwarł oczy, usłyszał, że Rosa urzęduje na górze i zobaczył bladożółte światło słońca wpadające przez szparę w okiennicy. Na krótką, ulotną chwilę ogarnęło go poczucie całkowitego szczęścia. Ale już za moment uderzyła go świadomość śmierci Joego i poczuł straszny przypływ smutku, który zawsze chwytał go całkiem niespodziewanie, i którego nigdy nie potrafił przezwyciężyć. Co dnia budził się z nadzieją, że tym razem poczuje się inaczej, jednak co dzień wszystko wyglądało tak samo.

Na wpół ubrany wygrzebał się z łóżka i wstawił czajnik na gaz. Lodowatą wodą z kranu opłukał twarz. Zaparzył kawę i zaczął pić niemal wrzącą, tak że parzyła mu usta. Słyszał, że na górze Rosa zaczęła nalewać wodę do wanny. Wyjął z lodówki mleko i coś do jedzenia. Przygotował miseczkę *café au lait*, obok położył trzy kostki cukru zawinięte w pergamin. Ukroił kawał melona. Zalał mlekiem muesli. Rosa odznaczała się dobrym apetytem.

– Rosa! Śniadanie!

Jego głos zabrzmiał chropawo. Nagle spostrzegł, że na stole stoi talerzyk z kilkoma niedopałkami, chociaż Jay nie pamiętał, by kupował jakiekolwiek papierosy czy palił je poprzedniego wieczoru. Przez moment poczuł ukłucie czegoś, co można by określić ślepą nadzieją. Jednak żaden z petów nie był pozostałością po playersie.

W tym samym momencie rozległo się pukanie do drzwi. Popotte, zamajaczyło mu niejasno w głowie – pewnie przyniosła jakiś kolejny rachunek albo pełną zniecierpliwienia notkę od Nicka, z zapytaniem, czemu do tej pory nie odesłał podpisanego kontraktu. Jay pociągnął kolejny łyk kawy, która smakowała tak, jakby zwietrzała już dawno temu, po czym ruszył w stronę drzwi.

Ktoś stał na progu. Jay dostrzegł nienagannie eleganckie szare spodnie, kaszmirowy sweter, mokasyny od Tod'sa, płaszcz burberry i czerwoną aktówkę Louis Vuittona.

– Kerry?

Przez sekundę ujrzał siebie samego jej oczami: bosy, nieogolony, o znękanej twarzy. Ona jednak posłała mu najbardziej promienny ze swoich uśmiechów.

– Jay, biedactwo. Wyglądasz na dramatycznie zaniedbanego. Mogę wejść?

Jay się zawahał. Kerry była przesadnie przymilna, a on nigdy nie ufał jej przymilności. Zbyt często stanowiła wstęp do wojny.

– Tak. Oczywiście. OK.

– Cóż za cudowne miejsce. – Nie miał wątpliwości, że mimo słodkiego tonu w tym momencie pożerała ją zawiść. – A jakiż cudowny kredens na przyprawy. Doprawdy zachwycający. I do tego ta komódka.

Elegancko kręciła się po pokoju, szukając jakiegoś niezagraconego miejsca, by usiąść. Jay zrzucił z jednego z krzeseł brudne ubrania i skinął jej głową.

– Wybacz ten bałagan – zaczął i w tym samym momencie, nieco po niewczasie, zdał sobie sprawę, że jego przepraszający ton dał jej niespodziewanie nad nim przewagę. Posłała mu swój patentowany uśmiech Kerry O'Neill i usiadła, zakładając nogę na nogę. Teraz swoim wyglądem przypominała nadzwyczaj pięknego syjamskiego kota. Jay nie miał pojęcia, co jej chodzi po głowie. Nagle zdał sobie sprawę, że tak naprawdę nigdy nie umiał się w tym zorientować. Może w gruncie rzeczy jej uśmiech był jak najbardziej szczery? Kto wie?

– Jak mnie znalazłaś? – Bardzo się w tym momencie starał, by z jego głosu zniknęła wszelka nuta defensywności. – Bo ja osobiście w żaden sposób nie starałem się rozgłaszać wszem wobec, gdzie przebywam.

– A jak sądzisz? Nicky mi w końcu powiedział.

– Posłała mu kolejny uśmiech. – Oczywiście, musiałam go bardzo długo i dobitnie do tego przekonywać. Czy zdajesz sobie sprawę, jak bardzo wszyscy martwiliśmy się o ciebie? Żeby zniknąć w podobny sposób! Trzymać zamiar napisania kolejnej powieści w takiej tajemnicy!

Spojrzała na niego zalotnie, kładąc mu dłoń na ramieniu. W tym momencie Jay zauważył, że ma oczy innego koloru – były niebieskie, a nie zielone. A więc Joe miał świętą rację, gdy mówił o tych szkłach kontaktowych.

Wzruszył ramionami, czując, że zachowuje się bez klasy.

– Oczywiście, ja to świetnie rozumiem. – Jej dłoń powędrowała teraz w stronę jego włosów, by odgarnąć z czoła opadające kosmyki. Jay nagle przypomniał sobie, że Kerry była najbardziej niebezpieczna w momentach, gdy próbowała mu matkować. – Wyglądasz jednak na całkowicie wyczerpanego. Jakim cudem doprowadziłeś się do podobnego stanu? Zbyt wiele bezsennych nocy?

Jay szorstkim ruchem odsunął jej dłoń.

– Czytałem twój artykuł – oznajmił.

Kerry wzruszyła ramionami.

– Tak. Ostatnio napisałam parę kawałków do niedzielnych dodatków literackich. W końcu doszłam do wniosku, że „Forum!" stało się zbyt wygodną przystanią dla wszelkich towarzystw wzajemnej adoracji. Nie sądzisz? Czyż nie stało się nie dość twórcze?

– W czym naprawdę rzecz? Czyżby nie zaoferowali ci prowadzenia innego programu?

Kerry uniosła brwi.

– Kochanie, nauczyłeś się tu sarkazmu – zauważyła. – Myślę, że tobie i twoim tekstom bardzo to pomoże. Ale widzisz, tak się składa, że Kanał 5 zaproponował mi opracowanie wspaniałej, nowej serii. – Rzuciła okiem na muesli, kawę i owoce rozłożone na stole. – Czy mogę się poczęstować? Po prostu umieram z głodu.

Jay przyglądał się, jak wlewała sobie *café au lait* do miseczki, po czym rzuciła okiem na filiżankę w jego dłoni.

– Ty rzeczywiście przejąłeś już całkowicie miejscowe zwyczaje. To znaczy podajesz miseczki do kawy i serwujesz gauloise'y na śniadanie. Czyżbyś spodziewał się gości? A może nie powinnam pytać?

– Opiekuję się dzieckiem sąsiadki – odparł Jay, starając się za wszelką cenę zdusić w głosie ton usprawiedliwienia. – To potrwa tylko kilka dni. Póki woda nie opadnie.

Kerry rozpromieniła się w uśmiechu.

– Jakież to urocze. Jestem pewna, że nawet wiem, czyim dzieckiem się tak opiekujesz. Po przeczytaniu twojego maszynopisu...

– Czytałaś go?

No, dobra. A więc mógł podarować sobie udawanie, że nie przyjmuje postawy obronnej. Ostatecznie musiałaby być ślepa, by nie zauważyć, że ręka drgnęła mu tak gwałtownie, iż gorąca kawa polała się na podłogę. Kerry znowu się uśmiechnęła.

– Rzuciłam okiem. Ten naiwny styl narracji brzmi nadzwyczaj świeżo. Poza tym jest bardzo na czasie. Do tego tak niezwykle oddałeś atmosferę tego miejsca – po prostu poczułam, że muszę obejrzeć to wszystko na własne oczy. A gdy do tego zrozumiałam, jak cudownie twoja książka może się sprząc z moim nowym programem...

Jay potrząsnął głową. Miał wrażenie, że nagle zaczęło mu w niej boleśnie szumieć, i że zapewne dlatego z wywodu Kerry umknął mu jakiś istotny element.

– O co ci właściwie chodzi?

Kerry spojrzała na niego z udawanym zniecierpliwieniem.

– Właśnie miałam ci to powiedzieć. O program dla Kanału 5, oczywiście – rzuciła. – „Lądy obiecane". O Brytyjczykach, którzy zdecydowali się na zamieszkanie za granicą. Takie publicystyczno-krajoznawcze kawałki. Więc gdy Nick napomknął o tym cudownym miejscu – i o tym wszystkim, co dotyczy twojej nowej książki – pomyślałam, że to nadzwyczajne zrządzenie losu, czy coś w tym rodzaju.

– Zaraz, zaraz. – Jay stanowczym ruchem odstawił filiżankę. – Chyba nie zamierzasz wciągać mnie w te swoje machinacje?

– Ależ oczywiście, że tak – odparła Kerry zniecierpliwionym głosem. – To wprost wymarzone miejsce na początek serii. Już zresztą rozmawiałam z kilkoma okolicznymi mieszkańcami i wszyscy wydają się zachwyceni pomysłem. No i ty, jako bohater, jesteś wprost idealny. Słuchaj, pomyśl tylko, jaką zapewni ci to reklamę. Więc gdy ukaże się twoja książka...

Jay stanowczo pokręcił głową.

– Nie. Mnie to nie interesuje. Posłuchaj, Kerry, rozumiem, że chcesz mi pomóc, ale rozgłos i reklama to ostatnie rzeczy, których bym sobie teraz życzył. Przyjechałem tutaj, by się cieszyć samotnością i anonimowością.

– Samotnością?! – rzuciła Kerry ironicznie. Jay spostrzegł, że poza jego ramieniem wbija wzrok w drzwi kuchni. Odwrócił się i ujrzał tam Rosę stojącą w swojej czerwonej piżamie, z oczami płonącymi ciekawością, z ciasno skręconymi lokami sterczącymi we wszystkich możliwych kierunkach.

– *Salut!* – przywitała się Rosa radośnie. – *C'est qui, cette dame? C'est une Anglaise?*

Kerry rozciągnęła usta w jeszcze szerszym uśmiechu.

– Ty zapewne jesteś Rosa – powiedziała. – Bardzo wiele o tobie słyszałam. I wiesz co, skarbie, nie wiedzieć czemu odniosłam wrażenie, że ty w ogóle nic nie słyszysz.

– Kerry. – Głos Jaya zabrzmiał gniewnie i niepewnie zarazem. – Porozmawiamy później, dobrze? Teraz nie jest na to najlepsza chwila. OK?

Kerry leniwie popijała kawę.

– Ze mną doprawdy możesz podarować sobie podobne ceregiele – oznajmiła. – Jakaż urocza dziewczynka. Jestem pewna, że podobna do matki. Oczywiście, mam wrażenie, że świetnie je już obie poznałam. Jakże to uroczo z twojej strony, że wzorowałeś wszystkie postaci na ludziach z krwi i kości. W ten sposób stworzyłeś coś na kształt powieści z kluczem. Jestem pewna, że uda mi się to wspaniale uwypuklić w moim programie.

Jay spojrzał na nią stanowczo.

– Kerry, ja nie zamierzam brać udziału w żadnym programie.

– Och, jestem pewna, że zmienisz zdanie, gdy tylko się nad tym porządnie zastanowisz.

– Nie sądzę.

Kerry uniosła brwi.

– A czemu nie? Przecież to doskonały pomysł. A do tego mógłby ci pomóc w odbudowaniu kariery.

– Tak jak i tobie – rzucił sucho.

– Być może. Ale co w tym złego? Ostatecznie po tym wszystkim co dla ciebie zrobiłam – po tej ciężkiej pracy, jaką w ciebie wpakowałam – chyba jesteś mi coś winien, prawda? A może, gdy się już wszystko ułoży, zabiorę się za pisanie twojej biografii i przedstawię w niej moje osobiste impresje na temat Jaya Mackintosha. Słuchaj, przecież wciąż jeszcze mogłabym bardzo ci pomóc w osiągnięciu sukcesu, gdybyś mi tylko na to pozwolił.

– Winien? Tobie?!

Kiedyś słysząc podobne słowa, wpadłby w gniew. Może nawet odezwałoby się w nim poczucie winy. Teraz jednak tylko ogarnął go pusty śmiech.

– Zbyt często już zgrywałaś tę kartę, Kerry. To na mnie przestało działać. Szantaż emocjonalny nie stanowi dobrej podstawy dla związku. Nigdy nie stanowił.

– Och, proszę. – Już w tej chwili Kerry kontrolowała się jedynie najwyższym wysiłkiem woli. – A co ty możesz o tym wiedzieć? Jedyny związek, który miał dla ciebie jakiekolwiek znaczenie, był związkiem z jakimś starym łgarzem, który nieźle namącił ci w głowie, a potem porzucił jak śmiecia, gdy tak mu było wygodnie. Zawsze słyszałam tylko: „Joe to, Joe tamto". Może teraz, kiedy już umarł, wreszcie dorośniesz na tyle, by zrozumieć, że to nie magia, a pieniądze rządzą światem.

Jay się uśmiechnął.

– Mam wrażenie, że chciałaś być zgryźliwa – powiedział miękkim głosem. – Ale nieważne. Jak słusznie zauważyłaś, Joe nie żyje. To wszystko nie ma już teraz z nim nic wspólnego. Może miało na początku, gdy tylko tu przyjechałem. Może rzeczywiście usiłowałem odtworzyć przeszłość. W pewnym sensie stać się drugim Joe. Ale już nie teraz.

Rzuciła mu uważne spojrzenie.

– Zmieniłeś się.

– Być może.

– Z początku sądziłam, że to wpływ tego miejsca – ciągnęła. – Tej żałosnej, małej wiochy z jednym przystankiem autobusowym i drewnianymi, walącymi się domkami nad rzeką. Zauroczenie podobnym miejscem byłoby bardzo w twoim stylu. Kolejne Pog Hill. Ale to nie w tym rzecz, prawda?

Potrząsnął głową.

– Nie, niezupełnie w tym.

– A więc jest jeszcze gorzej, niż myślałam. I do tego to takie oczywiste – wybuchnęła krótkim, łamiącym się śmiechem. – Ale właśnie czegoś podobnego należałoby się po tobie spodziewać. Znalazłeś tu swoją muzę, tak? Tutaj, pomiędzy stadami śmiesznych kóz, wśród tych małych, rachitycznych winnic. Jakże to cudownie *gauche*. Jak bardzo w twoim pieprzonym stylu.

Jay spojrzał na nią twardo.

– Co masz na myśli?

Wzruszyła ramionami. Udało jej przybrać minę rozbawioną i zjadliwą jednocześnie.

– Dobrze cię znam, Jay. Jesteś najbardziej samolubną osobą, jaką zdarzyło mi się spotkać w życiu. Nigdy nie chciało ci się dla nikogo wysilać. Dlaczego więc opiekujesz się jej dzieckiem? Dla każdego stało się już jasne, że to nie w tym miejscu tak się zakochałeś. – Wydała z siebie nerwowy chichot. – Wiedziałam, że pewnego dnia coś podobnego się wydarzy – oświadczyła. – Ktoś zdoła skrzesać tę szczególną iskrę. W pewnym momencie nawet myślałam, że to będę ja. Bóg jeden wie, jak wiele dla ciebie zrobiłam. Zasłużyłam sobie na to. A ona? Co ona takiego dla ciebie zrobiła? Czy ma chociaż jakiekolwiek pojęcie o twojej pracy? Czy ją to w ogóle interesuje?!

Jay nalał sobie jeszcze jedną filiżankę kawy i zapalił papierosa.

– Nie. Nie sądzę, by ją to interesowało. Interesuje ją jej ziemia. Winnica. Córka. Rzeczywiste wartości. – Uśmiechnął się na tę myśl.

– Nawet się nie obejrzysz, jak cię to znuży – zawyrokowała Kerry pogardliwym tonem. – Ty nigdy nie należałeś do tych, którzy przyjmują realia życia do wiadomości. I jeszcze do tej pory nie natknąłeś się na taki problem, od którego nie udałoby ci się uciec. Tylko poczekaj, aż rzeczywistość stanie się dla ciebie zbyt rzeczywista. Będziesz zwiewał najszybciej, jak się da.

– Nie tym razem – odparł Jay beznamiętnym głosem. – Nie tym razem.

– Pożyjemy, zobaczymy – chłodno skwitowała Kerry. – Tylko poczekajmy. Porozmawiamy po wyemitowaniu „Lądów obiecanych".

Gdy tylko Kerry sobie poszła, Jay wsiadł do samochodu i pojechał do Lansquenet. Zostawił Rosę w domu z surowym przykazaniem, by w żadnym razie nie ruszała się z domu. Sam zamierzał dać upust swojej wściekłości w rozmowie z Nickiem Horneli. Jednak Nick okazał się o wiele mniej wyrozumiały, niż Jay oczekiwał.

– Uznałem, że to będzie doskonała promocja dla twojej książki – rzucił słodkim głosem. – Ostatecznie, Jay, rzadko się zdarza, by w tym interesie otrzymać drugą szansę, i muszę przyznać, że spodziewałem się po tobie o wiele entuzjastyczniejszego podejścia do tego pomysłu.

– Ach, tak. – Nie to spodziewał się usłyszeć, więc przez moment poczuł się całkiem zbity z tropu. Zastanawiał się, co dokładnie mogła Nickowi naopowiadać Kerry.

– Poza tym nie chciałbym cię poganiać, ale muszę ci przypomnieć, że wciąż czekam na podpisany kontrakt i ostatnią partię maszynopisu. Wydawca zaczyna się powoli wściekać, bo nie ma pojęcia, kiedy wreszcie raczysz skończyć. Gdybym chociaż mógł dostać ogólny szkic zakończenia...

– Nie – Jay usłyszał napięcie we własnym głosie. – Nie pozwolę się naciskać, Nick.

Nagle i niespodziewanie Nick przybrał przerażająco obojętny ton:

– Nie zapominaj, Jay, że w obecnych czasach jesteś nikomu nieznanym facetem. Oczywiście, owianym pewną legendą. To dobrze. Ale masz też określoną reputację.

– Jaką reputację?

– Nie sądzę, by na tym etapie twojej pracy podobna rozmowa była dla ciebie konstruktywna...

– Jaką pieprzoną reputację?

Jay niemal usłyszał, jak Nick wzrusza ramionami.

– OK. Stanowisz pewne ryzyko, Jay. Masz mnóstwo wspaniałych pomysłów, ale od lat nie stworzyłeś niczego wartościowego. Jesteś chimeryczny. Nie dotrzymujesz terminów. Zawsze spóźniasz się na spotkania. Zachowujesz się jak jakaś cholerna primadonna, żyjąca wspomnieniami sukcesu sprzed dziesięciu lat, nie rozumiejąca, że w tym interesie nie można wypinać się na promocję i reklamę.

Jay usiłował zachować spokój i w żadnym wypadku nie podnosić głosu.

– Co ty właściwie usiłujesz mi powiedzieć, Nick?

Nick westchnął ciężko.

– Chcę ci jedynie powiedzieć, byś wykazał pewną elastyczność – odparł. – Reguły gry uległy zasadniczej zmianie od czasów „Ziemniaczanego Joe". W tamtych czasach odstawianie ekscentrycznego twórcy było OK. Tego nawet oczekiwano. Uważano za urocze. Ale w dzisiejszych czasach jesteś produktem rynkowym, Jay, i nie możesz sobie pozwolić na sprawianie ludziom zawodu. A w szczególności na sprawianie zawodu mnie.

– Bo co?

– Bo jeżeli nie odeślesz podpisanego kontraktu wraz z ukończonym maszynopisem w jakimś rozsądnym czasie – powiedzmy w ciągu miesiąca – to wówczas WorldWide wycofa ofertę, a ja stracę wiarygodność. A mam też innych klientów, Jay. Muszę mieć również na względzie ich interesy.

Jay odparł ciężko:

– Rozumiem.

– Posłuchaj, Jay. Chcę tylko twojego dobra. Przecież wiesz.

– Tak, wiem. – Jay miał już serdecznie dosyć tej rozmowy i teraz tylko chciał ją jakoś skończyć. – Miałem ciężki tydzień, Nick. Działo się zbyt wiele rzeczy naraz. A gdy do tego zobaczyłem Kerry na swoim progu...

– Ona chce ci pomóc, Jay. Zależy jej na tobie. Wszystkim nam na tobie zależy.

– Jasne. Wiem. – Mówił łagodnym, miłym głosem, ale od środka zżerała go furia. – Wszystko będzie w porządku, Nick. Poradzę sobie. Zobaczysz.

– Pewnie, że sobie poradzisz.

Jay odwiesił słuchawkę z bezwzględnym przeświadczeniem, że w tej rozmowie był stroną przegrywającą. Coś się zmieniło. Gdy w jego życiu zabrakło ochraniającej go obecności Joego stał się znów bezbronny i podatny na ciosy. Zacisnął pięści.

– Monsieur Jay? Czy wszystko w porządku?

To była Joséphine, aż zarumieniona z troski.

Kiwnął głową.

– Napijesz się kawy? Zjesz kawałek mojego ciasta?

Jay wiedział, że powinien natychmiast jechać do domu i sprawdzić, co się dzieje z Rosą, ale pokusa, by posiedzieć jeszcze chwilę w kawiarni, okazała się zbyt silna. Słowa Nicka zostawiły po sobie szkaradny osad, między innymi dlatego, że było w nich wiele prawdy.

Joséphine miała dla niego mnóstwo nowin.

– Georges i Caro Clairmontowie skontaktowali się z jakąś panią z Anglii – kimś z telewizji. Ona twierdzi, że być może nakręci tu film, coś na temat podróżowania. Lucien Merle już o niczym innym nie mówi. Jest przekonany, że tym razem Lansquenet zostanie wypromowane na dobre.

Jay ze znużeniem pokiwał głową.

– Tak, wiem.

– Znasz tę kobietę?

Ponownie kiwnął głową. Placek smakował wybornie – glazurowane jabłko na cieście migdałowym. Jay starał się skoncentrować na jedzeniu. Joséphine tymczasem poinformowała go, że Kerry od kilku dni prowadzi już rozmowy z różnymi ludźmi w wiosce, sporządza notatki z tych pogawędek nagranych na dyktafonie, wciąż każe robić zdjęcia. Jest z nią fotograf, też Anglik, *très comme il faut*. W twarzy Joséphine Jay wyczytał dezaprobatę dla Kerry. I nic dziwnego. Kerry nie należała do kobiet lubianych przez inne kobiety. Była miła i starała się jedynie w towarzystwie mężczyzn. Jay zrozumiał, że razem z fotografem kręcą się po okolicy już od jakiegoś czasu, a mieszkają u Merle'ów. Przypomniał sobie, że Toinette pracuje w lokalnej gazecie. To wyjaśniało pochodzenie zdjęcia reprodukowanego swego czasu w „Courrier d'Agen".

– Przyjechali tu z mojego powodu.

Wyjaśnił Joséphine całą sytuację. Opowiedział jej wszystko – zaczynając od swojego pospiesznego wyjazdu z Londynu, a na dzisiejszej wizycie Kerry kończąc. Joséphine słuchała w milczeniu.

– Myślisz, że długo tu zostaną? – spytała w końcu.

Jay beznamiętnie wzruszył ramionami.

– Tak długo, jak będzie trzeba.

– Och. – Chwila ciszy. – Georges Clairmont już

opowiada, że zamierza wykupić drewniane domki w Les Marauds. Jest przekonany, że ceny ziemi ruszą gwałtownie w górę, gdy pokażą nas w telewizji.

– Tak prawdopodobnie się stanie.

Spojrzała na niego dziwnym wzrokiem.

– Można dokonać bardzo korzystnych transakcji po takim deszczowym lecie – oznajmiła. – Ludziom potrzeba gotówki. O tegorocznych zbiorach nawet nie ma co mówić. Rolników nie będzie stać na utrzymywanie nieproduktywnej ziemi, zaczną wyprzedawać wszystkie nieużytki. O ile mi wiadomo Lucien Merle już rozpuścił o tym wieści w Agen.

Jay nie mógł oprzeć się wrażeniu, że Joséphine patrzy na niego z dezaprobatą.

– To, jak rozumiem, nie stanie się z krzywdą dla twoich interesów – rzucił, siląc się na lekki ton. – Tylko pomyśl o tych spragnionych rzeszach snujących się wszędzie wokół.

Wzruszyła ramionami.

– Nie potrwa to długo. Nie w Lansquenet.

Jay świetnie rozumiał, co miała na myśli. W Le Pinot było dwadzieścia kawiarni i restauracji, a do tego McDonald i centrum rekreacyjne. Wszystkie niewielkie lokalne interesy musiały upaść przytłoczone prężniejszą konkurencją napływającą z miasta. Dawni mieszkańcy powynosili się z wioski, nie umiejąc przystosować się do gwałtownie zmieniającej się rzeczywistości. Gospodarstwa przestały być dochodowe. Czynsze dzierżawne podwoiły się, a potem potroiły. Jay zaczął się zastanawiać, czy Joséphine podołałaby konkurencji. Biorąc wszystko pod uwagę, wydawało się to nieprawdopodobne.

Czy Joséphine obwiniała go za tę sytuację? Z jej miny nie umiał tego wyczytać. Jednak jej twarz, zazwyczaj tak zaróżowiona i uśmiechnięta, zdawała się teraz spięta i chłodna.

Wracał na farmę w fatalnym humorze, którego nie poprawiło mało wylewne pożegnanie Joséphine. Po drodze zobaczył Narcisse'a i zamachał do niego, ale ten nie odpowiedział na jego przyjacielski gest.

W ten sposób wrócił do Château Foudouin prawie po godzinie. Zaparkował samochód na podjeździe i ruszył na poszukiwania Rosy, która już do tej pory musiała zgłodnieć. Dom był jednak pusty. Clopette snuła się skrajem warzywnika. Sztormiak Rosy i jej kapelusik wisiały na haku za kuchennymi drzwiami. Zawołał ją. Żadnej odpowiedzi. Lekko już zaniepokojony obszedł dom dookoła, a potem pobiegł nad rzekę w ulubione miejsce Rosy. Po dziecku jednak nie było ani śladu. A jeżeli wpadła do rzeki? Tannes wciąż była niebezpiecznie wezbrana, a brzegi ostro podmyte, w każdym momencie grożące osunięciem do wody. A jeżeli wdepnęła w sidła na lisy? Albo spadła ze schodów do piwnicy?

Jeszcze raz systematycznie przeszukał cały dom, a potem przyległości. Sad. Winnicę. Szopę i starą stodołę. Nic. Nawet żadnych śladów jej stóp. W końcu ruszył w stronę posiadłości Marise, z myślą, że może dziecko pobiegło zobaczyć się z matką. Ale Marise zajmowała się pilnie ostatnimi pracami porządkowymi w swojej już suchej i świeżo odmalowanej kuchni – włosy związała czerwoną chustką i miała na sobie dżinsy z plamami po farbie na kolanach.

– Jay! – wyraźnie ucieszyła się na jego widok. – Czy wszystko w porządku? Jak Rosa?

Nie mógł się zdobyć, by jej powiedzieć.

– Rosa ma się świetnie. Przyszedłem zapytać tylko, czy nie potrzebujesz czegoś z wioski.

Marise potrząsnęła przecząco głową. Szczęśliwie nie zauważyła jego wzburzenia.

– Nie, dziękuję. Mam wszystko, co potrzeba – odparła radośnie. – Już niemal skończyłam wszystkie prace w domu. Rano będę mogła już zabrać tu Rosę.

Jay kiwnął głową.

– Świetnie. To znaczy...

Posłała mu jeden z tych swoich rzadkich, ciepłych uśmiechów.

– Rozumiem – powiedziała. – Byłeś niezwykle miły i cierpliwy. Ale wiem, że z przyjemnością odzyskasz znów dom tylko dla siebie.

Jay się skrzywił. Znowu zaczął go dopadać ból głowy. Ciężko przełknął ślinę.

– Słuchaj, muszę już lecieć – rzucił niemrawo. – Rosa...

– Tak, wiem. Doskonale sobie z nią radzisz. Nawet nie wyobrażasz sobie, jak bardzo...

Jay nie był w stanie znosić dłużej jej wyrazów wdzięczności. Odwrócił się i pognał biegiem w stronę swojej farmy.

Spędził następną godzinę na przeszukiwaniu wszelkich możliwych kryjówek. Dobrze wiedział, że nigdy nie powinien był zostawiać jej samej. Rosa była psotnym dzieckiem, ulegającym kaprysom i fantazjom. Niewykluczone, że teraz też chowała się przed nim, tak jak w pierwszych tygodniach jego pobytu w Lansquenet. Mogła uważać to za świetny żart. Jednak gdy czas uciekał, a po Rosie nigdzie nie było śladu, zaczął rozważać inne możliwości. Nagle z przerażeniem wyobraził sobie, jak Rosa urzęduje nad brzegiem rzeki, wpada do wody, a nurt ciągnie ją przez kilka kilometrów i wyrzuca na brzeg gdzieś w okolicach Les Marauds. Chociaż oczywiście scenariusz mógł być też inny – Rosa wybrała się drogą w stronę wioski i jakiś nieznajomy zaoferował, że ją podwiezie samochodem...

Nieznajomy? Ależ w Lansquenet nie było nieznajomych. Wszyscy się znali. Nikt nie zamykał drzwi. Chyba że... Nagle przyszedł mu na myśl Patrice, dawny prześladowca Marise z paryskich czasów. Ale to przecież niemożliwe – po siedmiu latach? Z drugiej strony podobna historia wiele by wyjaśniała. Niechęć Marise do pokazywania się w wiosce, do opuszczania miejsca stanowiącego dla niej bezpieczną przystań. Jej przesadną, gorączkową potrzebę chronienia Rosy. Czyżby Patrice zdołał jakimś cudem odnaleźć je w Lansquenet? Czy obserwował farmę, wyczekując na odpowiednią okazję? Czy mógł podszywać się pod jednego z okolicznych wieśniaków, wciąż czaić w pobliżu, gotowy do ataku? Nie, to niedorzeczność. Pomysł jak z taniej szmiry; coś, co sam mógłby napisać w wieku lat czternastu w leniwe popołudnie nad kanałem. A mimo to czuł ściskanie w piersi. W jego wyobraźni Patrice upodobnił się do Zetha – był tylko jeszcze wyższy i groźniejszy, o wyostrzonych policzkach i przebiegłym spojrzeniu szaleńca. Idiotyzm? Być może, ale w tej chwili Jay odniósł wrażenie, że byłoby to bardzo logiczne zakończenie tego lata, w którym zmarł Joe, tych wszystkich wydarzeń, które spotkały go od czasów tego strasznego października na Pog Hill Lane. Jego obecne wymysły nie były większym idiotyzmem niż to wszystko inne.

W pierwszym odruchu chciał wsiąść w samochód, ale zaraz uznał, że to nie najlepszy pomysł. Rosa mogła chować się gdzieś w krzakach czy na poboczu szosy – wtedy mógłby ją łatwo przeoczyć, nawet gdyby jechał powoli. Ruszył więc pieszo w stronę Lansquenet, zatrzymując się od czasu do czasu, by nawoływać ją po imieniu. Zaglądał do przydrożnych rowów i za grube pnie drzew. Zboczył w stronę niewielkiego stawu, który mógłby stanowić niejaką pokusę dla pełnego ciekawości dziecka. Potem przeszukał opuszczoną stodołę. Ale nigdzie nie dostrzegł żadnego śladu Rosy. W końcu, gdy już zbliżał się do wioski, zdecydował się na sprawdzenie ostatniej, prawdopodobnej możliwości. Skręcił w stronę domu Mireille.

Pierwszą rzeczą, którą zauważył, był samochód zaparkowany przy wejściu: luksusowy, szary mercedes z przyciemnianymi szybami i tablicami rejestracyjnymi wypożyczalni. Samochód w sam raz dla gangstera, pomyślał, albo prowadzącego popularny teleturniej w telewizji. Nagle zrozumiał, co się dzieje, i z walącym sercem ruszył w stronę drzwi. Nie zadając sobie nawet trudu, by zapukać, wpadł do środka, wykrzykując ostro:

– Rosa?

Siedziała na podeście schodów w swoim pomarańczowym sweterku i w dżinsach i przeglądała album ze zdjęciami. Tuż przy drzwiach stały jej kalosze. Gdy Jay wykrzyknął jej imię, spojrzała na niego i rozpromieniła się w uśmiechu. Poczucie wielkiej ulgi niemal powaliło go z nóg.

– Co ty sobie wyobrażasz? Co to ma być za zabawa? Szukam cię po całej okolicy. Jak się tu dostałaś?

Rosa patrzyła na niego ani trochę nie speszona.

– Przecież przyjechała po mnie twoja przyjaciółka. Ta angielska przyjaciółka.

– Gdzie ona jest? – Jay poczuł, że ulga ustępuje miejsca ślepej furii. – Gdzie, kurwa mać, ona teraz jest?

– Jay, kochanie – Kerry stanęła w drzwiach kuchni, najwyraźniej tu zadomowiona, z kieliszkiem wina w ręku. – Obawiam się, że nie jest to język, jakiego powinieneś używać w obecności dziecka powierzonego twojej opiece – mówiąc to, posłała mu jeden ze swoich najbardziej ujmujących uśmiechów. Tuż za jej plecami stanęła Mireille, wielka i monumentalna w czarnej sukni.

– Wróciłam, by zamienić z tobą jeszcze słowo, ale już wyszedłeś – ciągnęła słodkim głosem. – Otwarła mi Rosa. Odbyłyśmy we dwie uroczą rozmowę, prawda, Rosa? – To ostatnie zdanie wypowiedziała po francusku, pewnie by włączyć do rozmowy Mireille, wciąż tkwiącą milcząco za jej plecami. – Muszę przyznać, że potrafiłeś zachować się nadzwyczaj dyskretnie, Jay, kochanie. Biedna madame Faizande nie miała o niczym bladego pojęcia.

Jay rzucił okiem na Mireille przyglądającą się tej scenie z rękami złożonymi na potężnych piersiach.

– Kerry... – zaczął złowieszczo. Ona znowu uraczyła go jednym ze swoich wyrachowanych, oszałamiających uśmiechów.

– Urocze spotkanie babki i wnuczki po latach – rzuciła. – Wiesz, zaczynam rozumieć, co cię tu tak urzeka. Tak wiele tajemnic. Tak wiele fascynujących postaci. Na przykład madame d'Api. Madame Faizande opowiedziała mi o niej co nieco. Muszę jednak przyznać, że niecałkiem było to zgodne z jej obrazem przedstawionym w książce.

Jay spojrzał na Rosę.

– Chodź, Rosa – powiedział spokojnym głosem. – Czas wracać do domu.

– A tak przy okazji – jesteś tutaj nadzwyczaj popularny – wtrąciła znów Kerry. – Jestem pewna, że po emisji „Lądów obiecanych" zostaniesz obwołany miejscowym bohaterem. Dzięki tobie to miejsce wreszcie się rozwinie.

Jay całkowicie ją zignorował.

– Rosa – powtórzył. Dziecko westchnęło teatralnie, po czym wstało.

– Czy naprawdę będziemy w telewizji – zapytała Jaya rezolutnym tonem, wciągając kalosze. – *Maman* i ty, i wszyscy inni? Wiesz, my mamy w domu telewizor. Lubię oglądać „Cocoricoboy'a" i „Nos Amis Les Animaux". Ale *maman* nie pozwala mi oglądać „Cinéma de Minuit". – Skrzywiła się lekko. – Za dużo się tam całują.

Jay wziął ją za rękę.

– Nikt z nas nie będzie w telewizji – oznajmił.

– Uee.

– Obawiam się, że ty w tej sprawie nie masz już nic do powiedzenia – rzuciła Kerry słodko. – Zdołałam zebrać dostateczną ilość materiału na doskonały program, bez względu na to, czy zechcesz w nim wystąpić, czy nie. Artysta, jego wpływ na lokalną społeczność, wiesz takie tam. Niech Peter Mayle się schowa. Zanim się spostrzeżesz, ludzie zaczną tu walić tłumami, by na własne oczy obejrzeć „Krainę Jaya Mackintosha". Tak naprawdę powinieneś być mi dozgonnie wdzięczny.

– Proszę, Kerry.

– Och, na Boga jedynego! Gdyby cię ktoś posłuchał, pomyślałby że przystawiam ci pistolet do głowy. Każdy inny oddałby prawą rękę za taką reklamę, i do tego bezpłatną!

– Ale nie ja.

Zaśmiała się.

– Oczywiście, zawsze wszystko musiałam robić za ciebie – rzuciła radośnie. – Organizować spotkania, wywiady. Zabierać cię na odpowiednie przyjęcia. Pociągać za sznurki. A ty teraz kręcisz nosem na doskonałą okazję promocji samego siebie. I to w imię czego? Dorośnij wreszcie, skarbie. Nikt już nie uważa ekscentryzmu za coś czarującego.

Przez moment przemawiała niemal słowami Nicka, i w tej samej chwili Jay nabrał obrzydliwego przekonania, że oboje się zmówili, uknuli to wszystko razem.

– Ja nie chcę, żeby zaczęły tu walić tłumy – oświadczył. – Nie chcę tu turystów, barów z hamburgerami i kiosków z pamiątkami. Nie w Lansquenet. Dobrze wiesz, w co taka reklama przekształca podobne wioski.

Kerry wzruszyła ramionami.

– Mnie się wydaje, że właśnie tego tej miejscowości najbardziej potrzeba – oznajmiła rzeczowym tonem. – Teraz robi wrażenie na wpół wymarłej. – Przez chwilę ze zmarszczonymi brwiami pilnie studiowała swoje paznokcie. – Poza tym takie decyzje nie należą do ciebie, prawda? A nie wyobrażam sobie, by z lokalnych mieszkańców ktoś chciał odrzucić możliwość świetnego biznesu.

Oczywiście miała rację. I to było najgorsze. Wszystko teraz potoczy się siłą rozpędu, czy ktoś sobie tego życzy, czy nie. Nagle Jay wyobraził sobie, że Lansquenet mogłoby podzielić los Pog Hill – zostać relegowane do kategorii miejsc istniejących jedynie w przeszłości.

– Nie tutaj. Nie dopuszczę do tego – rzucił, wychodząc.

Jeszcze gdy szedł ulicą, dźwięczał mu w uszach szyderczy śmiech Kerry.

61

Marise zjawiła się jak zwykle o siódmej – tym razem z butelką wina w jednym, i zamkniętym, wiklinowym koszykiem w drugim ręku. Miała puszyste, świeżo umyte włosy i po raz pierwszy od czasu, gdy Jay ją poznał, do swojego czarnego swetra włożyła spódnicę – długą, czerwoną. To ją odmieniło, nadało jakiegoś cygańskiego charakteru. Usta miała pociągnięte szminką, a w oczach szczególny blask.

– Uznałam, że powinniśmy urządzić sobie drobną uroczystość – oznajmiła, stawiając butelkę na stole. – Przyniosłam ser, *fois gras* i chleb orzechowy. Znajdzie się też kawałek ciasta i trochę migdałowych herbatników. Ach, a tu mam coś jeszcze – mówiąc to, wyjęła z koszyka dwa świeczniki z brązu, po czym wstawiła do nich świece. – Uroczo, prawda? – stwierdziła. – Już nie pamiętam, kiedy ostatni raz jadłam kolację przy świecach.

– W zeszłym roku – wtrąciła bez pardonu Rosa. – Jak się zepsuł generator.

Marise wybuchnęła śmiechem.

– To się zupełnie nie liczy.

Jay jeszcze nie widział jej tak swobodnej, jak tego wieczoru. Przy pomocy Rosy nakryła do stołu: ustawiły talerze malowane w żywe kolory i kryształowe kieliszki do wina. Rosa narwała w ogrodzie kwiatów. Jedli *fois gras* na kromkach orzechowego chleba i pili wino produkcji Marise – o posmaku miodu, brzoskwiń i prażonych migdałów; potem była sałata i kozi ser na ciepło, a na koniec kawa, ciasto i herbatniki. Przez ten cały czas Jay starał się zebrać myśli i odwagę. Rosa – która miała przykazane, by w żadnym razie ani słowem nie wspominać o ich wizycie w Lansquenet – tryskała radością, wciąż domagała się swojego *canard* (kostki cukru umoczonej w winie), ukradkiem podsuwała różne kąski Clopette: najpierw pod stołem, a gdy koza została eksmitowana do ogrodu – przez uchylone okno. Marise była roześmiana, rozmowna i wyglądała przeuroczo.

Jay wmawiał sobie, że czeka na odpowiednią chwilę. Oczywiście, tak naprawdę zdawał sobie sprawę, że coś takiego jak właściwa chwila nigdy nie nadejdzie, że po prostu ucieka się do taktyki odwlekania tego, co nieuniknione. Bo przecież musi jej powiedzieć, zanim ona dowie się od kogoś obcego. Czy, co nie daj Boże, zanim w jakikolwiek sposób zdradzi się Rosa.

Jednak im dłużej się wahał, tym trudniej było mu podjąć decyzję. Stracił animusz do rozmowy. Poczuł tępy ból głowy. Marise jednak zdawała się tego nie dostrzegać. Opowiadała z ożywieniem o szczegółach następnej fazy prac drenażowych i o rozbudowie piwnicy. Z ulgą wyjaśniała, że uda jej się ocalić jeszcze co nieco z tegorocznych zbiorów, i że chociaż nie będą to wielkie ilości, patrzy z optymizmem na nadchodzący rok. Oznajmiła, że zrobi wszystko, by wykupić farmę, natychmiast po wygaśnięciu dzierżawy. Miała trochę pieniędzy zgromadzonych w banku, a ponadto pięćdziesiąt beczek *cuvée spéciale* w swojej piwnicy, gotowego do sprzedaży, gdy tylko przyjdzie odpowiednia koniunktura. Ziemia w Lansquenet była tania – szczególnie słabo zdrenowane grunty jak te, które obecnie znajdowały się w jej użytkowaniu. A po tegorocznym katastrofalnym lecie, ceny mogą spaść jeszcze niżej. Pierre-Emile, ten który odziedziczył farmę, nie miał zacięcia do interesów. Będzie zadowolony, gdy cokolwiek zarobi na domu i winnicy. Marise mogłaby zapłacić określony procent ceny gotówką, a na resztę zaciągnąć długoterminowy kredyt w banku.

Im więcej opowiadała o swoich planach, tym parszywiej zaczynał się czuć Jay. A gdy przypomniał sobie na dodatek, co Joséphine mówiła mu o cenach gruntów – serce w nim zamarło. Z wahaniem w głosie zapytał, co by zrobiła, gdyby jednak, jakimś fatalnym zrządzeniem losu...

Jej twarz lekko stężała, lecz wzruszyła ramionami.

– Będę musiała stąd wyjechać – powiedziała z prostotą. – Zostawić to wszystko, wrócić do Paryża czy do Marsylii. Na pewno do jakiegoś dużego miasta. I pozwolić Mireille... – urwała gwałtownie, jednak natychmiast przybrała pogodną minę. – Ale nic podobnego się nie zdarzy – oznajmiła z mocą. – Nic podobnego. Zawsze marzyłam o tym, by mieć takie miejsce dla siebie – ciągnęła, a jej rysy złagodniały. – Własną ziemię, dom, wiele drzew i może jeszcze kawałek rzeki. Bezpieczne, swojskie miejsce. – Uśmiechnęła się szeroko. – Może gdy ta posiadłość będzie już moja, gdy warunki dzierżawy przestaną wisieć niczym miecz nad moją głową, wszystko się zmieni – stwierdziła niespodziewanie. – Może rozpocznę swoje życie w Lansquenet na nowo. Znajdę dla Rosy przyjaciółki w odpowiednim wieku. Dam tutejszym ludziom jeszcze jedną szansę. – Nalała sobie kolejny kieliszek słodkiego, złotego wina. – Dam sobie samej jeszcze jedną szansę.

Jay z trudnością przełknął ślinę.

– A co z Mireille? Nie narobi ci kłopotów?

Marise potrząsnęła głową. Miała półprzymknięte oczy, teraz nieco kocie i senne.

– Mireille nie będzie żyć wiecznie – oznajmiła. – Poza tym... wiem, jak poradzić sobie z Mireille. Jednak tylko tak długo, jak długo farma jest w moich rękach.

Przez jakiś czas potem rozmawiali na całkiem inne tematy. Popijali kawę z armaniakiem, a Rosa, przez szczeliny w okiennicy, karmiła kozę herbatnikami. Chwilę później Marise posłała córkę spać, wśród tylko nieznacznych protestów ze strony dziecka – ostatecznie dochodziła północ, więc Rosa i tak zabawiła znacznie dłużej niż zazwyczaj. Jay nie posiadał się ze zdziwienia, że w czasie tego wieczoru dziecko go nie wydało. W pewnym sensie nawet tego żałował. Gdy Rosa zniknęła na górze – z herbatnikiem w dłoni, po solennej obietnicy, że na śniadanie będą naleśniki – Jay włączył radio, nalał kolejny kieliszek armaniaku i podał go Marise.

– Mmm. Dziękuję.

– Marise?

Spojrzała na niego leniwie.

– Czemu uparłaś się na Lansquenet? Przecież po śmierci Tony'ego mogłaś przenieść się gdziekolwiek. Uniknąć tej całej... awantury z Mireille?

Sięgnęła po herbatniczka.

– To musiało być Lansquenet – powiedziała w końcu. – Po prostu musiało.

– Ale dlaczego? Czemu nie Montauban czy Nérac, czy jakakolwiek inna z okolicznych wiosek? Co takiego jest w Lansquenet, czego nie mogłabyś mieć gdzie indziej? Czy to dlatego, że tutaj urodziła się Rosa? Czy to... czy to może z powodu Tony'ego?

Roześmiała się, całkiem miło, jednak w sposób, którego nie potrafił zinterpretować.

– Można i tak to ująć – przyznała.

Jay poczuł nagły skurcz serca.

– Nie opowiadasz o nim zbyt wiele.

– Nie. To prawda. Nie opowiadam.

Zamilkła i zapatrzyła się w kieliszek.

– Przepraszam. Nie powinienem wtykać nosa w nie swoje sprawy. Zapomnij, że cię o to pytałem.

Marise posłała mu dziwne spojrzenie, po czym znowu skierowała wzrok na kieliszek. Jej długie palce nerwowo gładziły szkło.

– W porządku. Bardzo mi pomogłeś. Byłeś wyjątkowo miły. Ale, wiesz, to jest takie skomplikowane. Chciałam ci wszystko opowiedzieć. Chciałam ci opowiedzieć już od dłuższego czasu.

Jay usiłował jej wytłumaczyć, że to nie tak; że tak naprawdę on wcale nie musi nic wiedzieć; że właściwie desperacko próbuje jej powiedzieć coś zupełnie innego.

Ale jakoś nic z tego nie wyszło.

– Od dłuższego czasu mam problemy z okazywaniem ludziom zaufania – zaczęła Marise powoli. – Po tym, co przeszłam z Tonym. I z Patrice'em. Wmawiałam sobie, że w zasadzie nikogo nie potrzebuję. Że będziemy bezpieczniejsze, żyjąc samotnie – Rosa i ja. Że i tak nikt nie uwierzy w prawdę, nawet gdy ją już usłyszy. – Urwała, wodząc palcem po zawiłym wzorze słojów na blacie stołu. – Bo z prawdą właśnie tak jest – podjęła po chwili. – Im bardziej chcesz ją komuś wyznać, tym trudniej ci to przychodzi. W końcu wydaje się wręcz niemożliwe.

Jay kiwnął głową. W tym momencie doskonale ją rozumiał.

– Ale z tobą... – Uśmiechnęła się. – Może dlatego, że jesteś obcokrajowcem. Mam jednak wrażenie, jakbym znała cię od wielu lat. Jakbym zawsze mogła ci ufać. Czyż inaczej bowiem powierzyłabym ci Rosę?

– Marise. – Znowu z trudem przełknął ślinę. – Ja naprawdę muszę ci coś...

– Ciii. – Miała senny, rozmarzony wyraz twarzy, a na policzkach rumieńce od wina i ciepła panującego w pokoju. – Muszę ci wszystko opowiedzieć. Muszę wyjaśnić. Próbowałam już wcześniej, ale... – Potrząsnęła głową. – Wydawało mi się to tak skomplikowane – rzuciła miękkim głosem. – A tymczasem to jest takie proste. Jak wszystkie tragedie życiowe. Proste i głupie. – Wciągnęła głęboko powietrze. – Wpadłam w potrzask, zanim się zorientowałam. A potem zrozumiałam, że już za późno, by się wyplątać. Wlej mi jeszcze trochę armaniaku, proszę.

Natychmiast i bez wahania spełnił jej prośbę.

– Lubiłam Tony'ego. Jednak go nie kochałam. Ale przecież miłość nie gwarantuje niczego na dłuższą metę, prawda? Natomiast mnie się wydawało, że tę moc mają pieniądze. Zapewniają poczucie bezpieczeństwa, własny dom i ziemię. Wmawiałam sobie, że to wszystko, czego tak naprawdę pragnę do szczęścia. Tylko uciec od Patrice'a. Uciec od wielkiego miasta i od poczucia samotności. Oszukiwałam się, że tylko tego mi trzeba. Tylko tego i niczego więcej.

Przez jakiś czas wszystko układało się jak najlepiej. Jednak z czasem Mireille stawała się coraz bardziej wymagająca, a zachowanie Tony'ego coraz bardziej patologiczne. Marise próbowała omówić ten problem z Mireille, ale bez powodzenia. W opinii Mireille, Tony'emu nic nie dolegało.

„Jest silnym, zdrowym chłopcem – powtarzała uparcie i do znudzenia. – Więc nie próbuj mieszać mu w głowie, bo stanie się równie neurotyczny jak ty".

Od tej chwili za każde dziwactwo Tony'ego była obwiniana Marise: za jego wybuchy wściekłości, okresy depresji, rozmaite obsesje.

– Pewnego razu na przykład były to lustra – wyjaśniała. – Trzeba było zakrywać każde lustro w domu, bo, jak twierdził, lustrzane odbicie kradnie mu światło z głowy. Wtedy nawet golił się bez lustra. Wciąż chodził pozacinany. W końcu zgolił sobie brwi. Oznajmił, że tak jest bardziej higienicznie.

Gdy okazało się, że Marise zaszła w ciążę, Tony wpadł w kolejną manię. Stał się chorobliwie nadopiekuńczy. Podążał za nią wszędzie, dokąd szła – nawet do toalety. Wciąż jej usługiwał. Dla Mireille był to niezbity dowód jego przywiązania. Marise miała wrażenie, że za moment się udusi. A niedługo potem zaczęły nadchodzić listy.

– Od razu wiedziałam, że są od Patrice'a – przyznała Marise. – To właśnie było bardzo w jego stylu. Typowe prześladowanie. Jednak tutaj jakoś nie odczuwałam przed nim strachu. Mieliśmy stróżujące psy, broń, rozległe przestrzenie. Myślę, że Patrice też zdawał sobie z tego sprawę. W jakiś sposób dowiedział się, że jestem w ciąży. Każdy list mówił tylko o tym. „Pozbądź się dziecka, a wybaczę ci" – w kółko pisał coś podobnego. Wówczas jednak bez trudu przyszło mi to ignorować.

Ale wkrótce Tony odkrył całą sprawę.

– Opowiedziałam mu wszystko – przyznała gorzko. – Wydawało mi się, że jestem mu to winna. Poza tym chciałam, żeby zrozumiał, że teraz jesteśmy bezpieczni, bo ta sprawa należy do przeszłości. Tym bardziej że listy zaczęły przychodzić coraz rzadziej.

Westchnęła ciężko.

– Powinnam była wykazać się większym rozsądkiem. Od tego czasu żyliśmy jak w oblężonej twierdzy. Tony jeździł do miasta tylko raz w miesiącu, na wielkie zakupy, a poza tym nie ruszał się z domu. Przestał chodzić z przyjaciółmi do kawiarni. Wmawiałam sobie, że ma to i dobrą stronę – przynajmniej cały czas był trzeźwy. Za to nocami prawie nie sypiał. Większość czasu spędzał na czuwaniu. Oczywiście Mireille obarczyła mnie winą za jego zachowanie.

Rosa urodziła się w domu. Mireille pomagała przyjąć poród. Była rozczarowana, że Rosa nie jest chłopcem, ale szybko doszła do wniosku, że na chłopca jeszcze przyjdzie czas. Wciąż się nie mogła nadziwić, że Rosa jest tak mała i delikatna. Nie ustawała w dobrych radach na temat karmienia, przewijania i pielęgnacji. Bardzo często te porady zakrawały na tyranię.

– On, oczywiście, jej o wszystkim opowiedział – wspominała Marise. – Powinnam była to przewidzieć. Nie umiał niczego przed nią ukryć. W ten sposób w jej wyobraźni szybko stałam się najczarniejszym charakterem w całej historii – kobietą uwodzącą podstępnie mężczyzn, a potem chowającą się za plecy męża, by uniknąć konsekwencji.

Pomiędzy obiema kobietami zapanował mrożący chłód. Mireille wciąż była w domu, ale prawie nigdy nie zwracała się bezpośrednio do Marise. Całymi wieczorami rozprawiała z Tonym w ożywieniu o wypadkach i ludziach, o których Marise nie miała w ogóle pojęcia. W takich chwilach Tony nigdy nie zauważał jej milczenia – był radosny, pełen życia i pozwalał matce, by mu przesadnie nadskakiwała, jak gdyby wciąż jeszcze był małym chłopcem, a nie żonatym mężczyzną i ojcem nowo narodzonego dziecka. A potem, niczym grom z jasnego nieba, na progu ich domu zjawił się Patrice.

– Nadszedł schyłek lata – opowiadała Marise. – Zbliżała się ósma wieczorem. Właśnie skończyłam karmić Rosę. Usłyszałam, że jakiś samochód zatrzymuje się na podjeździe. Byłam wówczas na górze i drzwi otworzył Tony. A tam stał Patrice.

Bardzo się zmienił od czasu, gdy widziała go po raz ostatni. Teraz przybrał ugodową pozę, był niemal pokorny. Nie żądał spotkania z Marise. Powiedział natomiast Tony'emu, że bardzo mu przykro z powodu tego wszystkiego, co się wydarzyło, że poważnie chorował i że dopiero teraz zdał sobie ze wszystkiego sprawę. Marise słuchała jego słów, siedząc na piętrze. Patrice przywiózł ze sobą pieniądze – 20 000 franków. Stwierdził, że oczywiście taka suma nie jest w stanie zadośćuczynić za wszystkie krzywdy, które wyrządził, ale może wystarczy, by założyć fundusz powierniczy dla dziecka.

– Wyszli z domu razem z Tonym. Nie było ich przez długi czas. Tony powrócił po zmierzchu sam. Powiedział mi, że wszystko załatwił, że Patrice już nigdy więcej nie będzie nas nachodził. Był tak kochający, jak nigdy dotąd. Nagle nabrałam wiary, że jeszcze wszystko może się ułożyć.

Przez kilka następnych tygodni czuli się bardzo szczęśliwi. Marise doglądała Rosy. Mireille trzymała się od nich z daleka. Tony przestał wreszcie czuwać nocami. A potem, pewnego dnia, gdy Marise poszła po jakieś zioła rosnące koło domu, zobaczyła, że drzwi do stodoły są uchylone. Gdy chciała je zamknąć dostrzegła w środku samochód Patrice'a, nieudolnie ukryty za kilkoma belami siana.

– Z początku wszystkiego się wypierał – powiedziała. – Był jak mały chłopiec. Nie przyjmował do wiadomości, że ja cokolwiek mogłam w tej stodole zobaczyć. Potem wpadł w jedną z tych swoich furii. Nazwał mnie dziwką. Oskarżył o spotykania z Patrice'em za jego plecami. W końcu przyznał się do tego, co zrobił. Owego dnia zabrał Patrice'a do stodoły i zabił łopatą.

Nie wykazywał najmniejszych oznak żalu czy skruchy. Stwierdził, że nie miał innego wyjścia. Jeżeli ktoś ponosił winę za to, co się stało, to tylko Marise. Uśmiechając się chytrze, niczym psotny uczniak, opowiedział jej, jak ukrył samochód w stodole, a potem zakopał zwłoki Patrice'a gdzieś na terenie posiadłości.

– Gdzie? – dopytywała się Marise.

Tony jednak tylko wciąż się uśmiechał i potrząsał przebiegle głową.

– Nigdy się nie dowiesz – oznajmił jej w końcu.

Po tych wydarzeniach stan Tony'ego gwałtownie się pogorszył. Teraz całymi godzinami przesiadywał tylko w towarzystwie matki, a potem zamykał się na klucz w pokoju i rozkręcał telewizor na cały regulator. Nie chciał patrzeć nawet na Rosę. Marise dostrzegała u niego wszelkie symptomy schizofrenii i próbowała nakłonić, by na nowo zaczął brać leki, ale on nie miał już do niej zaufania. Mireille skrzętnie się o to postarała. W niedługi czas później Tony popełnił samobójstwo, a Marise odczuła jedynie ulgę zabarwioną poczuciem winy.

– Zaraz potem chciałam wyjechać – oznajmiła bezbarwnym głosem. – Z Lansquenet nie wiązało mnie już nic prócz koszmarnych wspomnień. Spakowałam wszystkie swoje rzeczy. Nawet zarezerwowałam miejsca w pociągu do Paryża dla siebie i dla Rosy. Ale Mireille nie dała mi wyjechać. Oznajmiła, że Tony zostawił dla niej list, w którym wszystko dokładnie opisał. Patrice został pogrzebany gdzieś na ziemi Foudouinów. Albo na tej posiadłości, albo na drugiej – za rzeką. Teraz już tylko ona wiedziała gdzie.

„Będziesz musiała już tu pozostać na zawsze, eh – oświadczyła Mireille triumfującym głosem. – Nigdy nie pozwolę, byś wywiozła stąd moją Rosę. Jeżeli tylko spróbujesz, zadzwonię na policję i powiem, że to ty zabiłaś tego człowieka z Marsylii, że mój syn powiedział mi o tym przed śmiercią i że ząbił się dlatego, bo już nie mógł dłużej znosić konieczności osłaniania morderczyni".

– Była nad wyraz przekonująca – przyznała Marise gorzkim głosem. – Nie pozostawiła mi żadnych wątpliwości, że trzyma język za zębami tylko ze względu na Rosę. By nie pozbawiać dziecka matki.

Jednak wkrótce Mireille rozpętała kampanię na rzecz poróżnienia Marise z innymi mieszkańcami wioski. Nie było to trudne; w ciągu tego roku Marise rzadko wymieniała z kimś kilka słów, bo większość czasu spędzała na farmie, całkowicie odizolowana od świata. Natomiast Mireille dała teraz upust całej swojej, do tej pory trzymanej w ryzach, nienawiści. Rozpuszczała po wsi dziwaczne plotki, dawała do zrozumienia, że Marise kryje mroczne sekrety. Tony był bardzo lubiany w Lansquenet. A Marise nie należała do społeczności – pochodziła z wielkiego miasta. Na rezultaty działań Mireille nie trzeba było długo czekać.

– Och, tak naprawdę nie działo się nic poważnego – powiedziała Marise. – Petardy odpalane pod moimi oknami. Anonimowe listy. Ogólna niechęć. Z Patrice'em przeszłam o wiele gorsze rzeczy.

Wkrótce jednak stało się jasne, że batalia Mireille nie jest jedynie wynikiem czystej nienawiści.

– Chciała odebrać mi Rosę – wyjaśniła Marise. – Wymyśliła sobie, że jeżeli uda jej się zmusić mnie do opuszczenia Lansquenet, będzie miała dziecko dla siebie. Widzisz, ja przecież wówczas musiałabym się na to zgodzić. Bo ona wszystko wiedziała. A gdyby mnie aresztowali za zamordowanie Patrice'a, Rosa i tak przeszłaby pod opiekę Mireille, bo to przecież jej jedyna bliska krewna.

Marise wstrząsnął dreszcz.

Ostatecznie postanowiła odciąć się do wszystkich. Od wszystkich bez wyjątku. Zaszyła się na swojej farmie i celowo nie utrzymywała kontaktów z nikim z Lansquenet. Wykorzystując zaś czasową głuchotę Rosy, odizolowała ją całkowicie od Mireille. Samochód Patrice'a porzuciła na bagnach i na własne oczy widziała, jak zapadł się w szuwarach poniżej poziomu stojącej wody. Rozumiała, że obecność samochód obciążała ją jeszcze bardziej. Nie mogła jednak opuścić tej ziemi. Musiała być blisko tego miejsca. Mieć na nie oko. A do tego jeszcze pozostawała kwestia zakopanych zwłok.

– Z początku próbowałam je znaleźć – powiedziała. – Metodycznie przeszukałam wszystkie budynki, sprawdziłam pod podłogami. Ale na dłuższą metę to nie miało sensu. Do tej posiadłości należą wszystkie grunty aż do linii bagien. Nie byłabym przecież w stanie sprawdzić każdego metra.

A do tego wówczas żył jeszcze stary Emile. Nie można było wykluczyć, że Tony zakopał ciało gdzieś na jego ziemi. Prawdę powiedziawszy, Mireille nawet sugerowała coś podobnego, ze zjadliwą radością dając Marise do zrozumienia, jaką ma nad nią przewagę. Dlatego Marise tak bardzo zależało na nabyciu Château Foudouin. Jay usiłował sobie wyobrazić, co musiała czuć, gdy obserwowała, jak przekopywał grządki, okopywał drzewa w sadzie. Każdego dnia zastanawiała się zapewne, czy to przypadkiem już nie dziś...

Impulsywnie chwycił ją za rękę. Miała lodowatą dłoń. Czuł, jak przez jej palce przebiega ledwo wyczuwalne drżenie. Fala podziwu dla tej kobiety, dla jej niesłychanej odwagi, przyprawiła go o lekki zawrót głowy.

– A więc dlatego nie pozwoliłaś nigdy, by ktoś zajmował się twoją ziemią – wywnioskował. – Dlatego nie zgodziłaś się na sprzedaż bagien pod budowę nowego hipermarketu. Dlatego musisz tutaj pozostać.

Pokiwała głową.

– Nie mogłam dopuścić, by ktoś kiedykolwiek odnalazł to, co ukrył Tony – oznajmiła. – Po upływie tak długiego czasu od tamtych wydarzeń, nikt by już nie uwierzył, że nie miałam z tym nic wspólnego. A do tego przecież wiedziałam, że Mireille nigdy nie udzieliłaby mi wsparcia. Nigdy nie przyznałaby, że jej cudowny Tony... – urwała i gwałtownie wciągnęła powietrze.

– A więc teraz już wiesz – wykrztusiła po chwili. – Teraz poza mną i Mireille ktoś jeszcze się w końcu o tym dowiedział.

Pachniała tymiankiem i deszczem. Jej włosy wydzielały jakieś kwiatowe wonie. Jay wyobraził sobie, że opowiada jej o wydarzeniach tego dnia, i że w tym momencie znika z jej oczu to zielone światło, a twarz tężeje w kamienną maskę.

Kto inny może by się na to zdobył. Ktoś dorównujący jej odwagą i szczerością. Ale Jay tylko przyciągnął ją do siebie, wtulił twarz w jej włosy, przycisnął usta do jej warg. Napawał się jej uległą miękkością w swoich ramionach, muśnięciem jej oddechu na swoim policzku. Jej pocałunek miał dokładnie taki posmak, jak sobie zawsze wyobrażał: jeżyn i dzikiej róży. Zaczęli się kochać właśnie tu, na nierozścielonym posłaniu Jaya, podczas gdy przez uchyloną okiennicę ciekawie wpatrywała się w nich koza, a ciepłe, złociste światło układało się w kalejdoskopowe wzory na mrocznym błękicie ścian.

Przez chwilę wydawało się, że to wystarczy za wszystko.

62

„Wkrótce. Wkrótce".

Teraz „Specjały" zdawały się obecne wszędzie – w powietrzu, w glebie, w ciałach kochanków; Jay leżał na łóżku, wpatrując się w sufit; Marise spała z twarzą po dziecięcemu wciśniętą w poduszkę, z miedzianymi włosami rozrzuconymi po białym lnie na kształt dumnego proporca.

Ja zaś wciąż wyczuwałam potężną moc tych barbarzyńskich trunków – słyszałam ich pełne entuzjazmu głosy, ponaglające, kuszące pochlebstwami. „Wkrótce", szeptały uwodzicielsko. „To musi zdarzyć się wkrótce. Może nawet teraz".

Jay zaczął się przyglądać pogrążonej we śnie Marise. Wyglądała na tak ufną, przepełnioną poczuciem bezpieczeństwa. Wymruczała coś cicho przez sen, bez wyraźnych słów. Uśmiechnęła się. Jay dokładniej opatulił ja kocem, w który ona natychmiast wtuliła twarz z głębokim westchnieniem.

Jay wpatrywał się w nią i rozmyślał o nadchodzącym dniu. Przecież musi wpaść na jakiś pomysł. Na pewno coś jeszcze da się zrobić. Nie dopuści, by Marise straciła swoją posiadłość. W żaden sposób nie może oddać Lansquenet w łapy drapieżnych przedsiębiorców budowlanych. A przecież już tego ranka zjedzie tu ekipa filmowa. To dawało mu ile? Sześć godzin? Siedem?

Ale na co właściwie? Cóż takiego mógłby zdziałać w siedem godzin? Czy nawet siedemdziesiąt? Co ktokolwiek mógłby w podobnej sytuacji zmienić?

„Joe na pewno by coś wymyślił".

Głos, który nagle usłyszał, brzmiał niemal znajomo. Cyniczny, serdeczny, lekko rozbawiony.

„Wiesz, że on dałby radę".

Oczywiście. Niewiele brakowało, a Jay powiedziałby to na głos. Ale Joe nie żył. Znowu zalała go fala żalu, jak zawsze, gdy przychodził mu na myśl stary przyjaciel. Joe nie żył. A z nim umarła magia. I podobnie jak „Specjały" – już nigdy nie powróci.

„W tym nigdy nie było za wiele sensu, chłopcze".

Tym razem głos bez wątpienia należał do Joego. Przez moment serce skoczyło Jayowi z radości, ale już sekundę później uświadomił sobie, że ten głos dźwięczy w jego głowie przywoływany z otchłani pamięci. Życie Joego – rzeczywiste, cielesne życie – przestało istnieć. Ten głos był jedynie substytutem. Grą wyobraźni. Magicznym zaklęciem, mającym rozproszyć strach.

„Przecież rzekłem ci, byś pamiętał o »Specjałach«. Jużeś zapomniał?"

– Oczywiście, że nie – wyszeptał Jay bezradnie. – Ale już nie ma żadnych „Specjałów". Wszystkie zostały wypite. Roztrwoniłem je na tak trywialne bzdury, jak nakłanianie ludzi do zwierzeń. Jak przekonywanie Marise...

„Czemu ty mnie, do pioruna, nie słuchasz?"

Głos Joego – jeżeli to w ogóle był głos Joego – zdawał się teraz dochodzić zewsząd; wibrował w powietrzu, wydobywał się z żaru dogasającego w kominku i połyskliwych włosów Marise rozrzuconych po poduszce.

„Coś ty robił, jak uczyłem cię tych wszystkich rzeczy, jeszcze na Pog Hill? Czyżeś doprawdy nic z tego nie wyniósł?"

– Ależ tak. Pewnie, że tak. – Jay potrząsnął głową, zdezorientowany. – Tylko że bez Joego magia już nie działa. Tak jak ostatnim razem na Pog Hill...

Ściany odpowiedziały mu gromkim śmiechem, od którego aż zadrgało powietrze. Z kominka zdawał się wypływać fantasmagoryczny aromat jabłek i dymu. Nocne niebo się zaiskrzyło.

„Włóż rękę do gniada os dostatecznie dużą ilość razy, a na pewno cię pożądlą", zabrzmiał ponownie głos Joego. „Żadna magia tego nie powstrzyma. Bo nawet magia nie działa wbrew naturze. Magii trzeba niekiedy dopomóc, chłopcze. Dać jej coś, z czego mogłaby czerpać. Dać jej szansę, by mogła zadziałać. Trzeba jej stworzyć odpowiednie warunki".

– Ale przecież miałem talizman. Wierzyłem...

„Nigdy żeś nie potrzebował żadnego talizmanu”, odpowiedział mu głos. „Zawsze mogłeś pomóc sobie sam. Trzeba ci było stanąć do walki. Ale nie. Ty tylko zawsze uciekałeś. Czy tak ma wyglądać wiara? Po mojemu to czysta głupota. Więc nie wstawiaj mi tu tych głodnych kawałków, o tym, że w coś wierzyłeś”.

Jay zastanowił się chwilę nad tym, co usłyszał.

„Masz wszystko, czego ci teraz trzeba”, zabrzmiał ponownie głos radosnym tonem. „To drzemie w tobie, chłopcze. Zawsze tam drzemało. Nie potrzeba ci domowego trunku jakiegoś starego postrzeleńca. Wszystkiego możesz dokonać sam”.

– Ale przecież nie mogę...

„Nie istnieje coś takiego jak »nie mogę«. Takie pioruńskie słowo po prostu nie istnieje”.

I w tym momencie głosy nagle umilkły, a Jay poczuł, że nagle w głowie wszystko mu się rozjaśnia. Teraz już wiedział na pewno, co musi zrobić.

Sześć godzin, powiedział sobie. A więc nie ma czasu do stracenia.

Nikt nie widział, jak wychodził z domu. Nikt go nie obserwował. Ale nawet gdyby tak było, nikt nie zastanawiałby się, co robi na dworze o tej porze, nikt nie uznałby tego za coś niezwykłego. Żadnego zdziwienia nie wzbudziłby też kosz wypełniony roślinami. Szerokolistne sadzonki, które tam poupychał mogły być prezentem dla kogoś, komu podupadał ogród. A nawet fakt, że Jay mamrotał coś do siebie pod nosem, jakieś słowa pobrzmiewające łaciną, też by nikogo nie zaskoczył. Był przecież Anglikiem, a to oznaczało, że musiał być nieco stuknięty. *Un peu fada, monsieur Jay.*

Okazało się, że rytuał ochrony granic terytorium, który swego czasu odprawiał razem z Joem, doskonale utkwił mu w pamięci. Co prawda nie miał czasu, by przygotować kadzidła czy świeże ziołowe saszetki, ale uznał, że w owej chwili nie miało to doprawdy większego znaczenia. Teraz już nawet on wyczuwał w powietrzu obecność „Specjałów", słyszał ich szepty, jarmarczny śmiech. Z inspektu powyjmował delikatnie sadzonki „tuber" i zaczął pakować do kosza. Wziął ich tak dużo, jak tylko zdołał unieść, a do tego zabrał jeszcze łopatkę i małe grabki. Sadził roślinki w pewnych odstępach wzdłuż całej szosy prowadzącej do wioski. Kilka z nich umieścił na skrzyżowaniu z drogą do Tuluzy, dwie przy przystanku autobusowym, dwie kolejne przy ścieżce do Les Marauds. Mgła – owa szczególna mgła, tak typowa dla Lansquenet, tocząca się leniwie od strony bagnisk ku winnicom – płynęła nad nim niczym jasny żagiel wyzłacany wczesnym słońcem. Jay Mackintosh spieszył się z obchodzeniem swojego terenu, w zasadzie robił to niemal biegiem, i zatrzymywał się tylko, by zasadzić flancę gatunku *tuberosa rosifea* na każdym rozwidleniu dróg, przy każdej bramie, każdym znaku. Odwracał drogowskazy lub zasłaniał je roślinnością, a ilekroć dał radę – wyrywał z ziemi i odrzucał daleko. Zniszczył powitalną tablicę ustawioną przez Georges'a i Luciena. Gdy przebiegł całą trasę, nie ostał się ani jeden znak informujący o istnieniu Lansquenet-sous-Tannes. Obejście czternastomilowej granicy terytorium zabrało mu niemal cztery godziny – okrążył wioskę, zatoczył pętlę przy drodze do Tuluzy, a potem wrócił przez Les Marauds. Gdy skończył, był zupełnie wyczerpany. W głowie mu huczało, a nogi drżały, jakby stał na szczudłach. Ale dopełnił dzieła. Zrobił, co należało. Pomyślał z triumfem, że tak jak Joe zdołał zamaskować Pog Hill Lane, tak on zdołał zakamuflować istnienie wioski o nazwie Lansquenet-sous-Tannes.

Kiedy wrócił do domu, Marise i Rosy już nie było. Niebo zaczęło się przejaśniać. Mgła ustępowała.

63

Kerry zjawiła się o jedenastej. Wyglądała świeżo i elegancko w białej bluzce i szarej spódnicy, z kosztowną aktówką w dłoni. Jay czekał na jej przyjście.

– Dzień dobry, Jay.

– Więc wróciłaś.

Rzuciła wzrokiem na pokój ponad jego ramieniem, rejestrując pozostawione na stole kieliszki i puste butelki.

– Wiem, powinniśmy byli zacząć dużo wcześniej, ale – czy dasz wiarę? – zabłądziliśmy w tej mgle. Snuła się tak gęstymi warstwami, jak biały dym na koncertach heavy-metalowych. – Wybuchnęła śmiechem. – Możesz wyobrazić sobie coś podobnego? W ten sposób już zmarnowaliśmy połowę dnia. A wcale nie dysponujemy imponującym budżetem. Do tego wciąż czekamy na operatorów kamer. Okazało się, że skręcili nie tam, gdzie trzeba, i wylądowali w połowie drogi do Agen. Ach te tutejsze szosy. Jak dobrze, że ja je już wcześniej poznałam.

Jay wbił wzrok w jej postać. A więc nie zadziałało, pomyślał ponuro. Mimo wszystkich wysiłków, mimo jego niezachwianej wiary.

– Rozumiem więc, że nie zamierzasz zrezygnować ze swego pomysłu?

– Oczywiście, że nie – odparła Kerry zniecierpliwionym głosem. – To dla mnie zbyt duża szansa, bym ją przepuściła. – Przez chwilę pilnie wbijała wzrok w swoje paznokcie. – Jesteś tu szalenie popularny, jesteś osobistością. A gdy ukaże się twoja książka, pokażę światu, skąd czerpałeś do niej natchnienie. – Rozciągnęła usta w radosnym uśmiechu. – To taka cudowna powieść. Wywoła prawdziwą furorę. Jest nawet lepsza od „Ziemniaczanego Joe".

Jay kiwnął głową. Kerry miała rację. Pog Hill i Lansquenet – dwie strony tego samego, zmatowiałego medalu. I każde z tych miejsc – chociaż na inny sposób – złożone w ofierze na ołtarzu pisarskiej kariery Jaya Mackintosha. Po publikacji powieści, ta wieś już nigdy nie będzie tym, czym jest teraz. On, oczywiście, się stąd wyprowadzi. Wszyscy inni – Narcisse, Joséphine, Briançon, Guillaume, Arnauld, Roux, Poitou, Rosa, a nawet Marise – zostaną zredukowani do słów wydrukowanych na kartce papieru, strumienia potoczystej narracji, którą chłonie się przez kilka minut, by zaraz o niej zapomnieć. A gdy on się już stąd wyprowadzi, pojawią się przedsiębiorcy budowlani ze swoimi planami i maszynami do wyburzania domów, zmieniający całą strukturę, modernizujący wszystko wokół...

– Zupełnie nie rozumiem, czemu masz tak ponurą minę – rzuciła Kerry. – Ostatecznie podpisałeś kontrakt z WorldWide opiewający na bardzo hojną kwotę. W zasadzie nawet więcej niż hojną. A może to, co mówię, jest wulgarne?

– Ależ skąd.

Niespodziewanie zaczęło go ogarniać bardzo szczególne uczucie – nadzwyczajnego spokoju, niemal upojenia. Miał wrażenie, że w głowie coś mu musuje. Fermentujące powietrze syczało i bulgotało wokół.

– Musi im na tobie wyjątkowo zależeć – zauważyła Kerry.

– Taak – odparł Jay powolnym głosem. – Chyba rzeczywiście musi.

„Włóż rękę do gniada os dostatecznie dużą ilość razy, a na pewno cię pożądlą", tak powiedział Joe. „Żadna magia tego nie powstrzyma. Magii trzeba niekiedy dopomóc, chłopcze. Dać jej coś, z czego mogłaby czerpać... odpowiednie warunki".

Oczywiście, pomyślał sennie. Przecież to takie proste. Takie... nadzwyczaj proste.

Zaśmiał się głośno. Nagle poczuł, jak rozjaśnia mu się umysł. Jednocześnie doleciał go niespodziewanie zapach dymu i bagiennej wody, a także słodki, zmysłowy aromat dojrzałych jeżyn. Powietrze jakby wypełniła mgiełka szampana z dzikiego bzu. Jay zrozumiał nagle, że Joe jest nadal tuż przy nim, że tak naprawdę nigdy go nie opuścił. Nawet wtedy, w 1977 roku. Nigdy go nie zostawił samego. Teraz Jay niemal widział go stojącego tuż przy drzwiach – w górniczym kasku na głowie i ciężkich butach – uśmiechającego się szeroko, tak jak zawsze gdy coś sprawiało mu wyjątkową przyjemność. Jay wiedział, że to jego wyobraźnia, ale nie miał też wątpliwości, że to również rzeczywistość. Ostatecznie niekiedy wytwory wyobraźni i świat realny to jedno i to samo.

By dojść do łóżka, pod którym trzymał pudło z maszynopisem i kontrakt z WorldWide, musiał wykonać zaledwie dwa kroki. Wyciągnął karton. Kerry wpatrywała się w niego z zaciekawieniem.

– Co robisz?

Jay chwycił maszynopis powieści i znowu wybuchnął śmiechem.

– Czy wiesz, co to jest? – zapytał ją pogodnie. – To jedyny egzemplarz mojej nowej książki. A to... – wyciągnął w jej kierunku podpisany kontrakt, by mogła go uważnie obejrzeć – ważne dokumenty. Patrz, wszystko gotowe do wysłania.

– Jay, co ty wyprawiasz? – Jej głos zabrzmiał ostro.

Jay uśmiechnął się szeroko i podszedł do kominka.

– Słuchaj, przecież nie możesz...

Jay spojrzał na nią z rozbawieniem.

– Nie istnieje takie pioruńskie słowo, jak „nie można".

A gdy Kerry wrzasnęła rozdzierająco, Jay odniósł wrażenie, że ponad jej krzyk wybija się cichy, triumfalny śmiech starszego pana.

Kerry wrzasnęła, bo nagle zrozumiała, co on zamierza zrobić. To było niepoważne, idiotyczne, rządzone jakimś szalonym impulsem, a przecież Jay nigdy nie działał pod wpływem impulsu. A jednak tym razem ujrzała w jego oczach dziwny blask, którego nigdy tam przedtem nie było. Jakby ktoś nagle skrzesał szczególną iskrę. Twarz mu jaśniała. Chwycił strony kontraktu w dłonie, zgniótł i wepchnął do paleniska. Po chwili zaczął robić to samo ze stronami maszynopisu. Ogień zaczął lizać papier, najpierw go prostując, potem powoli przybrązowiając, by w końcu rozjarzyć się ostrym, wesołym płomieniem.

– Co to za gra? – głos Kerry teraz wzniósł się do piskliwego skrzeku. – Jay, co ty, kurwa, wyprawiasz?

Roześmiał się w głos.

– A jak myślisz? Poczekaj dzień czy dwa, skontaktuj się z Nickiem, a zrozumiesz na pewno.

– Oszalałeś – rzuciła gwałtownie Kerry. – Zresztą i tak ci nie uwierzę, że nie masz kopii tej powieści. A kontrakt, oczywiście, zawsze można napisać na nowo...

– Oczywiście, że można – czuł się odprężony i wciąż się uśmiechał. – Ale nie w tym przypadku. Już nic z tego nie da się odtworzyć. Po prostu nic. A cóż wart jest pisarz, który nigdy nie pisze? Jak długo można robić wokół kogoś takiego szum? Ile coś takiego może być dla kogokolwiek warte? Ile ja jestem dla kogokolwiek wart bez tej powieści?

Kerry wbiła w niego wzrok. Nie rozpoznawała człowieka, który wyjechał zaledwie sześć miesięcy temu. Dawny Jay był niezdecydowany, chimeryczny, pozbawiony poczucia celu. Ten mężczyzna natomiast miał pasję, wiedział, czego chce. Oczy błyszczały mu w niezwykły sposób. I pomimo tego, co zrobił – a był to akt karygodny, bezsensowny, szalony – wyglądał na prawdziwie szczęśliwego.

– Ty naprawdę oszalałeś – rzuciła zduszonym

głosem. – Odrzucasz wielkie szanse na przyszłość – i to w imię czego? Dla jakiegoś pustego gestu? To nie w twoim stylu, Jay. Znam cię dobrze. Będziesz tego strasznie żałował. – Jay spojrzał na nią z cierpliwym uśmiechem. – Za nic w świecie nie wytrzymasz tu dłużej niż rok. – Teraz mimo nuty szyderstwa słychać było wyraźne drżenie jej głosu. – I co będziesz tu robić? Uprawiać ziemię? W zasadzie nie masz już pieniędzy. Wszystko roztrwoniłeś na ten dom. Co zrobisz, gdy nie zostanie ci już ani grosz?

– Nie wiem – rzucił pogodnym, obojętnym tonem. – A czy ciebie tak naprawdę to obchodzi?

– Ani trochę!

Wzruszył ramionami.

– Wiesz, lepiej powiadom swoich operatorów kamer, żeby spotkali się z tobą w jakimś innym miejscu – powiedział cicho. – Tutaj nie znajdziesz teraz żadnej ciekawej historii. Lepiej zajmij się Le Pinot – to zaraz po drugiej stronie rzeki. Jestem pewien, że tam znajdziesz wiele porywającego materiału.

Wpatrywała się w niego całkiem oniemiała. Przez moment wydawało jej się, że dochodzi ją dziwny, żywy aromat karmelu i jabłek, galaretki z jeżyn i dymu. Była to nostalgiczna woń i przez ułamek sekundy Kerry niemal potrafiła zrozumieć, czemu Jay tak bardzo pokochał to miejsce pełne maleńkich winnic, sadów owocowych i kóz wędrujących swobodnie po podmokłych łąkach. I przez tę ulotną chwilę znów była małą dziewczynką, siedziała w kuchni z babcią piekącą owocowe ciasto i słuchała, jak wiatr pędzący od wybrzeża śpiewa w telefonicznych drutach. Nagle dotarło do Kerry, że w pewnym sensie te aromaty są częścią Jaya, przylegają do niego niczym dym, a gdy na niego spojrzała, wydał jej się nagle dziwnie wyzłocony, jakby podświetlony od tyłu łagodnym, ciepłym światłem. Cienkie niteczki światła jakby się wysnuwały z kosmyków jego włosów, z jego ubrania. A zaraz potem aromaty zniknęły, światło zgasło i pozostała jedynie duchota niewietrzonego pokoju, przesycona oparem wczorajszego wina. Kerry wzruszyła ramionami.

– Twoja strata – oświadczyła ponuro. – Rób, co chcesz.

Kiwnął głową.

– A co z twoim programem?

– Równie dobrze mogę pojechać do Le Pinot – stwierdziła. – Georges Clairmont powiedział mi, że niedawno kręcili tam „Clochemerle". Może wyjść z tego całkiem interesująca historia.

Jay uśmiechnął się do niej ciepło.

– Powodzenia, Kerry.

Gdy sobie poszła, wykąpał się, włożył świeży T-shirt i dżinsy. Przez moment zastanawiał się, co teraz zrobić. Bo przecież nie istniało nic takiego jak pewniki. W życiu nigdy nie dostaje się gwarancji na szczęśliwe zakończenie. Dom był teraz zupełnie cichy. Wibrująca energia przenikająca mury – zniknęła. Nie pozostał też ślad fantasmagorycznego aromatu karmelu i dymu. nawet w piwnicy nie słychać już było żadnego odgłosu. Butelki wina – zupełnie innego wina: Sauternes, Saint-Émilion oraz młodego Anjou – trwały w bezruchu i milczeniu. Wyczekiwały.

64

Koło południa przyszła Popotte. Przyniosła dla Jaya paczkę i garść nowin z wioski. Ekipa telewizyjna nie pokazała się w ogóle, oznajmiła radosnym głosem. Ta pani z Anglii z nikim nie przeprowadziła wywiadu. Georges i Lucien wpadli w furię. *En tout cas*, wzruszyła ramionami, tak chyba jednak było najlepiej. I tak każdy świetnie wie, że ich plany zawsze spełzały na niczym. Georges zresztą już opowiada wszystkim o swoim nowym przedsięwzięciu – jakichś ambitnych planach budowlanych w Montauban, które tym razem mają podobno sto procent szans powodzenia. Lansquenet będzie więc mogło odetchnąć.

Paczka nosiła stempel poczty w Kirkby Monckton. Jay otworzył ją, gdy już został sam. Powoli, ostrożnie rozwijał arkusze sztywnego, brązowego papieru, cierpliwie rozplątywał sznurek. Paczka była duża i ciężka. Gdy już usunął zewnętrzne opakowanie, na podłogę upadła koperta. Jay natychmiast rozpoznał pismo Joego. W środku znalazł pojedynczy arkusz wyblakłego papieru listowego.

Pog Hill Lane, 15 września.

Drogi Jay,

Przepraszam za swój pośpiech, ale pożegnania nigdy nie szły mi najlepiej. Zamierzałem zostać nieco dłużej, ale wiesz, jak to czasami bywa w życiu. Ci pioruńscy doktorzy wszystko będą trzymać w tajemnicy aż do ostatniej minuty. Wydaje im się, że jak jesteś stary, to już nie wiesz, co się dzieje wokół.

Przesyłam ci swoją kolekcję – po mojemu teraz już będziesz dobrze wiedział, co należy z nią zrobić. Do czasu jak ta przesyłka dojdzie do ciebie, powinieneś już się czegoś nauczyć. Upewnij się, że dobrze przygotowałeś glebę.

Najserdeczniejsze pozdrowienia, Joseph Cox.

Jay zaczął czytać list od nowa. Dotykał każdego słowa starannie wypisanego czarnym atramentem, niewprawnym charakterem. Uniósł nawet arkusz do twarzy, by sprawdzić, czy nie zostało na nim coś z realnego Joego – może lekki zapach dymu czy nikła woń dojrzałych jeżyn. Ale nie. Nic nie poczuł. Jeżeli jeszcze istniała magia – znajdowała się gdzie indziej. Potem zajrzał do środka paczki. Wszystko tam było. Cała zawartość kredensu Joego – setki maleńkich kopert, gazetowych zawiniątek, cebulek, kulistych ziaren, bulw, delikatnie pierzastych nasionek równie zwiewnych, co delikatny puszek kurzu – a każde z nich starannie opisane i ponumerowane. *Tuberosa rubra maritima, tuberosa diabolica, tuberosa panax odarata* – tysiące odmian ziemniaków, dyń, papryk, marchwi, ponad trzysta rodzajów samej cebuli. Cała kolekcja Joego. I, oczywiście, „specjały". *Tuberosa rosifea*, w swojej całej krasie – najprawdziwsza „tubera", odkryty na nowo relikt dawnego świata.

Jay wpatrywał się w to wszystko przez długi czas. Potem przejrzy każdą paczuszkę dokładnie, umieści w odpowiedniej szufladce w swoim kredensie na przyprawy. Zajmie się sortowaniem, numerowaniem, katalogowaniem – aż każda drobinka znajdzie się na odpowiednim miejscu. Ale przedtem musi zrobić coś całkiem innego. Musi się z kimś zobaczyć. I coś znaleźć. Coś, co na pewno trzymał w piwnicy.

Tym razem wybór mógł być tylko jeden. Jay starł ściereczką swojski kurz ze szkła, modląc się w duchu, by czas nie skwasił zawartości. Butelka na absolutnie wyjątkową okazję, pomyślał, ostatnia z jego własnych, prywatnych „Specjałów” – 1962, bardzo dobry rocznik; pierwszy rok wielu pięknych – jak miał nadzieję – następnych lat. Zapakował butelkę w bibułkę i włożył do kieszeni kurtki. Dar pokoju.

Gdy się zjawił, siedziała w kuchni i obierała groszek. Miała na sobie białą koszulę i dżinsy, a promienie słońca wydobywały czerwone błyski z jej kasztanowych włosów. Zza domu dobiegał głos Rosy nawołującej Clopette.

– Przyniosłem to dla ciebie – oznajmił. – Trzymałem to wino na zupełnie wyjątkową okazję. Pomyślałem, że moglibyśmy wypić je razem.

Przez dłuższy czas patrzyła mu prosto w oczy z nieodgadnionym wyrazem twarzy. Jej spojrzenie było chłodne, szarozielone, taksujące. W końcu wzięła z jego wyciągniętej ręki butelkę i spojrzała na nalepkę.

– Fleurie 1962 – przeczytała i uśmiechnęła się. – Moje ulubione.

I tutaj właśnie kończy się moja historia. W kuchni niewielkiego domu, obok winnicy w maleńkiej wiosce Lansquenet. Tutaj Jay rozlewa mnie do kieliszków, uwalniając aromaty dawno minionych letnich miesięcy i obrazy miejsc dawno nieistniejących. Wznosi w duchu toast za Joego i za Pog Hill Lane; jest to zarówno wyraz hołdu, jak i pożegnanie. Mówcie sobie co chcecie, ale i tak nic nigdy nie przebije bukietu doskonałego winnego grona. Czy z posmakiem czarnej porzeczki, czy też bez, roztaczam swoją własną magię, wypuszczoną spod korka po trzydziestu siedmiu latach oczekiwania. Mam nadzieję, że to docenią oboje, siedzący teraz ze splecionymi rękami, przywierający ustami do swych ust. Od tej chwili oni będą musieli przejąć tę narrację. Moja rola dobiegła końca. Chcę myśleć, że ich losy potoczą się szczęśliwie. Ale, oczywiście, nie mogę tego wiedzieć na pewno. Kiedy tak radośnie napełniam swoimi esencjami powietrze, czuję, że zaczynam dotykać własnej tajemnicy bytu – ale nie widzę żadnych duchów, nie potrafię przewidzieć przyszłości, nawet błoga teraźniejszość jawi mi się jedynie niewyraźnie – poprzez szkło – mgliście i mrocznie.

Postscriptum

Z lokalnego, bezpłatnego informatora z Lansquenet:

Nekrologi

Mireille Annabelle Faizande, zmarła nagle po krótkiej chorobie. Pozostawiła bratanka, Pierre-Emile'a, synową, Marise, oraz wnuczkę, Rosę.

Sprzedaż nieruchomości

Cztery hektary uprawnej ziemi i nieużytków pomiędzy Rue des Marauds, Boulevard St-Espoire a rzeką Tannes, łącznie z domem mieszkalnym i zabudowaniami gospodarskimi, Pierre-Emile Foudouin, zamieszkały przy Rue Genevièvre w Tuluzie, odsprzedał madame Marise d'Api.

Z gazety „Courrier d'Agen":

Lokalny właściciel ziemski został oficjalnie uznany za pierwszą osobę, której od XVII wieku udało się wyhodować ziemniaka rodzaju tuberosa rosifea. *Ten stary gatunek – sprowadzony, jak się przypuszcza, z Ameryki Południowej w 1643 roku – odznacza się dużą, różową bulwą o słodkawym aromacie i zdaje się doskonale rozwijać na naszych bagnistych, bogatych w wapń glebach. Monsieur Jay Mackintosh, były pisarz, który osiemnaście miesięcy temu wyemigrował z Anglii, planuje rekultywować ten i inne stare, zapomniane gatunki warzyw na swojej farmie w Lansquenet-sous-Tannes.*

„Zamierzam zająć się reintrodukcją wielu zapomnianych gatunków warzyw, tak by stały się powszechnie dostępne", oznajmił monsieur Mackintosh naszemu reporterowi. „Tylko dzięki niezwykłemu zrządzeniu losu niektóre z tych odmian nie zostały stracone dla nas na zawsze". Pytany o źródło pochodzenia nasion tych niezwykłych roślin, monsieur Mackintosh uchyla się od jednoznacznej odpowiedzi. „Jestem kolekcjonerem", odpowiada skromnie. „Udało mi się zgromadzić duży zbiór nasion w czasie moich rozlicznych podróży po świecie".

Oczywiście nasuwa się pytanie, czemu te nasiona mają być dla nas tak bardzo istotne. Czy to doprawdy ważne, jaką odmianę ziemniaków wykorzystujemy na nasze pommes frites?

„Ależ, tak", z całą mocą twierdzi nasz kolekcjoner i ogrodnik. „To bardzo ważne. Zbyt wiele tysięcy gatunków roślin i zwierząt zniknęło z powierzchni ziemi z powodu nowoczesnych metod gospodarowania i wytycznych płynących z Brukseli. Trzeba koniecznie zadbać o uprawy odmian tradycyjnych dla danych regionów. Rośliny mają wiele rozmaitych właściwości, które wciąż pozostają dla nas nie w pełni znane. Kto wie, może za kilka lat naukowcy stwierdzą, że dzięki jednemu z cudownie odzyskanych gatunków, będziemy w stanie ratować ludzkie życie".

Niekonwencjonalne uprawy monsieur Mackintosha rozprzestrzeniły się już poza teren jego niewielkiej posiadłości. Niektórzy lokalni farmerzy też postanowili przeznaczyć część swego areału na uprawę tych starych, zapomnianych odmian. Na przetestowanie nowych nasion zdecydowali się: madame Marise d'Api, monsieur André Narcisse oraz monsieur Philippe Briançon. Biorąc pod uwagę, że w detalu tuberosa rosifea *osiąga cenę ponad stu franków za kilogram, przyszłość znów jawi się w różowych barwach dla gospodarzy z Lansquenet-sous-Tannes.*

Natomiast sam monsieur Mackintosh, lat 37, zamieszkały w Château Cox w Lansquenet, reaguje z nadzwyczajną skromnością na swój niebywały sukces. Zapytany, czemu należy przypisać jego tak niezwykłe osiągnięcie, odpowiada: „Odrobinie szczęścia". Potem uśmiecha się figlarnie i dodaje: „I, oczywiście, czemuś, co można określić magią".